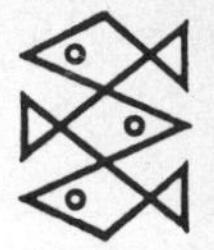

Über dieses Buch In diesem Band wird erstmals der Versuch unternommen, die Entstehung des ökologischen Bewußtseins in Deutschland bis zum Ende des 18. Jahrhunderts zurückzuverfolgen. Zur Dokumentation dieses Vorgangs werden neben literarischen Texten auch philosophische, naturwissenschaftliche, politische und publizistische Äußerungen herangezogen.

Aus diesen Dokumenten geht eindeutig hervor, wie früh manche Jakobiner, Romantiker, Monisten, Heimatschützer, Sozialdemokraten und Lebensreformer den dialektischen Prozeß von Wohlstandsvermehrung und Naturausbeutung durchschauten und mit welchen Vorschlägen sie ihm entgegenzutreten versuchten.

Auf der Basis der hierbei gewonnenen Einsichten soll dieses Buch all jenen den nötigen Respekt erweisen, die – von den deutschen Rousseauisten bis zu den heutigen Grünen und anderen ökologiebewußten Aktivisten – in der rapide um sich greifenden Verstädterung und Industrialisierung nicht nur einen blendenden Fortschritt von Armut zu Wohlstand gesehen haben, sondern zugleich erkannten, welche Gefahr diese Entwicklung für den Fortbestand der Natur – und damit für das Überleben des Menschen in sich einschloß.

Der Autor Jost Hermand, geboren 1930 in Kassel, studierte Germanistik, Philosophie, Geschichte und Kunstgeschichte in Marburg, promovierte 1955 zum Dr. phil. mit einer Arbeit über die literarische Formenwelt des Biedermeier und ist seit 1958 Professor of German an der University of Wisconsin in Madison/USA. Er hatte Lehraufträge an der Harvard-Universität, in Austin/Texas, Berlin, Bremen, Gießen, Marburg, Kassel, Essen und Freiburg und hat für seine umfangreichen wissenschaftlichen Arbeiten und Publikationen mehrere Preise erhalten.

Veröffentlichungen aus dem Umkreis dieses Buches: Deutsche Kunst und Kultur von der Gründerzeit bis zum Expressionismus, 5 Bde. (mit Richard Hamann, 1959–1975); Pop International. Eine kritische Analyse (1971); Der Schein des schönen Lebens. Studien zur Jahrhundertwende (1972); Die Kultur der Weimarer Republik (mit Frank Trommler, 1978); Natur und Natürlichkeit. Stationen des Grünen in der deutschen Literatur (hrsg. mit Reinhold Grimm, 1981); Orte. Irgendwo. Formen utopischen Denkens (1981); Kultur im Wiederaufbau. 1945–1965 (1986); Der alte Traum vom neuen Reich. Völkische Utopien und Nationalsozialismus (1988); Die Kultur der Bundesrepublik Deutschland. 1965–1985 (1988); From the Greeks to the Greens. Images of the Simple Life (hrsg. mit Reinhold Grimm, 1989); Öko-Kunst? Zur Ästhetik der Grünen (hrsg. mit Hubert Müller, 1989).

Jost Hermand

Grüne Utopien in Deutschland

Zur Geschichte des ökologischen Bewußtseins

Fischer
Taschenbuch
Verlag

Lektorat: Walter H. Pehle

Originalausgabe
Veröffentlicht im Fischer Taschenbuch Verlag GmbH,
Frankfurt am Main, September 1991

Umschlaggestaltung: Buchholz/Hinsch/Hensinger
Umschlagabbildung: Henri Rousseau ›Urwaldlandschaft mit untergehender Sonne‹
(Ausschnitt)
Gesamtherstellung: Clausen & Bosse, Leck
Printed in Germany
ISBN 3-596-10395-9

Inhalt

Problemaufriß

Zur Dialektik von Wohlstand und Naturausbeutung

Bevor die Verstädterung und Industrialisierung begann, setzte sich die Bevölkerung Deutschlands im 18. und frühen 19. Jahrhundert – neben einer kleinen Schicht von Fürsten, Adligen und Großbürgern – vorwiegend aus schlechtverdienenden Kleinbürgern, armen Bauern und am Rande des Existenzminimums lebenden Dienstboten, Handlangern und Leibeigenen zusammen. Während sich die Oberschicht eines relativ hohen Lebensstandards erfreute und diesen ostentativ zur Schau stellte, litten die Unterklassen – aufgrund der mangelhaft entwickelten Produktionsverhältnisse – häufig an Arbeitslosigkeit und Hungersnot. Von ihren Kindern starben über die Hälfte, und die anderen erwartete meist ein Leben in Abhängigkeit, Armut und mangelhafter Ernährung. Die durchschnittliche Lebenserwartung betrug nicht mehr als fünfunddreißig Jahre. Zudem lebten diese Menschen in kümmerlichen Wohnverhältnissen, schufteten Tag und Nacht, konnten sich kaum Ferien oder Unterhaltung leisten – und waren froh, wenn sie und ihre Familien ein eher schlechtes als rechtes Auskommen fanden.

Trotz oder wegen dieser Misere hatten die bäuerlichen Schichten in dieser Zeit zur Natur ein relativ unentfremdetes Verhältnis. Sie lebten in einer feudalistisch-agrarischen Gesellschaft, in der sie von der Fruchtbarkeit ihrer Umwelt noch unmittelbar abhängig waren, und nutzten die Natur im Rahmen der herkömmlichen Allmende- und Dreifelderwirtschaft keineswegs so rücksichtslos aus, wie das später die ihrer bäuerlichen Herkunft weitgehend entfremdete, selbstherrliche Bourgeoisie tat. Teile der deutschen Landschaft blieben deshalb, wenn man von den Waldrodungen absieht, bis weit in das 19. Jahrhundert hinein relativ unversehrt. Wegen der dünnen Besiedlung gab es allerorten noch »Wildnis«, das heißt ausgedehnte Wälder, vielarmige Flüsse, wohlerhaltene Bergpartien, unberührte Strände, nur selten betretene Heide- und Moorlandschaften sowie eine Fülle an wilden Tieren und Pflanzen. Dies änderte sich erst, als im Zuge der Aufklärung Stimmen für eine allgemeine Liberalisierung, also freiheitliche Selbstentfaltung, persönliche Bereicherung und soziale Mobilität, laut wurden, die in einem öffentlichen Räsonieren über einen möglichen Fortschritt kulminierten. Erst im Verlauf dieser Entwicklung drängten die sich aus den feudalistischen Verhältnissen emanzipierenden bürgerlichen Schichten darauf, die gesamte Natur mit all ihren Wäldern, Gesteinen, Erzen und anderen Bodenschätzen in den Dienst des eigenen Aufstiegs zu stellen, was zu einer ungeahnten Ausweitung der materiellen Produktion und damit zum steigenden Wohlstand des Dritten Standes führte.

Wie zu erwarten, versuchten die Fürsten und Adligen diese Produktionsentfaltung auch für ihre eigenen Zwecke zu nutzen. Doch dies gelang ihnen nur zum Teil. Nicht die herrschenden Dynastien siegten in dem Kampf zwischen feudalistischen und industriellen Produktionsweisen, sondern die bürgerlichen Schichten. Damit wurden materielle Bedürfnisse geweckt, die weit über die bloße Bedarfserfüllung hinausgingen – eine Tendenz, die in modifizierter Form bis heute anhält. Das Bürgertum befreite sich, indem es zuerst »Freiheit, Gleichheit, Brüderlichkeit« beschwor, dann jedoch, als während der Französischen Revolution auch die unter ihr stehenden Gesellschaftsschichten mit dem Ideal der Gleichheit ernst zu machen versuchten, nur noch die Freiheit gelten ließ – und selbst die nur im Sinne ihrer eigenen Vorstellungen. Das Ergebnis dieser Entwicklung ist bekannt. Seit den Freihandelsparolen eines Adam Smith und dem Sieg der Gironde über die Jakobiner im Jahr 1794 setzte im Zuge der gescheiterten Französischen Revolution in fast allen westeuropäischen Ländern eine Befreiung in den Kapitalismus ein, die zwar dem Bürgertum sowie im Laufe des 19. und 20. Jahrhunderts auch vielen Angestellten und Arbeitern zuerst zu einem redlichen Auskommen und dann zu einem beachtlichen materiellen Wohlstand, zu häuslichem Komfort und sozialer Mobilität verhalf, aber zugleich eine Produktions-, Erwerbs- und Konsumgesellschaft schuf, der eine rücksichtslose Ausplünderungsmentalität zugrunde lag. Während in dieser Gesellschaft das Bewußtsein der individuellen Freiheit mehr und mehr zu sich selber kam, mußten in ihr alle anderen positiv gesetzten Werte religiöser, sozialer oder ethischer Art, die auf dem Anspruch der Solidarität mit allen anderen Lebewesen beruhten und die subjektive Freiheit einschränken sollten, notwendig verblassen. Mit dieser Gesellschaftsform brach zwar die Weltherrschaft der unbegrenzten Liberalität an, aber zugleich auch die »Weltherrschaft der Unbrüderlichkeit«, wie Max Weber die Durchsetzung des Systems der freien Marktwirtschaft bezeichnet hat.[1]

Zugegeben, die Zeiten der aristokratischen Bevormundungen, der unmenschlichen Leibeigenschaft, der Wohnungs- und Hungersnöte hörten allmählich auf. Aber dafür begann eine Ära, in der – zur Vermeidung von Krisenzyklen oder Rückfällen in den Feudalismus – die pausenlose Steigerung und Beschleunigung der wirtschaftlichen Expansion zum höchsten Fetisch wurde. Das Ergebnis dieser Entwicklung war ein Ausbeutungs-, ja Ausschlachtungsprozeß, der seit dem späten 19. Jahrhundert durch die Reklamefeldzüge der großen Industriekonzerne ständig neu angekurbelt wurde, um so eine möglichst konsumintensive Bedürfnis- und Profitsteigerung in Gang zu setzen. Und so erfreuten sich immer breitere Bevölkerungsschichten eines beachtlichen Lebensstandards, der ihnen nicht nur ein bisher ungeahntes Konsumieren, sondern – im Zuge einer erweiterten Freizeit – zugleich die Freuden des Tourismus, die Vorzüge moderner Verkehrsmittel, den Besuch kultureller Veranstaltungen, Sport- und Vergnügungsstätten ermöglichte, aber auf alles andere, was außerhalb der Sphäre der umworbenen Konsumenten lag, immer weniger Rücksicht nahm. Für den umsatzsteigernden Wohlstand der Käuferschichten tat deshalb die Industrie seit dem späten 19. Jahrhundert alles, während sie vor der Natur, welche die entscheidende Grundlage dieses Wohlstands bildete, jeden Respekt verlor.

Das unvermeidliche Ergebnis dieser Entwicklung, wie wir es heute vor Augen haben, ist jene zerschnittene, zersiedelte, verdrahtete, von Straßen durchzogene, mit Schildern verstellte, verlärmte, verhäßlichte, kurz: vergewaltigte Natur, die jeden Eigenwert eingebüßt hat und lediglich im Dienste der hektisch angekurbelten materiellen Produktion steht. Dafür sind nicht nur die Konzerne, sondern alle in diesem System lebende Menschen verantwortlich. Fast niemand in der Bundesrepublik oder anderen Ländern der Ersten Welt wehrt sich gegen die gesteigerte maschinelle Produktion und damit den größeren Konsum, wohl wissend, daß in hochindustrialisierten Gesellschaften ein wirtschaftlicher Stillstand notwendig zu gravierenden Krisen führt. Auf diese Weise hat sich ein verhängnisvoller Kreislauf von Bedürfniserweckung und Überproduktion entwickelt, dessen mörderische Konsequenzen nicht mehr zu übersehen sind. Schließlich wollen immer mehr Menschen immer mehr verbrauchen, obwohl viele der natürlichen Rohstoffe allmählich zur Neige gehen. Dies geschieht mit einer Rasanz, der das Prinzip des möglichst schnellen Umsatzes zugrunde liegt. Allerorten wird die Wegwerfproduktion favorisiert, während Gediegenes und Haltbares als anachronistisch gelten. Mit anderen Worten: Seit der Bürger als Produzent und Verbraucher die politische und ökonomische Macht hat, ist das Verhältnis des Menschen zu seiner »Umwelt«, wie es in anthropozentrischer Sicht heißt, wesentlich rücksichtsloser geworden. Selbst da, wo es heute noch grüne Landschaftsreste gibt, werden sie von weiteren Straßen zerschnitten, dem Bau neuer Industrieanlagen geopfert oder von Touristenscharen überschwemmt, die nach neuen Hotels, Sesselbahnen und Skilifts Ausschau halten, überall ihren Abfall hinterlassen und dann über die verdreckten Strände und häßlichen Bergtäler schimpfen.

Demzufolge sind aus ehemaligen Naturgebieten weitgehend Urlaubsziele, Nutzflächen, Anlageobjekte, Rohstoffquellen oder Müllhalden geworden. Und das hatte Konsequenzen auf allen Gebieten – selbst im Hinblick auf die drei Grundvoraussetzungen allen natürlichen Lebens: Luft, Wasser und Boden. Die Luft wird nicht nur immer stärker mit Abgasen und Rußpartikelchen verschmutzt, so daß in Großstädten bei »ungünstiger Wetterlage« von Zeit zu Zeit Smogalarm gegeben werden muß, sondern auch das Ozonloch wird immer größer. Ähnliches gilt für das Wasser: Es wird durch den stärkeren Gebrauch nicht nur weniger, sondern zugleich schmutziger. Weil man die Feuchtgebiete trockengelegt und die Flüsse begradigt hat, fließt es immer schneller ab, was zu einer bedrohlichen Senkung des Grundwasserspiegels führt. Obendrein dringen zahlreiche Pestizide, Unkrautvernichtungsmittel und Müllderivate ins Grundwasser ein, ganz zu schweigen von den phosphathaltigen Waschmitteln und anderen chemischen Giftstoffen, die die Flüsse ersticken. Noch schlimmer ergeht es den Meeren, die zu Kloaken geworden sind. Dafür sorgen nicht nur Tankerunfälle mit ihren verheerenden Ölteppichen, welche die Strände verdrecken, sondern auch die ruinösen Säure- und Altölverklappungen auf hoher See. So werden pro Jahr fast zwei Millionen Tonnen sogenannter Dünnsäure in die Nordsee gekippt. Hinzu kommen 72 Millionen Tonnen Baggergut, vier Millionen Tonnen Faulschlamm, drei Millionen Tonnen Schwefeloxid und 30 Tonnen hochgiftiges Quecksilber. Ebenso fahrlässig verfährt man mit dem Boden. Er wird zersiedelt, abgetragen, chemisch überdüngt, mit Müllhalden überzogen, mit Giftdeponien durchsetzt, seiner letzten Moore beraubt, durch großflächige Monokulturen verödet, Erosionen ausgesetzt, mit Insekten- und Unkrautvernichtungsmitteln beackert – und verliert somit immer deutlicher den Charakter des »Natürlichen«.

Außerdem reduziert der Mensch fast alle Tiere und Pflanzen. Viele Wildtiere, obwohl bereits vom Aussterben bedroht, werden nicht nur weiterhin zu Hunderttausenden unbarmherzig abgeschossen, in Fallen gefangen oder von Autos überfahren, sondern auch durch die Umwandlung der Natur in chemisch verseuchte Nutzflächen, das Anlegen von Truppenübungsplätzen, die Trockenlegung der Sümpfe und die touristische Indienstnahme der Berge, Wälder und Meeresstrände ihrer natürlichen Lebensbedingungen beraubt. Obendrein töten die Pestizide Tausende von Vögeln, wodurch selbst der Hausspatz mancherorts bereits auf der »Roten Liste« steht und sich lediglich robuste Allesfresser wie Tauben, Krähen und Möwen weiter vermehren. Das gleiche gilt für viele Meerestiere. Sie werden durch Überfischung ausgerottet, wenn sie nicht bereits durch die Wasserverseuchung zugrunde gegangen sind. Von den gezüchteten Tieren landen vor allem Mäuse, Hamster, Meerschweinchen und Affen meist in Laboratorien, wo sie millionenweise in langwierigen Versuchsserien gemartert, seziert oder zu Arzneimitteln und Kosmetika »verarbeitet« werden. Ein ebenso rücksichtsloser Tiervernichter ist die Modeindustrie, die nicht von der Pelz-, Leder- oder Federverarbeitung lassen kann. Und selbst manche der zum Teil sentimental verhätschelten Haustiere haben es kaum besser. So wird die Zahl der Hunde und Katzen, die vor den Ferien ausgesetzt werden und dann, wenn sie nicht verhungern oder vor ein Auto laufen, der Todesspritze zum Opfer fallen, von Jahr zu Jahr immer größer. Nicht minder traurig ist das Los vieler Wildpflanzen. Sie werden entweder abgepflückt, niedergetrampelt, umgepflügt oder als Unkraut betrachtet und chemisch vernichtet. Die meisten Städter kennen nur noch – wenn überhaupt – eine Handvoll solcher Pflanzen mit Namen. Und um die Wälder steht es ebenso schlecht. Sie werden durch Luftschadstoffe wie Schwefeldioxid und Stickoxid immer anfälliger gegen Krankheiten, verlieren ihre Nadeln oder bekommen braune Blattspitzen, bevor sie ganz absterben. Noch ärger ergeht es den ehemals weitverbreiteten Hecken, die der Zersiedlung, dem Straßenbau oder sogenannten Flurbereinigungen zum Opfer fallen.

Kurzum: immer weitere Bereiche der Natur werden verschmutzt, verseucht oder »verwirtschaftet«. Einerseits betrachtet man sie als Rohstofflager, andererseits wurden sie zu Schutthalden einer industriellen Wohlstandsgesellschaft, in der nur noch der Konsument und nicht mehr seine »Umwelt« als Wert angesehen werden. Und dieser Konsument wütet als Vollstrecker eines Systems des ökonomischen Wachstums, in dem es keinen Respekt, keine Solidarität, keine Brüderlichkeit im Verhältnis zur Natur gibt, ja trotz der Prognosen ernstzunehmender Wissenschaftler, daß der Prozeß der Naturzerstörung bereits in 35 Jahren »irreversible« Züge annehmen werde, weiterhin gegen die Natur und damit gegen sich selbst. Und das, obwohl bereits die ersten Immunschwächen in Form von Allergien und Pilzbefall auftreten, obwohl durch den übermäßigen Verbrauch tierischer Fette der durchschnittliche Cholesterinspiegel steigt, obwohl die Zahl der Krebskranken und -krankheiten zunimmt usw. Dessenungeachtet entwickelt die überwältigende Mehrheit der heutigen Konsumenten ständig neue Bedürfnisse und verbraucht immer mehr Energie, ja nimmt sogar einen weiteren Ausbau der höchst gefährlichen Atomkraftwerke in Kauf, so sehr ist sie bereits in jenen egoistischen, hektischen, tödlichen Kreislauf eingespannt, den sie um des gesteigerten Wohlstands willen für den zentralen Fortschritt in der Geschichte der Menschheit hält.

Rechtfertigungsstrategien des industriellen Fortschritts

Zum Glück sehen nicht alle Menschen der Gefahr, die sich aus der Dialektik von Wohlstandserweiterung und Naturzerstörung ergibt, blind und ohne Perspektiven entgegen. Es gibt auch Kritiker dieser Entwicklung, zum Teil sehr radikale, denen jedoch eine Phalanx von Theoretikern gegenübersteht, welche diese Gefahr zwar ebenfalls sieht, aber sich bemüht, sie mit beschwichtigenden Reformkonzepten oder Rechtfertigungsstrategien zu unterlaufen.

Die Verteidiger des industriellen Fortschritts und der damit verbundenen Wachstumsideologie bedienen sich meist folgender Taktiken: entweder loben sie den persönlichen Selbstentfaltungsdrang, den sie im Sinne der konsumanheizenden Massenmedien – unter scharfer Verurteilung alles Planerischen und damit »Totalitären« – als wahrhaft »demokratisch« hinzustellen versuchen, oder sie legitimieren das gegenwärtige Wohlstandsniveau mit dem Hinweis auf mögliche Fortschritte mit der Entwicklung wesentlich besserer, umweltschonenderer Technologien, während sie jede Wachstumsbegrenzung als einen gefährlichen Rückfall in die Naturvergottung à la Rousseau oder gar in die Steinzeit diffamieren.

Die Exponenten der Verteidigung des subjektiven Faktors innerhalb dieser Legitimationsstrategien, welche die ständige Akzelerierung der wirtschaftlichen Expansionsrate gutheißen, gehen meist vom unabdingbaren Recht der persönlichen Entscheidungs- und Ellbogenfreiheit aus. Sie verteidigen alles, was in den Bereich der individuellen Selbstverwirklichung gehört, als Manifestation eines endlich erreichten liberalen Selbstbewußtseins und lehnen auf der anderen Seite alles, was ins Solidarische, Gesamtgesellschaftliche oder naturhaft Ganzheitliche weist, als »einengend«, wenn nicht im schlechten Sinne sozialistisch ab. Dementsprechend stellte Ludwig Trepl 1987 in seiner *Geschichte der Ökologie* – im völligen Einklang mit einem als liberal ausgegebenen Realismus – die heutigen Umweltschützer als »Utopisten und Weltverbesserer« hin, ja kanzelte sie ohne Skrupel als »Linke« ab.[2] Das gleiche tat Armin Mohler, der stolz darauf war, angesichts solcher Gruppen als »rechts« zu gelten.[3] Im Gegensatz zu Theoretikern, die im Hinblick auf die herrschende Misere ein neues soziales Verantwortungsbewußtsein oder einen neuen Gemeinsinn fordern, lassen also die Rechtfertigungsstrategen des industriellen Fortschritts weiterhin nur ein Selbstwertgefühl zu, das auf dem Weg der uneingeschränkten Freiheit zu erreichen ist.

Sie knüpfen dabei gern an die Parolen der Französischen Revolution an, vertreten jedoch in Wahrheit lediglich ein auf den eigenen Wohlstand bezogenes Freiheitskonzept, während sie den beiden anderen Postulaten dieser Revolution, der Gleichheit und Brüderlichkeit, nicht die geringste Beachtung schenken.[4] Unter charakteristischer Hintansetzung spezifisch überpersönlicher Wertvorstellungen steht bei ihnen meist ein wohlstandsorientiertes Eigeninteresse im Vordergrund, in dem sich – trotz mancher schöner Worte – lediglich die bedenkenlose Verbrauchermentalität des herrschenden Systems spiegelt. Was in der Aufklärung des 18. Jahrhunderts noch einen weitgehend positiven Charakter hatte, wird von vielen gegenwärtigen Wohlstandspropagandisten soweit ins Privategoistische reduziert, daß nur noch der individuelle Bereicherungs- und Selbstverwirklichungsdrang übrigbleibt. Und ein solcher Drang kann in allen Mäßigungspostulaten, in denen eine Brüderlichkeit mit der arg strapazierten, wenn nicht zu Tode bedrohten Natur zum Ausdruck kommt, nur Relikte einer längst vergangenen Bedarfsdeckungsgesellschaft erblicken.

Neben der positiven Variante dieser zur Legitimation des industriellen Fortschritts herangezogenen Individuationskonzepte gibt es freilich auch eine eher fatalistische. Die Theoretiker dieser Richtung stellen den Menschen gern als prinzipiell egoistisch hin, von Natur aus unfähig, sich zu wandeln oder einzuordnen, und statt dessen immer nur auf seinen eigenen Vorteil bedacht. In ihren Schriften blättert also die idealistisch-überhöhte, liberale Fassade des herrschenden Freiheitskults deutlich ab. Neben individualpsychologischen Kriterien werden in diesem Umkreis gern die Ergebnisse der biologischen Verhaltensforschung aufgegriffen, um zu beweisen, daß am Menschen als Gattungswesen die Weltgeschichte relativ spurlos vorübergegangen sei. Hier gilt der Mensch als jenes Geschöpf, dem es vornehmlich um

Status, Macht, Besitz, Prestige und vor allem Lustgewinn geht und an das man keine allzu großen Ansprüche stellen darf. Was im Zuge solcher Überlegungen bei den philosophisch anspruchsvolleren Vertretern derartiger Konzepte meist mit existentialistischen Vokabeln verbrämt wird, tendiert dagegen auf vulgärer Ebene – bei gleicher Grundgesinnung – meist zu einer Form des Egoismus, der sich weitgehend an Parolen wie »Hauptsache ich!«, »Nach mir die Sintflut!« oder »Keine Panik auf der Titanic, / Alles im Griff auf dem sinkenden Schiff!« orientiert.

Die zweite Rechtfertigungsstrategie geht vornehmlich von der systemimmanenten Anpreisung aller Errungenschaften des technischen Fortschritts aus. Im Hinblick auf die heutige Situation setzen die Strategen dieser Richtung – angesichts der auch von ihnen wahrgenommenen Schäden und Gefahren, die der Natur drohen – ihre Hoffnung nach wie vor auf die Entwicklung neuer Technologien, neuer Kunststoffe, neuer chemischer Verfahren, neuer Energiequellen, mit denen sich nach ihrer Auffassung eine »umweltschonende« Umstrukturierung der Industrie bewerkstelligen lasse. Ja, manche schrecken in ihrem futurologischen Optimismus nicht davor zurück, ins Weltall auszugreifen und Pläne zu entwickeln, wie man den anfallenden Atommüll – in Science-Fiction-Manier – auf dem Mond deponieren könne und ähnliches mehr. Hinter solchen Anschauungen steht jedoch nicht nur ein bedenkenloses Vertrauen in die Unbegrenztheit technischer Möglichkeiten, sondern auch die egoistische Befürchtung, die Bundesrepublik könne durch zuviel Rücksichtnahme auf die Natur ihre Spitzenstellung innerhalb der führenden Industrienationen einbüßen, wie man dem Buch *Wende in die Zukunft* (1985) von Lothar Späth entnehmen kann. Nicht nur Politiker und Industriemanager, auch von der Notwendigkeit des technischen Fortschritts überzeugte Wissenschaftler vertreten solche Positionen. »Es gibt Wichtigeres als den Wald«, schrieb Stefan Welzk 1983 bewußt provozierend, »wir können nicht alle erdenkbaren Schutzmaßnahmen, Rücksichtnahmen auf alles und jeden, zugleich finanzieren«, ohne damit den »Industrie-Standort Bundesrepublik« zu »gefährden«.[5] Rolf Peter Sieferle führte das 1989 in seinem Buch *Fortschrittsfeinde? Opposition gegen Technik und Industrie von der Romantik bis zur Gegenwart* noch unverhüllter aus, als gelte es, den steigenden Energieverbrauch und die daran verdienenden Firmen zu verteidigen: »Viele Vögel haben längst gelernt, Fernsehantennen als Ersatz für Äste zu nehmen. Warum sollte es da den Menschen nicht gelingen, etwa die Hochspannungsmasten, mit deren Hilfe der Strom von den Kernkraftwerken zu den Verbrauchern transportiert wird, ebenso als ›Wälder‹ zu erleben wie einst die jetzt absterbenden Bäume?« Als zukunftsweisend stellte Sieferle darum nicht das »Altmühltal« oder irgendwelche »Fachwerkhäuser«, sondern die »Autobahnen, Cash-and-Carry-Märkte und Videoclips« hin.[6] Wenn sich die Vertreter dieser Richtung überhaupt mit Umweltschäden beschäftigen, machen sie dafür gern die allbekannten »Sachzwänge«, also Phänomene wie rapide Innovation, Rationalisierung, Automation, Vollbeschäftigung, Konkurrenzfähigkeit usw. verantwortlich, statt sich auch mit dem mörderischen Zwang zur Beschleunigung der ökonomischen Expansionsrate innerhalb des herrschenden Wirtschaftssystems auseinanderzusetzen.[7]

Was alle diese Rechtfertigungsstrategien verbindet, ist die durchgehende Tendenz, Solidarität, Bescheidenheit oder gar Technikkritik von vornherein abzulehnen, das heißt jeden Gegenentwurf zur herrschenden Wirtschaftsform als romantisch, rousseauistisch, regressiv, grün oder utopisch bloßzustellen und damit alle alternativen Denkformen der Lächerlichkeit auszuliefern. Allerdings klingen dabei die Argumente der gegenwärtigen Freiheits-, Wohlstands- und Technikpropagandisten bei weitem nicht mehr so hoffnungsträchtig wie noch in der »Wirtschaftswunder«-Ära der fünfziger und sechziger Jahre. Viele dieser Äußerungen wirken bereits deutlich zweckoptimistisch, anderen liegt ein nur mühsam kaschierter Nihilismus zugrunde, der innerhalb des häufig beschworenen Sinnverlustes wenigstens das eigene Ich und seine Ansprüche zu verteidigen sucht. Es erstaunt daher nicht, daß die Vertreter dieser Denkform – ob nun in ihrer futurologischen, zweckoptimistischen oder nihilistischen Spielart – vor den drohenden ökologischen Gefahren meist die Augen schließen und jedem, der sie daran erinnert, sofort mit Ironisierung oder Aggression entgegentreten.

Besonders verärgert sind diese Rechtfertigungsstrategen über Naturschützer, die es sich – trotz aller Legitimationsversuche eines sowohl ideologisch als auch technologisch fundierten Fortschritts – nicht nehmen lassen, auf eine einschneidende Änderung der wirtschaftlichen Entwicklung zu dringen, um damit dem ökologischen Selbstmordkurs endlich Einhalt zu gebieten. Im Hinblick auf solche Gruppen ziehen sie deshalb alle nur verfügbaren Register. Einerseits gehen sie dabei – in Managermagazinen wie *Capital* – höchst direkt vor[8], indem sie die gegenwärtigen Grünen als »ökologische Wanderprediger« oder Exponenten eines modischen »Zeitgeistes« karikieren, die auch mal »in« sein wollen. Andererseits werfen sie ihnen – angesichts des »Ernsts der Lage« – naiven Optimismus vor, der sich nicht mit der

Härte historisch unvermeidlicher Prozesse abzufinden weiß. »Auch Völker können sterben, ganze Zivilisationen«, schrieb der bereits erwähnte Armin Mohler schon 1978 in seinem Buch *Tendenzwende für Fortgeschrittene*, »das gilt es dann mit Haltung zu tun. Nicht als ökologische Tränensuse.«[9]

Während sich Mohler hierbei ideologisch auf Oswald Spenglers *Untergang des Abendlandes* stützte, bedienen sich andere Verteidiger des Status quo in den letzten Jahren eher poststrukturalistischer Katastrophenkonzepte und behaupten im Sinne der sogenannten Franzosentheorie, daß der allgemeine Untergang bereits stattgefunden habe und wir nur noch so täten, als ob es in dem bereits angebrochenen Zeitalter der »Posthistoire« überhaupt noch Lebensmöglichkeiten gebe. Doch gleichviel, ob solche Theoretiker nun affirmative, beschwichtigende, abwiegelnde, resignierende oder nihilistische Strategien bevorzugen, letztlich drückt sich in ihren Argumenten eine Selbstrechtfertigung der eigenen Verbrauchermentalität und damit eine privategoistische Haltung des Desengagements aus. Überspitzt gesagt, schlachten diese Gruppen, die sich gern als »Realisten« bezeichnen, lediglich ihre soziale und ökonomische Privilegiertheit aus und belächeln alle anderen, die noch an die Möglichkeit einer Gesellschaftsveränderung glauben, als Idealisten oder Utopisten. Und damit unterstützen sie – trotz ihrer zum Teil anspruchsvollen Individualitäts- und Freiheitskonzepte – all jene, die sich bereits damit abgefunden haben, daß die Menschheit utopielos dem Untergang entgegentreibt.

Oikos oder Die Sehnsucht nach der grünen Utopie

Angesichts der Übermacht der herrschenden Rechtfertigungsstrategien überhaupt noch Mut zur Hoffnung oder gar zur Aktion aufzubringen, fällt nicht leicht. Allerorten dominiert gegenwärtig eine Egozentrik, der ein skrupelloses Habenwollen zugrunde liegt, das sich ideologisch als Pragmatismus, Zynismus oder skeptischer Realismus äußert. Werte wie Solidarität oder Umweltgewissen haben demzufolge keinen besonders hohen Marktwert mehr. Was bleibt da für ökologisch besorgte Menschen, die zuweilen selber von Stimmungen der Skepsis oder des Defätismus übermannt werden, überhaupt noch zu tun? Wie können sie Gemeinsinn verstärken, neue Bescheidenheit predigen, den schonenden Umgang mit der Natur plausibel machen, entschieden für Wachstumsbegrenzung sein, kollektive Mitverantwortlichkeit fordern, den Stoffwechsel mit der Natur besser regeln und einer Rückintegration des Menschen in das Bio-Haus der Erde das Wort reden in einer Zeit, in welcher der herrschende Trend in Richtung Ichbezogenheit und Wohlstand drängt und alles andere nur noch eine untergeordnete Rolle zu spielen scheint?

Diejenigen, die sich trotz dieser ungünstigen Ausgangslage nicht abschrecken lassen und weiterhin an eine sozio-ökonomische Kurskorrektur glauben, gehen bei ihren Aktionen meist von der Situation des Hier und Jetzt, das heißt von ihrer eigenen Betroffenheit aus. Da ihnen bei solchen Bemühungen nur ein geringer Spielraum bleibt, beschränken sich viele – im Sinne des bekannten Slogans »Global denken, lokal handeln« – zwangsläufig auf ihren engsten Freundeskreis, ihre Familie oder ihren Stadtteil. Dagegen ist nichts einzuwenden. Allerdings sollten sie hierbei nicht vergessen, daß es auch in anderen Städten und Ländern solche Ökologiebewußten gibt, ja daß es Menschen dieser Art schon lange vor ihnen gegeben hat. Denn nur die Einsicht, Teil eines größeren Ganzen zu sein, kann einer grünen Widerstandsbewegung die nötige soziale und historische Schubkraft geben. Schließlich ist der ökologische Protest nicht nur ein Phänomen der letzten zwanzig Jahre, wie viele annehmen, die sich hierbei auf die Schockwirkung des 1972 vom »Club of Rome« herausgegebenen Buchs *Grenzen des Wachstums* oder auf die Ölkrise von 1973/74 berufen, sondern setzte als dialektischer Gegenschlag zur Verstädterung und Industrialisierung in Westeuropa bereits in der Mitte des 18. Jahrhunderts ein. Schon damals gab es Kritiker, die in der ersten Modernisierungswelle den Auftakt zu einer mörderischen Entwicklung in Richtung Egoismus, Profitdenken und Naturzerstörung sahen und der maßlosen Bedürfniserweckung innerhalb der bürgerlichen Klasse ein mit Rousseauschen Gedanken begründetes Bescheidenheitsideal entgegenstellten, dem ein tiefer Respekt vor der Verbundenheit aller Menschen mit der Natur zugrunde lag. Doch nicht nur damals, auch im 19. und frühen 20. Jahrhundert hat es neben den Rechtfertigungsstrategen des technischen Fortschritts und der rücksichtslosen Selbstverwirklichung immer auch scharfe Kritiker dieser Entwicklung gegeben, die sich trotz des steigenden Warenangebots – aus Rücksicht auf die Natur – nicht von ihren Maßhalteappellen abbringen ließen.

Um diese Kritiker, die von den Ideologen eines vordergründigen Fortschritts in den Hintergrund gedrängt worden sind, soll es in den folgenden Kapiteln gehen. Es handelt sich also nicht um eine Geschichte von Siegern, sondern von Unterlegenen. Diese Unterlegenen haben es seit langem verdient, daß man ihnen an den Rändern jener Sackgasse, die zu unserer heutigen Misere geführt hat, endlich die ihnen gebührenden Denkmäler errichtet. Die meisten von ihnen waren zwar schwache Einzelkämpfer, besaßen aber dennoch die moralische Integrität, sich zur Wehr zu setzen und in ihren Schriften jenes legendäre »Apfelbäumchen« zu pflanzen, das meist Martin Luther zugeschrieben wird. Weit über eine bloße Nachzeichnung der wechselnden Schicksale des ökologischen Bewußtseins hinaus, versucht also dieses Buch, eine verschüttete Tradition zu erschließen, aus der sich gegebenenfalls Modelle für ein naturverträgliches Verhalten ableiten lassen. Es will diejenigen Menschen würdigen, welche die moralische Qualität anderer Menschen daran maßen, ob sie ein ganzheitliches Verantwortungsbewußtsein entwickelten oder nicht. Mit anderen Worten: Es versucht all jenen Respekt zu erweisen, die sich nicht nur für ihre eigene Person, ihre eigene Klasse, eine andere, noch unterdrückte Klasse oder eine bessere Zukunft der Menschheit eingesetzt haben, sondern die selbst das Wohl ihrer Person, ihrer Klasse oder der Menschheit im Hinblick auf das Wohl der gesamten Natur gesehen haben, von der auch der Mensch nur ein Teil ist, der wieder lernen muß, sich in größere Zusammenhänge einzuordnen, damit er und alle anderen Lebewesen ein ungestörtes und dauerhaftes Auskommen finden. Kurzum: Dieses Buch soll sich mit jenen Menschen beschäftigen, die nicht verschwenderisch, sondern bescheiden, nicht egoistisch, sondern solidarisch, nicht anthropozentrisch, sondern ökologisch dachten. Unter ökologischem Denken wird in ihm nur das verstanden, was über ein rein auf den Menschen bezogenes »Umwelt«-Denken hinausgeht und sich stets der Vorstellung des *Oikos*, des Wissens um das uns allen gemeinsame Haus, verpflichtet fühlt.

Eine Darstellung, die dieses Erbe aufschließt, gibt es bisher noch nicht. Bereits existierende Ansätze zu einer Geschichte des ökologischen Bewußtseins (stellvertretend seien hier die Bücher *Ökopax und Anarchie. Die Geschichte der ökologischen Bewegungen in Deutschland* (1986) von Ulrich Linse und *Ecology in the 20th Century. A History* (1989) von Anna Bramwell genannt) gehen meist nur bis zur letzten Jahrhundertwende, aber nicht bis zum 18. Jahrhundert zurück. Vieles in der Geschichte dieser Bewegung liegt daher noch im Dunkeln. Es gibt zwar erste Versuche, sie sind aber keine zusammenhängenden, von der Totalität der ökonomischen, politischen, sozialen, kulturellen und mentalitätsgeschichtlichen Verhältnisse ausgehenden. Auch die folgenden Kapitel können – schon aus Umfangsgründen – nur erste Ansätze zu einer derart umfassenden Betrachtungsweise liefern, streben aber wenigstens in die Richtung einer solchen Totalität, um so die ökologische »Zukunft in der Vergangenheit« wieder in all ihren Dimensionen produktiv ans Tageslicht zu bringen.

Diese Geschichte soll im folgenden am Leitfaden der 200 bis 250 Utopien aufgerollt werden, in denen die ökologischen Zukunftsentwürfe entweder im Zentrum standen oder wichtige Teilelemente bildeten. Wie schon in meinem Buch *Der alte Traum vom neuen Reich. Völkische Utopien und Nationalsozialismus* (1988) gehe ich auch diesmal von jenem Utopiebegriff aus, den Raymond Ruyer in seiner Studie *L'utopie et les utopies* (1950) entwickelt hat, in der einerseits von der »Literaturgattung Utopie« im engeren Sinne, andererseits von einem »utopischen Denken« im weiteren Sinne die Rede ist, das sich nicht nur in Romanen, sondern auch in anderen literarischen und essayistischen Formen niederschlagen kann. Neben romanhaften Utopien werden deshalb im Hauptteil dieses Buches, und zwar in möglichst materialreicher Fülle, auch Reden und Schriften von Politikern und Wissenschaftlern herangezogen, in denen sie auf dystopisch-warnende oder utopisch-positive Weise der Verabsolutierung des technischen Fortschritts ins Naturzerstörerische entgegenzutreten versuchten. Im Sinne Hiltrud Gnügs wird hierbei zwischen »utopisch« und »dystopisch« kein gravierender Unterschied gemacht, da sich sowohl im Vorgriff auf eine bessere Welt als auch im Warnbild einer schlimmeren Zukunft eine ganz konkrete, geschichtlich festzumachende Sorge um die eigene Gegenwart manifestieren kann.[10]

Alle bloß naturverhimmelnden Werke, die lediglich der Steigerung der menschlichen Erlebnisfülle dienen, also die Natur aus anthropozentrischen Gründen verherrlichen, bleiben dagegen ausgeschlossen. In diesem Buch gilt nur das als vorwärtsweisend, was wirklich konkret ist, also den Rang einer ernstzunehmenden Sozialutopie im Sinne von Ernst Blochs *Freiheit und Ordnung* (1946) für sich beanspruchen kann. Gerade grüne Utopien müssen neben dem Drang zur Selbstverwirklichung stets auch ein auf die Natur Rücksicht nehmendes Ordnungs- oder besser: Einordnungsdenken im Auge behalten, ohne das ein ökologisch bewußtes Leben nicht vorstellbar ist. Im Vordergrund der folgenden Abschnitte stehen daher Utopien, welche modellartige Lösungen anbieten, wie sich eine sinnvolle Einordnung des Menschen in die von der Natur gesteckten Rahmenbedingungen ermöglichen läßt, ohne daß damit ein Rückfall in die Steinzeit verbunden wäre. Eine grüne Utopie müßte also weniger die Unterdrückung der Natur im Menschen à la Norbert Elias oder Theodor W. Adorno als die Unterdrückung der Natur durch den Menschen ins Zentrum rücken, das heißt den schonenden Respekt vor der Natur im Sinne einer allumfassenden Brüderlichkeit oder Geschwisterlichkeit aller lebenden Wesen zum höchsten Gradmesser eines sozialen Verhaltens erheben. Noch konkreter gesagt: Sie müßte ihren Lesern und Leserinnen klarmachen, daß die zentrale »Lebenslüge« unseres Gesellschaftssystems darin besteht, den materiellen Wohlstand allein auf den »industriellen Fortschritt, auf die Errungenschaften von Wissenschaft und Technik« zurückzuführen und dabei zu verschweigen, daß er zugleich auf einer rücksichtslosen »Ausplünderung und Zerstörung der Natur« beruht.[11] Erst wenn ihr diese Aufklärungsarbeit gelänge, könnte eine grüne Utopie zum mahnenden Leitbild werden, nicht mehr der luxurierenden Verschwendung und hektischen Egozentrik zu huldigen, sondern im pfleglichen Umgang mit der Natur einen sinnvollen Platz in der »Kette aller lebenden Wesen« zu finden.

Das »Versprechen der Natur« im Zeitalter der Aufklärung

Leitbilder aus England und Frankreich

Daß ökologisches Bewußtsein nicht einfach mit Liebe zur Natur gleichgesetzt werden kann, beweist schon die Antike. So werden zwar in Hesiods *Lehrgedicht von der Landwirtschaft* und Platons *Staat* sowie den *Eklogen* Virgils, den *Elegien* Tibulls und den *Metamorphosen* Ovids Wunschbilder eines »Goldenen Zeitalters« beschworen, in dem der Mensch noch im völligen Einklang mit der Natur gelebt habe, eine Besorgtheit für die durch den Menschen bedrohte Umwelt sucht man jedoch in solchen Schriften vergebens. Das gleiche gilt für die wenigen Naturhymnen des vom christlichen Geiste geprägten Mittelalters, wie etwa für den *Sonnengesang* des Franz von Assisi. Und auch in anderen Idyllen und Pastoralen dieser Ära, die zum Teil auf seltsamen Kontrafakturen antiker und christlicher Vorstellungen beruhen, ist von dem, was heutzutage als ökologisches Bewußtsein gilt, noch nichts zu finden.

Selbst in der frühen Neuzeit lassen sich keine gravierenden Änderungen im Verhältnis zur Natur beobachten. Durch die skrupellose Kolonisierung weiter Gebiete Afrikas, Amerikas und Asiens kam es zwar auf der Ebene der Naturwissenschaften – durch die Begegnung mit sogenannten Naturvölkern sowie die Katalogisierung vieler neuer Tiere und Pflanzen – zu einer explosionsartigen Erweiterung des bisherigen Kenntnisstandes, aber nicht zu ökologischen Einsichten in die Interdependenz aller lebenden Wesen. Vor allem in der Zoologie und Botanik setzte in diesem Zeitraum eine wahre Entdekkerwut ein. Während man um 1500 in Westeuropa erst 500 Pflanzensorten gekannt hatte, waren es zu Beginn des 18. Jahrhunderts bereits 10000. Eins blieb jedoch innerhalb dieser Wandlungen konstant: Sowohl im Rahmen der christlichen als auch der antikisch-humanistischen Tradition galt der Mensch weiterhin als das einzige beseelte Wesen, während Tiere und Pflanzen lediglich als »res extensa«, also minderwertige Forschungs- und Nutzobjekte, betrachtet wurden. Forscher wie Francis Bacon oder René Descartes gingen an die Natur nicht einfühlsam, sondern quasi *more geometrico* heran, das heißt, sie suchten in ihr jene »quantitativen mechanischen Gesetze« zu entdecken, die sie durch die »Analyse der mathematischen

Methode« zu erschließen hofften.[1] Das Ergebnis dieser Art der Naturbetrachtung war ein Weltbild, das sich zwar noch als christlich verstand, aber in seinen wissenschaftlichen Konsequenzen bereits jenem mechanistischen Weltbild entsprach, das Isaac Newton im gleichen Zeitraum für die Physik entwickelte.

Auch in den wichtigsten Utopien des 16. und 17. Jahrhunderts, zu denen vor allem Werke wie die *Utopia* (1516) von Thomas Morus, *Republicae christianopolitanae* (1619) von Johann Valentin Andreae, *Civitas soli* (1620) von Tommaso Campanella und *Nova Atlantis* (1638) von Francis Bacon gehören, finden sich keine ökologischen Anhaltspunkte. Obwohl in ihnen – unter christlicher oder humanistischer Perspektive – die Idee des »einfachen Lebens« im Vordergrund steht, ist in diesen Utopien die Natur nach wie vor ausschließlich für den Menschen und seine Bedürfnisse da. Sie wenden sich zwar zum Teil gegen den extravaganten Luxus der reichen Bevölkerungsgruppen und treten für eine gerechte, geradezu sozialistische Verteilung aller materiellen Güter ein, spiegeln aber in ihrer Freude an fremden Ländern, exotischen Tieren und naturwissenschaftlichen Entdeckungen zugleich den kolonialistischen Grundzug dieser Ära wider. Dementsprechend werden selbst in der *Christianopolis* des Andreae einige Naturprodukte als so fremdartig-exquisit hingestellt, als ob es sich dabei um Exponate barocker Naturalien- und Kuriositätenkabinette handele.

Ein wesentlich komplexeres Verhältnis zur Natur entwickelte sich in Westeuropa erst im 18. Jahrhundert. Die entscheidende Rolle spielten dabei England und Frankreich, in denen es zu einer merklichen Zentralisierung, Verstädterung, Industrialisierung und Bevölkerungszunahme kam, die gern mit dem Schlagwort »erster Modernisierungsschub« gekennzeichnet wird, während Deutschland – aufgrund der Folgen des Dreißigjährigen Kriegs, der politischen Zerstückelung, des nur in Ansätzen existierenden Manufakturwesens und des Mangels an Kolonien – im 18. Jahrhundert weiterhin in einem Zustand verharrte, den man heute als »unterentwickelt« bezeichnen würde. Dieser von England und Frankreich ausgehende sozio-ökonomische Entwicklungsprozeß führte im Hinblick auf die Natur zu drei neuen ideologischen Konzeptualisierungen: 1. zu einer Rechtfertigung des Aufstiegs des Bürgertums im Zeichen naturbedingter Wachstumsvorstellungen, 2. zu einer damit verbundenen Biologisierung bisher theologisch überformter Denkmodelle und 3. zu einer scharfen Ablehnung des in Gang gesetzten Fortschritts als einer Korrumpierung des naturgegebenen Urzustandes der Welt, die in ihren antizivilisatorisch-naturutopischen Reaktionen auch ökologische Gesichtspunkte berücksichtigte.

Die gesellschaftlichen Trägerschichten des sogenannten Fortschritts, welche sich in ihren Schriften und Manifesten auf die Natur beriefen, waren weitgehend der Kaufmannsstand und die mit ihm liierten bürgerlichen Intellektuellen, die sich damals in Großstädten wie London und Paris zu einer deutlich konturierten Klasse zusammenschlossen und ein immer stärkeres Mitspracherecht in allen politischen, ökonomischen und sozialen Fragen anmeldeten. Sie verstanden unter Natürlichkeit vor allem eine Ausweitung ihrer Freiheit und Freizügigkeit. Demzufolge wurde die Natur fast zur wichtigsten Metapher der frühbürgerlichen Emanzipation schlechthin. In ihr hatte man etwas Lebendiges, Wachsendes, Sich-Entfaltendes entdeckt, was sich höchst effektiv gegen die verknöcherte, verkalkte, abgelebte Ordnung des Ancien régime ausspielen ließ. »Natur« bedeutete daher aus dieser Perspektive in erster Linie Ungezwungenheit, Selbstverwirklichung, Freihandel, Evolution, Aufstieg. Angesichts solcher Werte wurde der Herrschaftsanspruch des ersten Standes als ausgesprochen »unnatürlich« empfunden. Wichtige Stichworte zu solchen Vorstellungen lieferte Adam Smith, der als »Vater der Freihandelslehre« bekannt wurde und in seiner *Enquiry on the Nature and Causes of the Wealth of Nations* (1776) das Konzept eines Wirtschaftswachstums entwickelte, das auf dem »natürlichen« Prinzip der allgemeinen Konkurrenz und damit der wechselseitigen Entfaltung aller gegen alle beruhte. Damit hatte die bürgerliche Klasse – über alle bloß aufgeklärten Theorien hinaus – endlich ein evolutionäres Rezept zur Hand, das sie auch ökonomisch zu einem rebellischen Fortschrittsdenken beflügelte.

Diese Entwicklungen führten auf fast allen Gebieten zu einer immer positiveren Bewertung der »Natur«, in der diese Kreise in steigendem Maße die Grundvoraussetzung einer auf Vernunft gegründeten gesellschaftlichen Harmonie erblickten. Das zeigt sich am deutlichsten in der Neubewertung der Rolle des Menschen im Rahmen der Schöpfungs- oder auch schon Naturgeschichte. Statt in ihm weiterhin ein genau festgelegtes, unwandelbares Wesen zu sehen, galt er mehr und mehr als ein dynamisches, zur Entwicklung, zum Aufstieg befähigtes Geschöpf. Dieser Prozeß läßt sich gut am Wandel von Carl v. Linnés *Systema naturae* (1735) zur *Histoire naturelle* (1749) von Georges-Louis de Buffon ablesen. Während bei Linné der Mensch noch von Gott her gesehen wird, rückte ihn Buffon bereits nah an die Tierwelt heran. Damit wurde ein evolutionärer Prozeß eingeleitet, der wenige Jahrzehnte später von Jean-Baptiste Lamarck mit weiteren Belegen untermauert wurde. Und in England stieß man – in Anlehnung an das von Alexander Pope in seinem *Essay on Man* (1735) entworfene Bild von der »Kette aller Geschöpfe« (»Chain of Being«), die man nicht zerbrechen dürfe – schon damals zum Konzept der Abhängigkeit aller von allen vor, das in der Folgezeit zur Grundvoraussetzung sämtlicher ökologischen Vorstellungen wurde.

Wie positiv das Bild der Natur in der zweiten Hälfte des 18. Jahrhunderts wurde, läßt sich vor allem an drei Komplexen zeigen: 1. an der Reiseliteratur dieses Zeitraums, in der die einfühlsame Naturbeschreibung einen immer größeren Raum einzunehmen begann, 2. an der Ausbreitung des Englischen Gartens, der sich im Gegensatz zu den Zierformen des älteren Barockgartens immer stärker an der natürlichen Landschaft orientierte, und 3. am Verhältnis zum Tier, vor allem zum Hund, der von den Autoren der Empfindsamkeit erstmals in den Rang des »besten Freunds des Menschen« erhoben wurde.

Besonders Reisebeschreibungen, die von fernabliegenden, exotischen Ländern berichten, gehören in diese Kategorie. Bereits im 16. und 17. Jahrhundert gab es solche Berichte von Entdeckungsreisen, die ausführliche Schilderungen und sogar romanhaft gestaltete Bilder derartiger Paradieseswelten enthielten. Man denke an die vielen französischen Reiseberichte des 17. Jahrhunderts, in denen Gabriel Sagard, Marc Lescarbot und Jean-Baptiste Du Tetre die französischen Antillen, Kuba oder Kanada beschrieben, oder einen englischen Roman wie *Oroonoko* (1688) von Aphra Behn, der sich nicht nur der »Edlen Wilden« annahm, sondern auch höchst anziehende Landschaftsbilder entwarf. Doch den Charakter des Vorbildlichen, beinahe Utopischen bekamen solche Beschreibungen erst im 18. Jahrhundert, was sich vor allem an den Darstellungen der vielgerühmten Insel O-Taheiti von Louis-Antoine de Bougainville, Denis Diderot oder Georg Forster zeigen ließe, die in der »Natürlichkeit« dieser Insel und ihrer Bewohner das verlorene Paradies wiedergefunden zu haben glaubten.

Ähnliche Paradiesvorstellungen liegen dem Konzept des Englischen Gartens zugrunde, den bereits Alexander Pope und nach ihm Anthony Shaftesbury und Joseph Addison als den Lieblingsort aller edleren Menschen bezeichneten. Statt Gärten und Parks weiterhin streng nach geometrischen Mustern anzulegen sowie Hecken und Bäume zu »unnatürlichen« Figuren zurechtzustutzen, entwarf ein englischer Gärtner wie William Kent schon in der ersten Hälfte des 18. Jahrhunderts freie, der Natur »abgelauschte« Landschaftsgärten mit sorgfältig gruppierten Baumpartien und arkadisch angelegten Bachläufen, die in den sechziger und siebziger Jahren auch in Frankreich nachgeahmt wurden und schließlich sogar in Deutschland Anklang fanden. In ihnen wandelte sich die Idylle immer stärker zu einer Form der Utopie, die den Garten zum Paradies verklärte.

Im Hinblick auf das Tier wurde vor allem im Bereich der Empfindsamkeit häufig von einer natürlichen Bruderschaft aller lebenden Wesen gesprochen. Besonders in hypochondrisch gestimmten Werken der Jahrhundertmitte taucht deshalb das Tier gern als Kompensationsobjekt liebesbedürftiger und zugleich frustrierter Außenseiter auf, die in anderen Menschen nur noch berechnende Widersacher erblicken und sich darum ihre wahren Freunde unter den Tieren suchen. In der englischen Literatur waren es vornehmlich James Thomson, Robert Burns und William Blake, die ein tiefes Mitgefühl für die Tiere entwickelten. Doch auch an aufgeklärten Traktaten, die für die Rechte der Tiere eintraten, fehlte es in England keineswegs. Dafür sprechen Schriften wie *On the Duty of Mercy and Sin of Cruelty to Brute Animals* (1761) von Humphry Primatt, *The Cry of Nature, or An Appeal to Mercy and Justice in Behalf of the Persecuted Animals* (1797) von John Oswald und *An Essay on Humanity to Animals* (1798) von Thomas Young, in denen gefordert wird, den Tieren endlich gesetzlich verankerte Rechte zuzugestehen. Manche, wie Oswald, stießen dabei – zum Teil unter Berufung auf die »zarter fühlenden Inder« – schon damals zum Postulat des Vegetarismus vor. Diese Autoren empfanden das Jagen und Schlachten von Tieren bereits als Bruder- und Schwestermord, ja als Kannibalismus und wiesen darauf hin, daß der Mensch – wie sein Mangel an Reißzähnen beweise – von Natur aus zum Früchtesammler bestimmt sei. Erst wenn alle Menschen Vegetarier würden, schrieben sie, werde es möglich sein, eine Versöhnung mit der Natur herbeizuführen.

Diese Hochachtung der Natur ging bei manchen Aufklärern so weit, daß sie sich schließlich in einen deutlichen Affekt gegen den Fortschrittsanspruch der bürgerlichen Oberschicht entlud. Diesen Autoren erschien nicht die unablässige Beschleunigung der materiellen Produktion, mit der die Bourgeoisie den Lebensstil des Adels einzuholen versuchte, sondern die Rückkehr zu den bescheidenen Lebensbedingungen der Naturvölker das ethische Gebot der Stunde. Statt sich im Zeichen der »natürlichen« Expansion zu absoluten Beherrschern der Natur aufzuwerfen, bemühten sie sich, der beginnenden Tauschwertproduktion und der damit verbundenen Entfremdung, welche sich aus dem unbarmherzigen Auseinanderreißen von

Produktion und Konsumtion ergab, das Leitbild einer in sich ruhenden, autarken Ländlichkeit entgegenzuhalten. Bei ihnen schlug also das Naturkonzept der Adelskritik – angesichts der sich rücksichtslos bereichernden Bourgeoisie und der allmählichen Annäherung dieser Klasse an den ersten Stand – in eine allgemeine Zivilisationskritik um, in der erstmals eine ökologische Besorgtheit vor der industriellen Produktionsweise und der durch sie verursachten Zerstörung der Natur zum Ausdruck kommt.

Der wichtigste Sprecher dieser Gruppen war Jean-Jacques Rousseau, in dessen Schriften die französische Aufklärung einerseits ihre radikalste Ausprägung erlebt, andererseits sich selber aufzuheben beginnt. Bereits in seinen zwei Frühschriften, dem *Discours qui a remporté le prix à l'académie de Dijon en l'année 1750* und dem *Discours sur l'origine et les fondements de l'inégalité parmi les hommes* (1755), wandte sich Rousseau scharf gegen jedes naive Fortschrittskonzept, das von den »Segnungen« der zunehmenden Verstädterung und steigenden materiellen Produktion ausgeht. Wahrhaft »gut« erschien ihm zu diesem Zeitpunkt nur der Edle Wilde, der als Hirt oder Bauer seinem Tagewerk nachgeht und sich mit den einfachsten Speisen begnügt. Dementsprechend stellte Rousseau den Edlen Wilden, den Homme sauvage oder Homme naturel, der im Einklang mit der Natur in arkadischer Idyllik lebe, weit über den Stadtbürger, den Homme civil. Während sich der Edle Wilde stets vernünftig, das heißt natürlich verhalte, sei der Homme civil durch den Zivilisationsprozeß bereits soweit von seinen Ursprüngen entfremdet worden, daß er nicht mehr merke, wie sehr er sich durch seinen unnatürlichen Drang nach Besitz, nach Prestige und Macht, nach Ansehen und Reichtum in einen mörderischen Feind der Natur verwandelt habe, der nichts in dem Zustand lassen könne, in dem er es vorfinde, sondern alles verändern, umwandeln und schließlich zerstören müsse. Indem der Homme civil den Besitz zu seinem Fetisch mache, habe er das Paradies verlassen und sich in eine selbstgeschaffene Wüste begeben.

Um diesen Theorien auch eine literarische Utopie zur Seite zu stellen, entwarf Rousseau in seinem Roman *Julie ou La nouvelle Héloise* (1761) die ländliche Idylle von Clarens, in der er ein selbstgenügsames Leben jenseits der großen Städte schildert, mit dem sich die Menschen bewußt gegen die Einflüsse der modernen Zivilisation abschirmen und wieder im Naturzustand zu leben versuchen. In Clarens gibt es keinen Luxus, keine modischen Torheiten, keine gesellschaftliche Protzerei. Hier gilt der Bauer, der die ursprüngliche Güte des Edlen Wilden besitzt, als die höchste und nützlichste Ausprägung des

Menschen. Während im korrupten Paris alles dem Untergang zuzusteuern scheint, herrschen in Clarens geradezu arkadische Zustände. Im Zentrum dieser idyllischen Utopie liegt bezeichnenderweise ein Landschaftsgarten, der nicht nach dem Prinzip der Künstlichkeit, sondern der Natürlichkeit angelegt ist. In ihm lernt man, wie schön die Natur sein kann, wenn man sie nicht vergewaltigt. Sogar die darumliegenden Felder werden nicht allein nach den Gesetzen der Nützlichkeit bestellt. Während die damaligen Physiokraten im Dienste der Großgrundbesitzer alles taten, um mit den Mitteln der neuesten wissenschaftlichen Erkenntnisse auch die landwirtschaftliche Produktion zu steigern, wofür vor allem François Quesnay mit seinen Büchern *Tableau économique* (1756) und *Maximes générales du gouvernement économique d'un royaume agricole* (1767) die entscheidenden Grundlagen schuf, streben die Bewohner von Clarens eine ländlich-bescheidene Autarkie an, die ohne Besitzgier, ohne Konkurrenz, ohne die Mittel einer gewaltsamen Produktionssteigerung auskommen kann.

Auch in seinem 1762 erschienenen *Contrat social*, mit dem sich Rousseau erstmals auf das Gebiet der Staatstheorie begab, warnte er vor allen falschen Fortschrittskonzepten, die sich auf das Städte- und Industriewesen zu stützen versuchten, und trat mit basisdemokratischer Verve für eine weitgehende Dezentralisierung der bestehenden Staaten ein. Nur auf dem Lande, in den Dörfern seien die politischen Verhältnisse noch überschaubar, während in den großen Städten das Leben immer anonymer, oberflächlicher, konkurrenzbetonter, geschmackloser werde. Auf der gleichen Linie liegen seine *Confessions* von 1782, in denen Rousseau im achten Buch abermals auf seine Abneigung gegen das gezierte, unnatürliche Wesen der sich bereichernden Bourgeoisie zurückkam und erklärte: »Ich war so übersättigt von Broschüren, Klavieren, L'Hombrespiel, Theaterinszenierungen, törichten Bonmots, fader Ziererei, kleinen Schwätzern und großen Soupers. Wenn ich einen verstohlenen Seitenblick auf einen einfachen, armseligen Dornbusch, eine Hecke, eine Scheune, eine Wiese warf, wenn ich durch ein Dörfchen kam, wünschte ich Schminke, Bänder und Ambra zum Teufel.«[2]

Die Wirkung dieser Kritik und Konzeptionen läßt sich kaum überschätzen. Für alle, die in der zweiten Hälfte des 18. Jahrhunderts gegen den Luxus des Adels und den Bereicherungsdrang der Bourgeoisie rebellierten, wurde Rousseau zum Vorbild. Das beweisen bereits jene Naturstaatsutopien, die zwischen der Mitte der fünfziger Jahre und dem Beginn der Französischen Revolution erschienen. Den Auftakt dieser Werke bildete das Buch *Naufrage des Îles flottantes*

(1753) von Morelly, in dem eine Insel geschildert wird, deren Bewohner allein nach den »Gesetzen der Natur« in einem urkommunistischen Zustand leben. »Der unerbittliche Begriff des Eigentums«, heißt es an einer Stelle, »die Quelle aller die übrige Welt verheerenden Verbrechen, war diesen Menschen unbekannt.«[3] Die Bewohner dieser Insel kennen daher weder Neid noch Habsucht. Sie achten nicht einmal die Institution der Ehe, so verächtlich empfinden sie jede Form des Besitzenwollens. Obendrein sind alle Vegetarier, da ihnen das Töten von Tieren als Mord erscheint. 1755 faßte Morelly diese Vorstellungen noch einmal in seinem *Code de la nature* zusammen, in dem Besitzgier und einzelpersönlicher Bereicherungsdrang scharf abgelehnt werden. Gesellschaftspolitisch gesehen, schwebten ihm weitgehend dezentralisierte ländliche Ansiedlungen vor, in denen alle Menschen wieder zu Bauern werden, auf jeden Luxus verzichten und sich zu einer Solidarität bekennen, die auf wechselseitigen Hilfeleistungen beruht.

Ein ähnlicher Tenor herrscht in der Utopie *L'an 2440* (1771) von Jean-Sébastien Mercier. Er beschreibt keine ferne exotische Insel, sondern ein in die Zukunft projiziertes Franzosenreich. In diesem Land hat man alles abgeschafft, was einer auf Vernunft gegründeten »Natur« im Wege stehen könnte: die Fürsten, den Adel, die »ekligen« Städte, die übermäßigen Vermögen, die »großen Handelscompagnien«, den »ausbeuterischen Welthandel«, den Verkauf von Luxusgütern und »Modewaren« sowie den Vertrieb von Kolonialwaren. Unter allen Berufsständen ist der des Ackerbauern der angesehenste, der sich einer »mäßigen Lebensführung« befleißigt, fast nur Früchte und wenig Fleisch ißt, auch dem Tier eine Seele zuerkennt und für den Schutz der Tahitianer und anderer Naturvölker eintritt.[4] Anstelle Gottes wird in diesem Idealstaat lediglich der Schöpfer der Natur als »Höchstes Wesen« verehrt. Nicht minder emphatisch bekannte sich Retif de la Bretonne in seiner Utopie *La découverte australe par un homme volant* (1781) zu einem solchen Naturstaatsideal. Auch seine Utopiker, die er Megapotanier nannte, leben weitgehend auf dem Lande, verurteilen jeden unnötigen Privatbesitz, verzichten auf allen Luxus, schätzen das Wohl der Gesamtheit höher ein als ihr eigenes, dulden keine Verbrechen gegen Tiere, kurz: halten sich an das, was ihnen natürlich und damit vernünftig erscheint.

Ihren Höhepunkt erlebte diese Form des utopischen Denkens in der Französischen Revolution, die in Rousseau einen ihrer wichtigsten Wegbereiter sah. Vor allem die Jakobiner, aber auch andere politische Fraktionen, setzten in den Jahren zwischen 1789 und 1794 dessen

Naturvorstellung als eine ihrer effektivsten Waffen im Kampf gegen die »unnatürliche« Herrschsucht und Besitzgier der adligen Klasse ein. Von nun an, hieß es, solle alles wieder »natürlich« werden: die politische Gliederung, die Produktionsbedingungen, die gesellschaftlichen Umgangsformen, die Eßgewohnheiten, die Erziehung, die Liebe – wobei unter »natürlich« meist eine utopisch anmutende Einfachheit verstanden wurde, die an den Lebensstil des Goldenen Zeitalters erinnert. So hoffte etwa Louis-Antoine de Saint Just, daß in Zukunft alle Menschen die gleiche einfache Tracht tragen würden, um keine neuen Standesunterschiede aufkommen zu lassen, und der Staat die Kinder von früh auf daran gewöhnen werde, vornehmlich von »Wurzeln, Milch, Brot und Früchten« zu leben – und auch auf andere Formen des Luxus zu verzichten.[5]

Das höchste Ideal der Landschaft war für viele Jakobiner, wie schon für Rousseau, der Englische Garten. Manche träumten davon, ganz Frankreich in einen solchen Garten verwandeln zu können. Daher ging man zur Zeit der Jakobinerherrschaft dazu über, die zeremoniellen Lustgärten des Barocks in Landschaftsgärten umzugestalten, die Tiere aus den adligen Menagerien zu befreien, weiträumige Tugendparks anzulegen, Freiheitsbäume und Freiheitshaine zu pflanzen, Pläne für zukünftige Gartenstädte zu entwerfen und in den Chören der ausgeräumten Kirchen begrünte Hügel zu Ehren des ›Höchsten Wesens‹ zu errichten, um sich durch die Wiederversöhnung mit der Natur, die revolutio zu den ursprünglichen Zuständen, in seinen republikanischen Gefühlen zu bestärken. Statt weiterhin auf die aristokratische Etikette Rücksicht zu nehmen, wollten viele – in gut rousseauistischer Gesinnung – von den mannigfachen Verbildungen der Natur endgültig Abschied nehmen und wieder zur Einfachheit der vorfeudalistischen Verhältnisse zurückkehren.

Es waren jedoch nicht nur republikanisch-rebellische Gefühle, die hinter solchen Plänen und Aktionen standen. In dieser Emphase kamen auch ökologische Tendenzen zum Durchbruch. So schrieb der Rousseauist Gaspard Guillard de Beaurieu im Jahr 1794, als der revolutionär-utopische Eifer seinen Höhepunkt erlebte: »Laßt uns wieder der Erdkugel zuwenden, um aus ihr einen Garten zu machen und ihr physisches Gleichgewicht wieder herstellen.«[6] Im Zentrum dieser Bestrebungen stand das Pflanzen neuer Bäume. Dabei lassen sich zwei Phasen unterscheiden: Während zu Anfang der Französischen Revolution das Pflanzen sogenannter Freiheitsbäume meist ein symbolischer Akt war, machte der Abgeordnete Henri Grégoire, einer der wichtigsten Kulturpolitiker dieser Ära, im Jahr 1791 das Pflanzen von

Freiheitsbäumen erstmals zum Ausgangspunkt weiträumiger Aufforstungsprogramme. Auf diese Weise wollte er der radikalen Waldverwüstung entgegenwirken, die im gleichen Jahr durch die Freigabe der Verfügungsgewalt über die adligen Privatwälder eingesetzt hatte.[7] Demzufolge schlug Grégoire vor, um jeden Freiheitsbaum einen Ehrenhain von jungen Bäumen und Büschen anzulegen. Kurz darauf sprach er bereits von »Millionen von Bäumen«, die es neu zu pflanzen gelte, um ganz Frankreich in eine fruchtbare Gartenlandschaft zu verwandeln.[8]

Neben ökonomischen Interessen brachte Grégoire dabei auch spezifisch ökologische Gesichtspunkte ins Spiel, indem er erklärte, daß die vielen neuen Bäume sicher für eine »bessere, gesündere Luft« sorgen würden. In weiser Voraussicht der naturerhaltenden Wirkung solcher Anpflanzungen schrieb er bereits damals: »Die Wälder halten die Wolken auf, die sich in fruchtbarem Regen niederschlagen und das Wasser in den Quellen ansteigen lassen. Die Wälder brechen die Gewalt der Winde. Die Zerstörung der Wälder läßt ihnen freien Lauf. So können die Wolken ungehindert über den kahlen Boden hinwegziehen, und die ungeschützten Ländereien sind dem Wechsel von Frost und Trockenheit ausgesetzt.«[9] Mit ähnlicher Akzentsetzung wies der Abgeordnete Jacques-Michel Coupé 1794 im Konvent auf den engen Zusammenhang von Landschaftszerstörung und Klimaveränderung hin und sagte: »Mit der Zerstörung der Wälder, welche die Berge bedecken, hat der Mensch sich gegen sich selbst gewandt. Wir sind in eine Umwelt von Pflanzen hineingeboren worden, die Natur hat die Erde mit ihnen bedeckt, um uns zu ernähren, sie hat sie in ihren wohltätigen Absichten als Regulativ eingesetzt. Die Blätter speichern die Feuchtigkeit und verwandeln sie in Nebel und Regen. Dadurch wiederum entstehen die Quellen. Die Blätter fangen darüber hinaus die ungesunden Bestandteile der Luft in sich auf und wandeln sie in lebenswichtige Stoffe um. So viele kostbare Wohltaten sind gedankenlos vom Menschen selbst zunichte gemacht worden. Er hat die Wälder und das Buschwerk der Gebirge abgeschlagen.«[10]

Auf der Grundlage solcher Erkenntnisse schlug C. Thiébaut Anfang 1794 vor, daß jedes Brautpaar bei der Eheschließung – zur Förderung des allgemeinen Wohls – einen Baum pflanzen solle. Claude Tiery forderte kurze Zeit später, daß diese Paare nicht nur einen, sondern 100 neue Bäume pflanzen sollten. Nach dem Sturz Maximilien Robespierres im Juli 1794 und der Machtergreifung der großbürgerlichen Gironde traten dagegen solche naturerhaltenden Projekte wieder in den Hintergrund. Dennoch ließen sich in der zweiten Hälfte der neunziger Jahre einige Idealisten nicht entmutigen, weiterhin mit rousseauistisch-jakobinischem Eifer die Rückkehr zur Natur zu propagieren. So schrieb François de Neufchâteau kurz vor der Jahrhundertwende, daß Frankreich rund 100 Millionen Baumsetzlinge brauche, um seinen Wasserhaushalt wieder ins Gleichgewicht zu bringen und damit der Gefahr der Dürre oder Bodenerosion entgegenzuwirken.[11] Ähnliche Ansichten vertrat Neugaret 1798 in seiner Utopie *La République française en L'an 3600*. Statt in Steinwüsten zu leben, schlug er vor, alle Städte durch wohlangelegte Parks und mit Sträuchern und Blumen bepflanzte Dachterrassen in Naturparadiese zu verwandeln. Nicht minder energisch setzte sich ein überzeugter Rousseauist wie François-Noël Babeuf für die Auflösung der Städte und die Schaffung einer mit kleinen Dörfern durchsetzten Gartenlandschaft ein. Und auch Fèvre forderte 1799 in seinem Roman *L'Émile realisé* noch einmal, die großen Städte in ausgedehnte Weidebezirke umzuwandeln und alle öffentlichen Gebäude in die freie Natur zu verlegen.

Doch von diesen Träumen und Utopien wurde nach 1794 nichts in die Wirklichkeit umgesetzt. Das herrschende Großbürgertum dieser Ära verstand unter Freiheit vornehmlich die Befreiung in die Industrialisierung, den Kommerz, die freie Konkurrenz, kurz: die Befreiung in den Kapitalismus. An die Stelle der Trias »Liberté, Égalité, Fraternité«, welche die Rousseauisten unter den Jakobinern in einer freiheitlichen Gartenlandschaft verwirklichen wollten, trat somit eine einseitige »Liberté«, das heißt eine Freiheit ohne soziales Bewußtsein, die nur der Nutzung der eigenen Besitztümer zugunsten eines möglichen Profits diente. Nicht mehr die Citoyens, sondern bürgerliche Parvenüs bestimmten von nun an den politischen und wirtschaftlichen Kurs. Ihr Hauptexponent war jener Napoleon Bonaparte, der sich in diesen Jahren aus einem ehemaligen Anhänger Robespierres in einen »parvenu par excellence« mauserte. Und damit schwanden die Hoffnungen auf eine allgemeine Égalité und Fraternité nicht nur im menschlichen Bereich, sondern auch im Hinblick auf die Natur.

Dieser Sieg der industriell orientierten Großbourgeoisie bewirkte jedoch schnell eine neue Dialektik. Einerseits führte er zu einer gewaltigen Akkumulation von Kapital in den Händen dieser neuen Klasse, anderseits vergrößerte sich im Rahmen dieser Wirtschaftsform die Schicht der Kleinbürger, Bediensteten und Arbeiter von Tag zu Tag, die zwar der Oberschicht als Käufer ihrer Produkte höchst willkommen war, deren numerische Überlegenheit aber zugleich eine Gefahr für ihre im Zeichen der Freiheit errichtete Herrschaft bedeutete. Als daher 1798 Thomas Robert Malthus seinen *Essay on the*

Principle of Population as it Affects the Future publizierte, in dem er auf die drohende Diskrepanz zwischen Bevölkerungsvermehrung und Nahrungsproduktion hinwies und – unter dem Gesichtspunkt der Aufrechterhaltung der Herrschaft der Oberklasse – für eine drastische Geburteneinschränkung eintrat, löste das sowohl in England als auch in Frankreich lebhafte Debatten aus. Hierbei siegten meist jene, die sich aus ökonomischen Gründen für eine uneingeschränkte Bevölkerungszunahme engagierten. Ja, im Zuge dieser Gewinnorientierung verlor die Bourgeosie nicht nur ihre Angst vor einer möglichen Revolution, sondern auch vor einer Erschöpfung der Umweltressourcen – und gab sich bedenkenlos dem Besitz- und Machtstreben hin.

Die Anti-Luxus-Parolen in deutschen Naturstaat-Utopien

Im Vergleich zu England und Frankreich wirkt Deutschland im 18. Jahrhundert wie ein »zurückgebliebenes« Land. Durch die langfristigen Auswirkungen des Dreißigjährigen Kriegs und die frustrierende Aufspaltung in Hunderte von Territorien entstanden hier keine Großstädte wie London oder Paris, und es bildete sich zu dieser Zeit auch kein selbstbewußtes, liberales Bürgertum aus. Die Gedanken der westeuropäischen Aufklärung und die damit verbundenen freiheitlich-revolutionären Naturkonzepte faßten deshalb in Deutschland erst in der zweiten Jahrhunderthälfte Fuß und blieben selbst dann vielfach nicht mehr als unanwendbare Importprodukte. Während in England und Frankreich zu diesem Zeitpunkt bereits Verstädterung und Industrialisierung einsetzten, verharrte das Heilige römische Reich deutscher Nation weiterhin im Zustand des Feudalabsolutismus. Seine Intellektuellen griffen die Ideen der Aufklärung zwar auf und steigerten sie teilweise bis ins Radikal-Utopische, hatten aber – aufgrund der mangelnden politischen und sozio-ökonomischen Basis – keine Chance, sie in die gesellschaftliche Praxis umzusetzen.

Besonders in der ersten Jahrhunderthälfte waren dem deutschen Bürgertum noch alle Aufstiegsmöglichkeiten verwehrt. Es lebte weitgehend in Kleinstädten, begnügte sich mit dem Lokalhandel und entwickelte keine Gleichheitskonzepte, die mit naturrechtlich revolutionären Vorstellungen verbunden werden konnten. Zu diesem Zeitpunkt sah diese Klasse demzufolge in der »Natur« nach wie vor eine Schöpfung Gottes, aber keine rebellische Befreierin. Dafür sprechen nicht nur von Pastoren geschriebene Erbauungsbücher wie Friedrich

Christian Lessers *Insecto-Theologie, oder: Vernunft- und schriftmäßiger Versuch, wie ein Mensch durch aufmerksame Betrachtung derer sonst wenig geachteten Insekten zu lebendiger Erkenntnis und Bewunderung der Allmacht, der Weisheit, der Güte und der Gerechtigkeit des großen Gottes gelangen könne* (1738) und Johann Heinrich Zorns *Petino-Theologie, oder der Versuch, die Menschen durch nähere Betrachtung der Vögel zur Bewunderung, Liebe und Verehrung ihres mächtigsten, weisesten und gütigsten Schöpfers aufzumuntern* (1742), sondern auch die Naturbetrachtungen in den damals viel gelesenen *Moralischen Wochenschriften* oder Dichtungen wie *Irdisches Vergnügen in Gott* (1721) von Barthold Hinrich Brockes, die sich bemühten, bei der Betrachtung des Irdischen vor allem den weisen Schöpfungsplan Gottes herauszustreichen.

Wenn diese Autoren auf klein- oder mittelbürgerliche Art Bescheidenheit priesen und den Luxus der Mächtigen verdammten, so hatte das wenig mit wirklichen Naturerkenntnissen oder rousseauistisch-revolutionären Absichten zu tun. Sie unterwarfen sich vielmehr dem christlichen Bescheidenheitsethos der Genügsamkeit und Selbstvergnügtheit, wie es zu gleicher Zeit Johann Sebastian Bach in seinen *Geistlichen Kantaten* verkündete, die sich gegen den hoffärtigen Mammonismus der Reichen und Gottlosen wenden.[12] Die wenigen deutschen Utopien dieses Zeitraums haben dementsprechend einen eher religiösen Charakter. Beispielhaft dafür ist ein Werk wie *Die glückseligste Insul auf der ganzen Welt, oder Das Land der Zufriedenheit* (1728) von Ludwig Ernst von Faramund, in dem »vernünftig« noch mit »christlich« gleichgesetzt wird und die Faramundschen Insulaner das »Buch der Natur« nur wegen der in ihm zum Ausdruck kommenden Weisheit Gottes studieren.[13] Und auch die berühmteste Utopie dieses Zeitraums, die *Insel Felsenburg* (1731–1743) von Johann Gottfried Schnabel, bleibt im Hinblick auf Natur und Gesellschaft weitgehend den Vorstellungen der »alttestamentlichen Patriarchenzeit« verhaftet. Sie ist in ihrem Bescheidenheitsethos nicht bewußt natur- und umweltfreundlich, sondern verrät eher die Ratlosigkeit jener »kleinbürgerlichen Schichten, denen der Fortschritt des Handels und der Manufakturen keine akzeptable Perspektive zu eröffnen vermochte« und die deshalb dem »feudalen und großbürgerlichen Eigennutz« lediglich die »radikale Gleichheitslehre des Frühpietismus« entgegensetzten.[14]

Eine Änderung in dieser Hinsicht trat erst in der zweiten Jahrhunderthälfte ein, als die deutschen Aufklärer – unter dem Einfluß Englands und Frankreichs – ihre antihöfischen und antiklerikalen Gesinnungen in naturrechtliche Vorstellungen einzukleiden begannen. Und damit kam es auch in Deutschland zur Aufspaltung in zwei bürgerliche Gruppierungen: die liberalen Reformer und die rousseauistischen Radikalen. Während die liberalen Großbürger in Anlehnung an aufgeklärte Fürsten und Adlige weitgehend reformorientierte Konzepte vertraten und sich eine Änderung der bestehenden politischen, ökonomischen und sozialen Verhältnisse vor allem von einer besseren Erziehung und allmählichen Produktionssteigerung versprachen, also eindeutig evolutionäre Vorstellungen befürworteten, die auf eine Stärkung des subjektiven Faktors und eine Befreiung in den Kapitalismus hinausliefen, schwärmten die kleinbürgerlichen Radikalen aufgrund ihrer tiefen Abneigung gegen aristokratische und großbürgerliche Luxusbedürfnisse für eine Gleichheit aller Menschen, die auf freiwilliger Bescheidenheit und Einordnung in die Natur beruhte und in ihrer Befürwortung der Volkssouveränität auch vor politischen Umsturzkonzepten nicht zurückschreckte.

Wo bleibt jedoch bei diesen Tendenzen, die weitgehend mit den dahinterstehenden Klasseninteressen zusammenfallen, die ökologische Komponente? Bei den großbürgerlichen Reformern, die im Zuge ihrer Liberalisierungsabsichten auf eine ungehemmte Produktionssteigerung drängten, fehlt sie fast ganz. Wenn sich diese Schichten überhaupt der Natur zuwandten, dann entweder in Form einer gesteigerten Reisetätigkeit, die erstmals auch Reisen in die Natur umfaßte, oder im Anlegen kleiner Parks, die in der zweiten Hälfte des 18. Jahrhunderts als Ausdruck sentimentaler Naturverehrung sogar nach Deutschland vorzudringen begannen. Während einige Engländer und Franzosen bereits große Überseereisen unternahmen, auf denen sie mit sogenannten Naturvölkern in Berührung kamen, entdeckten die deutschen Oberschichten in diesen Jahrzehnten erst einmal den Harz und das Riesengebirge.[15] Und auch die Anlage Englischer Gärten blieb in Deutschland fast ausschließlich eine Angelegenheit weniger Vertreter der »höheren Stände«, wie es in der *Theorie der Gartenkunst* (1779) von Cay Lorenz Hirschfeld heißt.[16] Obendrein strichen die meisten deutschen Landschaftsgestalter, wie Friedrich Ludwig von Seckell, ausschließlich das Ästhetisch-Schöne und die feierliche Erhöhung der seelischen Einbildungskraft heraus, statt auch die freiheitliche Tendenz solcher Anlagen zu betonen.

Antihöfische Gesinnungen und, damit einhergehend, ökologische Besorgtheiten finden sich im Rahmen der Darstellung neuer Naturideale im Deutschland des späten 18. Jahrhunderts nur in den

Schriften klein- und mittelbürgerlicher Autoren. Die erste Gruppe innerhalb dieser Richtung stellten die deutschen Arkadienschwärmer, bei denen die Adelskritik zusehends in Zivilisationskritik umschlug. Ihr bekanntestes Werk, die *Idyllen* (1772) von Salomon Geßner, wurde nicht nur in Deutschland und der Schweiz, sondern auch in Frankreich und England viel gelesen. Angesichts der immer deutlicher werdenden Eingriffe in die Natur durch Flußbegradigungen, Abholzungen sowie rationellere landwirtschaftliche Anbaumethoden wirkten Geßners *Idyllen* wie zeit- und weltentrückte Darstellungen eines Wunschbildes, in dem der Mensch im Zustand der ursprünglichen Güte lebt. So gesehen, sind seine utopischen Gegenentwürfe einer ins Ästhetische stilisierten arkadischen Schäferwelt keine naiven Idyllen, wie dies manchmal behauptet wurde, sondern bewußt »sentimentalische« Beschwörungen einer allmählich entschwindenden Natur und somit bereits Vorbilder eines »ökologischen Denkens«.[17]

Zur zweiten Gruppe innerhalb dieser Richtung zählen alle aufgeklärten Romane oder Katechismen, die das Ideal der Bescheidenheit in die Form pädagogisch gemeinter Dorfutopien zu kleiden versuchten. Zu ihnen gehören unter anderem *Die Wirtschaft eines philosophischen Bauers* (1774) von Hans Caspar Hirzel, die *Geschichte des Herrn Oheim* (1778) von Johann Heinrich Merck, das *Not- und Hilfsbüchlein für Bauersleute* (1788) von Rudolph Zacharias Becker und *Sebastian Kluge* (1789) von Christian Gotthilf Salzmann, die in ihrer Darstellung des ländlichen Lebens wesentlich konkreter sind als Geßners *Idyllen*. Einige dieser Werke haben zwar durchaus physiokratische Züge, das heißt setzen sich für eine bessere Bodenbearbeitung und damit Steigerung der landwirtschaftlichen Produktion ein, um so den häufigen Mißernten entgegenzuwirken, betonen aber zugleich eine bäuerliche Autonomie, die durchaus idyllische Züge hat. Das gilt vor allem für Mercks *Herrn Oheim*, der erst auf dem Lande jene naturverbundene Glückseligkeit findet, die ihm die zivilisierte Gesellschaft der Stadt nicht bieten konnte. Nachdem Merck einige Zeit in einer solchen als robinsonhaft-autark empfundenen Idylle gelebt hatte, schrieb er an einen Freund: »Ich treibs hier leidlich, hab mir auch neuerlich einen großen Kartoffelacker ins Feld gestellt, mit Erbsen und Bohnen und Dickwurzel, und ich halte ein paar Schweine. Was im *Oheim* steht, hab ich wirklich praktiziert, und mir ist wohl worden, wie mir nur wohl wird unter den Bauern. Mein Junge geht ins Pädagogium und das Füllen auf die Weide, und kosten mich beide wenig zu unterhalten. Vielleicht geraten sie desto besser. Ich klebe aller Tage mehr an der Erde. Denn wenn wirs nicht treiben wie der gemeine Mann, wie sollen wir ein Gesicht kriegen und seine Sinnen, und das Ding, was wir Glückseligkeit nennen.«[18]

Mit solchen Vorstellungen leitet die Dorfutopie bereits zu jenem Rousseauismus über, für den die Natur die alleinige Richtschnur des menschlichen Handelns ist, der also das menschliche Leben immer stärker als ein Leben in und von der Natur versteht. Demzufolge wurden die deutschen Anti-Luxus-Postulate in den siebziger und achtziger Jahren zusehends utopischer, rebellischer und ökologiebewußter. Nur wenn alle Kinder wieder »in der Schule der Natur erzogen werden«, schrieb Johann Georg Sulzer 1770 in seinen *Unterredungen über die Schönheit der Natur*, werden sie jene »liebenswürdige Unschuld und Einfalt« erhalten, welche die Quellen jeder »wahren Weisheit« sind.[19] Auf dieser Basis entstanden schließlich jene Naturutopien, mit denen die deutschen Autoren – über alle arkadischen Schwärmereien hinaus – den politischen Vorsprung französischer Utopiker wie Morelly und Mercier sowie der späteren Jakobiner einzuholen versuchten.

Den Auftakt dazu bildete die von Georg Forsters *Reise um die Welt* (1778) inspirierte Inselutopie, die Adolph Freiherr Knigge 1783 unter dem Titel »Der Traum des Herrn Brick« in seine *Geschichte Peter Clausens* einfügte. In ihr geht es um ein Land ohne Fürsten, ohne Pfaffen, ohne Besitz, ohne Luxus, ohne Krankheiten, ohne gefährliche Leidenschaften, kurz: um ein verklärtes Tahiti, dessen Bewohner nur nach den Gesetzen der Natur leben. In diesem Lande gibt es weder Geschriebenes noch Gedrucktes. Statt sich zu »zieren«, folgt hier jeder seinen von Liebe und Sanftmut gelenkten Trieben. Wie in vielen Utopien dieser Zeit, sind in diesem Staat alle Menschen Bauern. Sie leben im einfachsten Stand der Natur, bestellen ihre Äcker gemeinsam, ernähren sich nur von Früchten und empfänden es als barbarisch, ein Tier zu töten oder gar sein Fleisch zu essen. Im Sinne Rousseaus steht also in dieser Utopie nicht die einzelne Person, sondern das »gemeinschaftliche Interesse« im Vordergrund, das auf einem von allen gebilligten »Vertrag« beruht.[20]

Damit hatte Knigge ein Leitbild entworfen, das von vielen deutschen Aufklärern, die mit den jakobinisch-rousseauistischen Idealen der Französischen Revolution sympathisierten, begeistert aufgegriffen wurde. So entwarf Karl Friedrich Bahrdt 1790 in seiner *Geschichte des Prinzen Yhakanpol* das Bild einer utopischen Insel, wo sich aufgrund einer vorbildlichen Agrarverfassung derart einfache Sitten herausgebildet haben, daß daneben alle anderen europäischen Staaten wie unnatürliche Tyranneien wirken. Das gleiche gilt für die *Reise eines Erdbewohners in den Mars* (1790) von Carl Ignaz Geiger, in der ein idealer Naturstaat geschildert wird, der ebenfalls auf rousseauistischen Prämissen beruht. Seine Momolyten hausen in »kleinen niedrigen Hütten ohne Kunst und Pracht«, verzichten auf alle Formen der Bekleidung, kennen keine unnatürlichen Ehefesseln und verehren die Sonne als das höchste lebensspendende Prinzip, mit einem Wort: sie huldigen der reinen Simplizität. Als die verdutzten Erdbewohner, die auf einer Ballonfahrt zufällig in diesem Reich gelandet sind, einen alten Momolyten fragen, wie sich nach seiner Meinung das wahre Glück erreichen lasse, antwortet dieser als ein guter Naturutopievertreter: »Wir haben kein Eigentum, denn die Natur hat keines; sie hat jedem gleiche Rechte, gleiche Bedürfnisse gegeben. Alles, was wir haben, das ist Feld und Frucht und Vieh, ist daher unter uns gemeinschaftlich. Niemandem fällt es ein, sich davon mehr zuzueignen, als er braucht. Denn wir haben ja keine Bedürfnisse, als jene der Natur; unsere Nahrung besteht aus dem, was unser Feld und unser Vieh gibt; unsere Wohnung ist ebenso einfach, und unsere Kleidung noch einfacher; denn wir tragen, wie Ihr seht, das bloße Gewand, das uns die Natur mit auf die Welt gab. Die weise Mutter Natur hat dafür gesorgt, daß die Menschen – sofern sie den Gesetzen der Natur treu bleiben – soviel auch derer immer da sind, genug haben, wie von den Pflanzen nicht mehr hervorkommen, als der Erdstrich, woraus sie wachsen, ernähren kann. Keiner unter uns hat also jemals Mangel, denn keiner hat Überfluß.«[21] Fast die gleiche tahitianisch-rousseauistische Naturstaat-Utopie findet sich in Georg Friedrich Rebmanns Roman *Hans Kiekindiewelts Reisen in alle vier Weltteile und in den Mond* (1795), dessen Held sein kleines Paradies unter den Schwarzen Afrikas, in der Republik des weisen Abenazer, findet. Auch hier herrscht das »wahre Glück«, da diese Naturmenschen ebenfalls einfache Bauern sind, weder Geld noch Ehrenstellen oder Priester kennen, nicht nach persönlichem Ruhm streben, kein Eigentum besitzen wollen, weitgehend vom »Früchtesammeln« leben, aufgrund ihrer polygamen Natürlichkeit nicht von Eifersucht geplagt werden und wie bei Geiger die Sonne als ihre einzige Gottheit verehren.[22]

Der einzige Autor, der in diesem Umkreis die rousseauistischen Natürlichkeitsvorstellungen mit christlichen Bescheidenheitsidealen zu verbinden suchte, war Franz Heinrich Ziegenhagen in seiner *Lehre vom richtigen Verhältnisse zu den Schöpfungswerken und die durch öffentliche Einführung derselben allein zu bewirkende allgemeine Menschenbeglückung* (1792). Doch trotz vieler an Zinzendorf anklingenden Vorstellungen steht letztlich auch bei ihm die Einsicht in die

Weisheit der Natur im Vordergrund. Seine Utopiker laufen bei schönem Wetter nackt herum, entwickeln keine falschen Bedürfnisse, lehnen jeden Luxus ab und haben in ihrem kolonieartigen Staat alles, was in einem Mißverhältnis zur Natur stehen würde, also Kriegswesen, Despotismus und Priesterherrschaft, abgeschafft. Ziegenhagen war von der revolutionären Qualität seiner *Verhältnislehre* so fest überzeugt, daß er eine Kurzfassung dieser Schrift 1792 an den Pariser Konvent schickte, der ihn jedoch – zu seiner großen Enttäuschung – keiner Antwort würdigte.

Wie in Frankreich traten ab 1794, nach dem Sieg der Gironde, auch in Deutschland die naturutopischen Entwürfe zusehends in den Hintergrund. Nicht nur die Jakobiner wurden gewaltsam unterdrückt, sogar die Rousseauisten hatten nach diesem Zeitpunkt einen schweren Stand. Dennoch hielten auch rechts des Rheins, wie in Frankreich, einige aufrechte Demokraten bis zur Jahrhundertwende an ihren Idealen fest und beschworen in ihren Schriften immer wieder Bilder freier Naturmenschen oder freier Bauern, mit denen sie ihren Haß auf die ausbeuterische Verschwendungssucht der Fürsten, der Adelskaste und der sich rasch bereichernden Großbourgeoisie zum Ausdruck brachten. Bei manchen Autoren, wie Johann Gottfried Seume und Ernst Moritz Arndt, wirkte dieser aufmüpfige Elan bis zum Beginn der Befreiungskriege weiter und führte dazu, daß die Verachtung des Dynastisch-Aristokratischen noch einmal in eine Sehnsucht nach deutsch-bäuerlichen Verhältnissen umschlug. In der Tradition der Nationalkonzepte von Friedrich Gottlieb Klopstock und der Anhänger des »Göttinger Hains« kam es demzufolge in diesem Zeitraum wiederum zu vehementen Durchbrüchen ins Naturutopische, die sich eine Änderung der bestehenden Misere nur von einer Rückumwälzung, einer Revolutio germanica zu den Anfängen der deutschen Geschichte versprachen, in der alles noch im Zeichen einer freiheitlichen, unverfälschten Natürlichkeit gestanden habe.

Das 19. Jahrhundert

Erste Reaktionen auf Verstädterung und Industrialisierung

Während in der ersten Hälfte des 19. Jahrhunderts die Industrialisierung in England und Frankreich bereits auf Hochtouren lief und London und Paris zu Weltstädten aufstiegen, denen gegenüber alles andere zur »Provinz« verblaßte, blieb Deutschland bis in die dreißiger Jahre hinein ein weitgehend agrarisch-feudalistisches Land. Im Zuge der Metternichschen Restauration kam es hier weder zur Herausbildung einer politischen Zentralmacht, zur Entstehung großer Städte, noch zur Formierung eines zahlenmäßig bedeutsamen Bürgertums. Erst in der zweiten Hälfte der dreißiger Jahre wurden auch in Deutschland, vor allem im Rhein-Ruhr-Gebiet und in Sachsen, die ersten Stahlwerke gebaut sowie die ersten Eisenbahnlinien eröffnet. Eine Landflucht, die zur Entstehung eines mobilen Proletariats führte, setzte jedoch nicht vor den fünfziger Jahren ein. Und erst dieser Prozeß bewirkte eine rapide Expansion der Städte und einen deutlichen Wandel des Landschaftsbildes aus dem Agrarischen ins Industrielle. Obwohl die damaligen Eingriffe in die Natur im Vergleich zu späteren Landschaftsverwüstungen relativ geringfügig blieben, lösten sie dennoch schon zwischen 1800 und 1850 unter den »bewußteren« Zeitgenossen eine Reihe mehr oder minder erbitterter Proteste aus.

Allerdings hingen diese Eingriffe in die Landschaft nicht nur mit der Industrialisierung zusammen. An ihnen war der gesamte Prozeß jener Modernisierung beteiligt, der in manchem lediglich an die sich bereits im 18. Jahrhundert anbahnenden Zentralisierungs- und Rationalisierungsprozesse anknüpfte. Im Hinblick auf die Flüsse führte diese Entwicklung zu einer Reihe folgenreicher Begradigungen, die von den Fürsten und Großhandelsherren als höchst erwünschte »Rektifizierungen« begrüßt wurden. So wurde etwa der Rhein im frühen 19. Jahrhundert durch eine »möglichst gerade Leitung«, »Abschneidung der Nebenarme« und »Zuschüttung der Altrheinauen« um rund 80 Kilometer verkürzt [1], was zwar die Schiffahrt erleichterte, aber die umliegenden Anbauflächen allmählich verdorren ließ.

Als ebenso folgenreich erwies sich die Einführung der »rationellen Landwirtschaft« in den gleichen Jahrzehnten. Großen Einfluß hatte hierauf Albrecht Thaer, der in seinem Buch *Grundsätze der rationellen Landwirtschaft* (1809–1828) in Anlehnung an die französischen Physiokraten schrieb, daß es der Hauptzweck jeder »Landwirtschaft« sein müsse, durch die »Produktion vegetabilischer und tierischer Substanzen *Gewinn zu erzeugen*«. Und »je höher der Gewinn« sei, erklärte er, »desto vollständiger« werde dieser Zweck erfüllt.[2] Thaer und seine Nachfolger stützten sich hierbei in steigendem Maße auf die neuesten naturwissenschaftlichen Erkenntnisse. Dazu gehörten vor allem die Methoden der künstlichen Düngung, für die sich Justus Liebig 1840 in seiner Schrift *Die Chemie in ihrer Anwendung auf Agrikultur und Physiologie* einsetzte. In ihr wies er nach, daß man – im Gegensatz zum bisherigen »Raubbau« an der Natur – den Ackerpflanzen in Zukunft mehr Stickstoff, Kalk, Kali und Phosphorsäure zuführen müsse, um so die Bodenfruchtbarkeit und damit die landwirtschaftlichen Erträge zu steigern. Liebig setzte dadurch eine Entwicklung in Gang, die zu einem so übermäßigen Gebrauch künstlicher Düngemittel führte, daß er später Skrupel vor seinen eigenen Empfehlungen bekam und den Bauern riet, mit dem chemisch hergestellten Stickstoff höchst sparsam umzugehen und keineswegs auf die älteren Düngungsmethoden, also das Misten und Jauchen, zu verzichten.

Doch nicht nur die künstliche Düngung, auch die Flurbereinigung oder »Verkoppelung der Ländereien«, wie es damals hieß, trug ihr Teil dazu bei, daß die Natur in den bäuerlichen Anbaugebieten immer intensiver verwirtschaftet wurde. Obendrein fielen diesen Zusammenlegungen und Planierungen Hunderttausende von Baumgruppen und Hecken anheim, was zu einer weiteren Verödung der Landschaft führte.

Von ähnlichen Einbußen hört man im gleichen Zeitraum im Hinblick auf die Wälder. Schon kurz nach der Jahrhundertwende, aber noch stärker nach dem Bau der ersten Fabriken und Eisenbahnen, stieg der Holzbedarf geradezu astronomisch an. Doch nicht nur der größere Bedarf, auch die Rationalisierung der Forstwirtschaft wirkte sich auf den Bestand und das Aussehen der Wälder verheerend aus. Angesichts dieser Entwicklungen schrieb Wilhelm Pfeil, ein Vertreter der »traditionellen« Forstverwaltung, bereits 1834 einerseits mit Bedauern, andererseits in realistischer Einsicht die Folgen derartiger Prozesse: »Das materielle Bedürfnis gestattet immer weniger, dem Sinn für das Schöne in der Waldwirtschaft Raum zu geben.«[3] Dementsprechend mußten damals viele der alten Mischwälder eintönigen Kiefernanpflanzungen weichen. Wie der Landwirtschaft ging es auch der Forstwirtschaft: Ohne Rücksichten auf die ökologischen Konsequenzen sollten möglichst schnell Gewinne erzielt werden, was nicht nur die Qualität des Bodens verschlechterte, sondern auch die Vielfalt der bisherigen Wildpflanzen und Wildtiere dezimierte. Dessenungeachtet wurde der allgemeine Liberalisierungs- und Kapitalisierungsprozeß von den profitierenden Bevölkerungsschichten erst einmal lebhaft begrüßt und gefördert.

Allerdings gab es neben den vielen Fortschrittsfreunden von Anfang an auch einige Kritiker, die inmitten der beginnenden bürgerlichen Wohlstandseuphorie ihre Proteste anmeldeten und der fortschreitenden Verstädterung und Industrialisierung Bilder der schönen, unberührten Natur entgegenhielten. Während die Jakobiner dies mit dem Elan einer ins Naturutopische ausschweifenden Phantasie getan hatten, herrschte jetzt eher der Ton einer skeptischen Besorgtheit vor. Diese Kritiker wußten bereits genau, wovon sie sprachen, wenn sie das Neue angriffen und das noch Existierende priesen. Sie glaubten nicht mehr an eine mögliche Rückkehr zum Zustand des Edlen Wilden, sondern nahmen bereits eine deutliche Defensivhaltung ein, wie einige Stimmen aus dem aufgeklärt-humanistischen, romantischen, national-demokratischen und biedermeierlichen Lager der Zeit zwischen 1800 und 1850 zeigen.

Noch weitgehend aufgeklärten Positionen verpflichtet sind die Naturanschauungen Alexander von Humboldts. Wie die Deisten des 18. Jahrhunderts sah er in seinen *Ideen zu einer Geographie der Pflanzen* (1807) die Natur weiterhin als Teil einer kosmischen Einheit, die in all ihren Teilen von den gleichen Gesetzmäßigkeiten durchzogen sei. Obwohl Humboldt diese imponierende Geschlossenheit nicht mehr nur religiös auffaßte, versetzte sie ihn trotzdem – wegen ihres von ihm bereits erkannten, aber noch nicht so bezeichneten ökologischen Gleichgewichts – immer wieder in staunende Ehrfurcht. Das zeigen eindringlich seine Beschreibungen außereuropäischer Landschaftsbiotope, die er 1808 unter dem Titel *Ansichten der Natur* publizierte und mit denen er seinen Lesern nicht nur die vielfältigen Interdependenzen geographischer, geologischer, meteorologischer und biologischer Art – also das, was wir heute ökologische Systeme nennen würden – vor Augen führen, sondern sie zugleich auf einen gesteigerten »Naturgenuß« vorbereiten wollte. Besonders richtungweisend sind seine Schilderungen der südamerikanischen Wälder mit ihrer überwältigenden Fülle an Pflanzen und Tieren, in denen der »frefelnde Mensch«, wie es ausdrücklich heißt, noch kein Unheil angerichtet habe und ein »empfängliches Gemüt« nach wie vor den »vielen Stimmen der Natur« zu lauschen vermöge. In diesen Wäldern glaubte sich Humboldt wieder in den Urzustand der Welt zurückversetzt. Verglichen damit erschienen ihm die zivilisierten Länder Westeuropas mit all ihren angeblichen Verfeinerungen geradezu »barbarisch«[4], da ihre Bewohner immer weniger Rücksichten auf die natürlichen Voraussetzungen des Lebens nähmen. Allerdings sah Humboldt schon zu diesem Zeitpunkt voraus, daß auch die südamerikanischen Landschaftsparadiese durch die aggressiv kolonisierenden Weißen in absehbarer Zeit den sogenannten Segnungen des Fortschritts zum Opfer fallen würden. In solchen Zusammenhängen stieß er bereits zu spezifisch ökologischen Einsichten vor, wie etwa der, daß »auf einer *gleichen* Landfläche bei Fleischesnahrung *ein* Mensch, bei Getreideanbau *zehn* Menschen und bei Früchtenahrung *250* Menschen bestehen könnten«.[5] Derartige Erkenntnisse, deren Bedeutung von seinen Zeitgenossen noch nicht wahrgenommen wurde, konnten erst Jahrzehnte später, um 1900, die radikalen Vegetarier unter den Lebensreformern in ihrer wirklichen Tragweite würdigen und als Weisheiten eines verantwortungsbewußten Naturphilosophen erkennen.

Ähnliche Klagen über die immer deutlicher werdende »Entzauberung« oder »Entpoetisierung« der Welt liest man zwischen 1800 und 1820 bei den Romantikern. Allerdings wurden sie nur selten so konkret wie Humboldt, sondern blieben meist im Bereich des Spekulativen, Mystischen oder gar Phantastischen. Noch am klarsten läßt sich das umschreiben, was sie ablehnten: alles Rationalistische, Materialistische, Aufgeklärte, Wissenschaftliche, Geschäftige, Bürgerliche, Philisterhafte, worin sie den Ungeist des 18. Jahrhunderts oder der modernen Welt schlechthin erblickten. Zutiefst enttäuscht darüber, daß die rousseauistische Sehnsucht nach einer Wiederversöhnung mit der Natur im Zuge der Französischen Revolution in den Terror der Vernunft und schließlich in den Sieg der großbürgerlichen Gironde sowie ihres imperialistischen Exponenten Napoleon umgeschlagen war, zugleich aber auch unfähig, die daraus entstandene Situation ideologisch zu bewältigen, neigten sie dazu, diesen Entwicklungen mit der romantischen Verklärung früherer, noch nicht dem »Diktat der Vernunft« ausgelieferter Zeitalter entgegenzutreten, sich mit utopischen Vorgriffen auf eine ebenso romantisch verklärte Zukunft zu trösten, in welcher der menschliche Geist wieder von der revolutio zur religio zurückfinden sollte, oder als »rückwärtsgewandte Propheten« à la Friedrich Schlegel die bessere Zukunft aus der besseren Vergangenheit abzuleiten.

Im Hinblick auf die Natur lassen sich aus der Fülle dieser utopischen Spekulationen zwei Grundmuster herausschälen. Einerseits gab es Romantiker, die ihren rückwärtsgewandten Schwärmereien die Relevanz einer Utopie zu geben versuchten, indem sie auf höchst unvermittelte Weise das Paradies der Vergangenheit in den Traum einer besseren Zukunft hineinprojizierten. So phantasierte etwa Novalis, der »Heilige« dieser Bewegung, gern von einer goldenen Endzeit der Menschheit, in der alle »Menschen, Tiere, Pflanzen, Steine und Gestirne« durch eine »geheime Verkettung des Ehemaligen mit dem Zukünftigen« wieder zu neuen »Familien« verschmelzen würden.[6] Eine ähnliche Haltung liegt dem Buch *Ansichten von der Nachtseite der Naturwissenschaft* (1808) von Gotthilf Heinrich Schubert zugrunde. Auch hier wird jene mystische Anfangszeit der Menschheit beschworen, in der noch nicht »der Geist des Menschen die Natur, sondern diese den Geist des Menschen bestimmt« habe, also der Mensch »noch ein untergeordnetes Organ der Natur« gewesen sei. Erst seitdem sich der Mensch als Sieger über die »Natur« aufspiele, heißt es bei Schubert, habe er begonnen, »die Erde, welche vorhin anzubauen heiliges Gesetz war, zu zerstören«. Und damit sei an die Stelle der gläubigen »Naturandacht« eine glaubenslose »Naturwissenschaft« getreten, zu deren minderwertigsten Produkten jener mechanische Materialismus gehöre, den die Engländer und Franzosen seit dem 17. Jahrhundert entwickelt hätten. Eine neue Hoffnung für die Welt sah Schubert allein in dem »deutsch«-romantischen Sinn für all das Magische und Mystische in der Natur, das man allzu lange als ihre »Nachtseite« verteufelt habe.[7]

Ähnlich mystische Züge finden sich im Bereich der romantischen Naturphilosophie, der zweiten Richtung dieser utopischen Spekulationen, deren Hauptvertreter Friedrich Wilhelm Schelling war. Trotz der objektiven Note seines Idealismus zeigte sich dieser der Theosophie Jakob Böhmes, den spinozistisch-pantheistischen Strömungen des 18. Jahrhunderts sowie dem magischen Idealismus von Novalis durchaus aufgeschlossen. Im Gegensatz zu den strengen Materialisten sah er in allem Organischen einen mystischen, durch den Verstand nicht ganz aufzuschlüsselnden Zusammenhang, dem irgendwelche kosmischen Urgegensätze zugrunde lägen, die in ihrem Streben nach Vereinigung jene innere Dialektik der Natur in Gang hielten, durch die sie sich am Leben erhalte und zugleich ständig weiterentwickele. Nicht minder offen spielten seine Schüler Heinrich Steffens und Lorenz Oken das Pantheistische gegen den puren Materialismus aus, blieben dabei jedoch ebenso spekulativ wie Schelling und priesen zwar die Natur als geheimnisvolle Quelle alles Lebendigen, bezogen aber keine ökologischen Maßnahmen zu ihrer Erhaltung in ihre Spekulationen ein.

Ähnliches gilt für weite Bereiche der romantischen Poesie. So tauchen zwar in ihren Märchen, Sagen und Legenden, wie auch in ihren Erzählungen, Dramen und Gedichten, viele Zwerge, Trolle, Nixen, Elfen, Bergköniginnen und Riesen aus jenen längst vergessenen Zeitaltern auf, als der menschliche Verstand noch nicht der höchste Maßstab aller Dinge war. So werden zwar in ihr all jene Wälder und Auen besungen, in denen es von blühenden Blumen und wilden Tieren nur so wimmelt, in denen sogar noch die Äolsharfe und die Musik der Sphären zu hören sind. So liest man zwar ständig von der Tieckschen Sehnsucht nach jener »wundervollen Märchenwelt«, in welcher sich der Mensch noch an der »mondbeglänzten Zaubernacht« erfreut habe. Aber trotz dieser nachdrücklichen Naturverherrlichung bleibt fast immer die Perspektive des Anthropozentrismus erhalten. Doch verwerfen wir darum die Romantik nicht. Schließlich kommt in ihr ein deutliches Unbehagen an der allmählichen Verwissenschaftlichung der Welt und damit an einer steigenden Bedrohung der Natur durch die neuen Kräfte der Technik zum Ausdruck. Ja, Achim von Arnim, der durch die Tätigkeit auf seinem Gut unmittelbar mit der Natur in Berührung kam, beklagte schon damals, daß sich auch in Deutschland überall das Prinzip des »Verwirtschaftens« durchzusetzen beginne[8], das selbst auf die ältesten Bäume oder andere Denkmäler der Vergangenheit keine Rücksicht nehme.

Im Gegensatz zu den Romantikern, die immer wieder Zuflucht in der Poesie suchten, sahen die Verfechter national-demokratischer Ideen in diesen Jahren die Natur wesentlich konkreter. Das gilt vor allem für Ernst Moritz Arndt, der sich nicht nur für die Aufhebung der Leibeigenschaft und damit die Erhöhung des Bauernstandes, sondern auch für die Erhaltung der deutschen Wälder einsetzte. Wie ökologisch er dabei dachte, belegt sein Aufsatz »Ein Wort über die Pflegung und Erhaltung der Forsten und Bauern im Sinne einer höheren, d. h. menschlichen Gesetzgebung«, den er 1815 in seiner Zeitschrift *Der Wächter* publizierte. In ihm heißt es: »In manchen Landschaften Deutschlands hat man in den letzten zwanzig bis dreißig Jahren sehen können, wie der heilloseste und ruchloseste Unfug mit edlen Bäumen und Wäldern getrieben ist und ganze Forsten ausgehauen und ganze Bezirke entblößt sind, weil der einzelne Besitzer mit der Natur auf das willkürlichste schalten und walten kann. Was kümmert es den, der Geld bedarf und in zehn Jahren zu verbrauchen gedenkt, wovon sein Urenkel noch zehren sollte, ob er eine öde und Menschen künftig wenig erfreuliche, ja Menschen kaum brauchbare Erde hinterläßt? Er will leben, und sie mögen auch sehen, wie sie es machen. Dies ist der Ausspruch, womit die meisten Jetztlebenden unbequeme Fragen ihres Gewissens abweisen, das noch zuweilen an eine Zukunft erinnert, die sein soll, wie eine Vergangenheit gewesen ist.« Voller Wut auf diese Zustände nannte Arndt seine eigene Zeit die »saturnische«, die in »bodenloser Unmäßigkeit und Gierigkeit sich selbst verschlinge und auffresse«. Am schärfsten ging er hierbei mit jenen »Herren« ins Gericht, die sich bei der Umwandlung von Natur in »Fabrikdörfer« hinter dem »leidigen Wort *Einträglichkeit* versteckten«, statt auch die »*Zuträglichkeit*« für andere Menschen zu bedenken. Auf diese Äußerungen ließ Arndt eine kleine »grüne« Utopie folgen. In ihr visierte er eine Zukunft an, in der Deutschland erneut ein tacitäisches »Land der Wälder« sein werde. Besonders die Berge, erklärte er emphatisch, müßten wieder durchgehend bewaldet sein. Aber auch in den Ebenen solle man alle anderthalb Meilen einen Waldstreifen anlegen, um dem Boden den nötigen Schutz vor den austrocknenden Winden zu bieten. Erst wenn an die Stelle des »verwerflichen Egoismus« ein nationaler Gemeinsinn trete, heißt es zusammenfassend, werde Deutschland wieder »fruchtbar und schön«, wieder »lebens- und verehrenswert« sein.[9]

Doch von diesen Träumen ließ sich nach 1815 nichts in die Wirklichkeit übertragen. Weder die humanistischen Überlegungen oder romantische Phantastereien noch die national-demokratischen Forderungen hatten irgendwelche Konsequenzen. Was sich in der Folgezeit durchsetzte, war – trotz der Bemühungen der Metternichschen Restauration, Deutschland nicht in den Sog der westlich-liberalen Zivilisation geraten zu lassen – letztlich der Geschäftsgeist des Frühkapitalismus, der nach 1830 eine immer stärkere Eigendynamik entwickelte. Dies führte zu einer Aufspaltung der bürgerlichen Intelligenz in eine jungdeutsch-emanzipatorische und eine biedermeierlich-konservative Richtung. Während die Jungdeutschen aus dem Liberalismus für ihre eigene Befreiung das Beste herauszuschlagen versuchten und alle Ausflüchte ins Idyllische unter Berufung auf Hegel als fortschrittsfeindlich verwarfen, huldigten die Besseren unter den Dichtern des Biedermeier, die nicht eindeutig dynastisch-reaktionär eingestellt waren, weiterhin christlichen oder kleinbürgerlich-humanistischen Bescheidungsidealen. Ein gutes Beispiel dafür ist der Schluß des Romans *Die Epigonen* (1837) von Karl Immermann. Hier erklärt der Protagonist Hermann mit einem besorgten Blick in die Zukunft: »Vor allen Dingen sollen die Fabriken eingehen und die Ländereien dem Ackerbau zurückgegeben werden. Jene Anstalten, künstliche Bedürfnisse künstlich zu befriedigen, erscheinen mir geradezu verderblich und schlecht. Die Erde gehört dem Pfluge, dem Sonnenschein und dem Regen, welcher das Samenkorn entfaltet, der fleißigen, einfachen Hand. Mit Sturmes Schnelligkeit eilt die Gegenwart einem trockenen Mechanismus zu; wir können ihren Lauf nicht hemmen, sind aber nicht zu schelten, wenn wir für uns und die Unsrigen ein grünes Plätzchen abzäunen, und diese Insel solange wie möglich gegen den Sturz der vorbeirauschenden industriellen Wogen befestigen.«[10] Ein Jahr später fügte Immermann in seinen *Münchhausen*-Roman jene Oberhof-Passage ein, in der er ein westfälisches Bauerngut schildert, das nicht nur aus Feldern, sondern auch aus üppigen Wäldern und Wiesen besteht, und in seinem homerisch-verklärten Glanz zum Leitbild vieler späteren Bauernromane wurde.

Man sage nicht, daß alle diese Stimmen nur die Luft bewegten. Schon zwischen 1800 und 1850 gab es einige Naturfreunde, die nicht nur redeten oder schrieben, sondern ihre Ideen auch in die Tat umzusetzen versuchten. Ein Beispiel dafür ist jenes »Landesverschönerungs«-Konzept, das vor allem mit dem Namen Johann Michael Gustav Vorherr verknüpft ist, der 1817 im *Monatsblatt für Bauwesen und Landesverschönerung* erklärte, daß die »Hauptbestimmung« der Gegenwart darin bestehe, den Menschen wieder in einem ästhetisch-befriedigenden Einklang mit der Natur zu versetzen.[11] Ähnliche Forderungen trug Jonathan Schuderoff 1825 in seinem Buch *Für Landesverschönerung* vor, das in dem Satz kulminierte: »Ganz Deutschland ein großer Garten sei unsere Losung.«[12] Aufgrund solcher Postulate etablierte sich in Berlin ein »Verein zur Beförderung des Gartenbaus in den preußischen Staaten«, zu dessen Gründern Ernst Moritz Arndt, Alexander von Humboldt und Hermann Fürst von Pückler-Muskau gehörten. Er setzte sich die Aufgabe, die Menschen durch neue Bepflanzungen »in der Landschaft wieder heimisch zu machen«, wie Peter Joseph Lenné 1826 in seiner Schrift *Über Trift- und Feldpflanzungen* schrieb.[13]

Im Zuge solcher Proklamationen wurden in den folgenden Jahren die Ränder vieler Landstraßen mit Obstbäumen bepflanzt und eine Fülle neuer Parks angelegt, bei denen meist das Ideal des Englischen Gartens Pate stand. Am eifrigsten setzte sich hierfür Lenné ein, der am liebsten die gesamte Spree- und Havellandschaft in einen großen Landschaftspark verwandelt hätte. Aber solche Großprojekte konnte sich nur ein Fürst wie Pückler-Muskau leisten, dessen weiträumige Parks in Muskau und Branitz weltberühmt wurden. Von den Städten waren die ersten Wien und Magdeburg, die 1821 bzw. 1824 Aufträge zur Anlage größerer Bürgerparks erteilten, die meist an die Stelle der älteren Wälle oder anderer Stadtbefestigungen traten. Zum gleichen Zeitpunkt setzten sich einige Gruppen erstmals für die Erhaltung jener besonders schönen Landschaftspartien ein, für die Alexander von Humboldt 1799 den Begriff »Naturdenkmäler« geprägt hatte. Wohl das größte Aufsehen erregte dabei der Kampf um den Drachenfels am Rhein, den die Gemeinde Königswinter 1826 an eine Steinbruchfirma verkauft hatte. Nachdem es wegen dieser Angelegenheit zwischen gewinnsüchtigen Pragmatikern und selbstlosen Naturfreunden, die als »romantische Schwärmer« verunglimpft wurden,[14] zu wiederholten Prügeleien gekommen war, schaltete sich schließlich der preußische Kronprinz ein und »rettete« den Drachenfels.

Doch die meisten Naturfreunde engagierten sich in diesem Zeitraum weniger für den Schutz von Bergen, Wäldern und anderer Naturdenkmäler als für die Tiere und drangen auf eine staatliche Gesetzgebung, die diesen Geschöpfen endlich den nötigen Schutz gewähren würde. Bevor es jedoch zu solchen Gesetzen kam, bedurfte es im Verhältnis von Mensch zu Tier noch einer Reihe tiefgreifender Änderungen. Eine wichtige Rolle spielten dabei Bücher wie *Beiträge zur Philosophie der Seele* (1830) von Karl von Flemming, *Versuch einer vollständigen Tierseelenkunde* (1840) von Peter Scheitlin und *Das Seelenleben der Tiere* (1854) von Christian Josef Fuchs, die alle davon ausgingen, daß auch Tiere eine Seele hätten und das Seelenleben der Tiere dem menschlichen viel verwandter sei, als man bisher angenommen habe. Nicht nur Menschen, behaupteten sie, sondern auch Tiere besäßen Klugheit, Großmut, Rechtsgefühl, Mutterliebe und Seelentiefe, empfänden Dankbarkeit und hätten sogar einen Sinn für Kunst. Biologen wie Constantin Wilhelm Gloger und Karl von Baer traten daher seit den vierziger Jahren für einen größeren Respekt vor sämtlichen, ob nun »nützlichen« oder »unnützen« Tieren ein und stellten erstmals Listen solcher Arten auf, von denen sich bereits jede Spur verloren habe oder deren Existenz durch die Ausräuberung der Natur von seiten des Menschen unmittelbar bedroht sei.

Von den Philosophen dieser Ära setzte sich besonders Arthur Schopenhauer energisch für die bedrängten, gejagten, ausgebeuteten und ermordeten Tiere ein. Für die »rohe und rücksichtslose Behandlung der Tiere« machte er – zuerst in seinem Hauptwerk *Die Welt als Wille und Vorstellung* (1819) und dann im Paragraphen 177 seiner *Parerga* (1851) – vor allem die mosaisch-christliche Tradition verantwortlich, nach welcher die Tiere unbeseelte Wesen seien, mit denen man beliebig verfahren könne. Besonders verhaßt war Schopenhauer die Vivisektion, mit der man »arme hilflose Tiere« unnötigerweise »zu Tode martere« und dabei selbst vor Hunden, diesen »edelsten aller Tiere«, nicht zurückschrecke. Lediglich die »feinfühlige Nation« der Engländer, schrieb er, habe Mitgefühl mit den Tieren. Dort gebe es eine »Society for the Prevention of Cruelty to Animals«, die jeden Mißbrauch unnachgiebig ahnde. Doch auch im übrigen Europa, erklärte er, werde man die Rechte der Tiere hoffentlich bald beachten, statt diese Geschöpfe weiterhin »bloß als Sachen« zu behandeln.[15]

Im Hinblick auf den Schutz der Nutz- und Heimtiere behielt Schopenhauer recht. In England gab es nicht nur die von ihm erwähnte »Society«, sondern auch eine »Vegetarian Society«, zu deren aktiven Befürwortern Percy Bysshe Shelley gehörte. Außerdem waren hier 1821 die ersten Gesetze zur Verhütung von Grausamkeiten gegen Tiere erlassen worden. Ähnliche Stimmen wurden im gleichen Zeitraum in Frankreich laut. Hier war es vor allem Jean-Antoine Gleizès, der 1840 in seinem Buch *Thalysie ou L'existence nouvelle* wirkungsvolle Bekenntnisse zur Tierliebe und zum Vegetarismus ablegte. Gleizès berief sich dabei auf die bis zu den Pythagoräern zurückreichende Tradition der reinen Pflanzenkost und beschuldigte alle fleischessenden Menschen des Mordes. In Deutschland wurden die ersten Tierschutzvereine in der zweiten Hälfte der dreißiger Jahre gegründet. Und auch die ersten staatlichen Gesetze zum Schutz der Tiere ließen hier nicht lange auf sich warten. Eins der ersten Länder, das 1851 ein solches Gesetz erließ, war Preußen.

Alles in allem sind dies zwar wenige, aber doch bemerkenswerte Dokumente dafür, daß es zwischen 1800 und 1850 – neben der sich allmählich anbahnenden Fortschrittseuphorie – auch schon naturbewahrende, beinahe ökologiebetonte Reaktionen auf diese beginnende Entwicklung gab. Daß diese Reaktionen in England und Frankreich, wo die Verstädterung und Industrialisierung bereits fortgeschrittener war, wesentlich vehementer ausfielen als in dem noch weitgehend agrarisch und kleinstädtisch strukturierten Deutschland, leuchtet ein. Und doch gab es sie auch hier – allerdings weniger auf der Ebene der konkreten Proteste als auf der des Philosophischen und Poetischen. Schließlich entwickelte sich das rauchende, lärmende und naturzerstörerische Fabrikwesen in Sachsen und im Ruhrgebiet erst nach 1835. Deshalb entzündeten sich die Proteste gegen die sogenannte Modernisierung lange Zeit an westeuropäischen Phänomenen. Wenn deutsche Autoren über die Nachteile der Großstädte sprachen, meinten sie meist London oder Paris, und auch ihre Reaktionen auf die Nachteile der Industrie bezogen sich weitgehend auf ausländische Beobachtungen. Zu Anfang des Jahrhunderts stechen dabei vor allem die Berichte über die Bergwerke zu Falun ins Auge, wo über 1000 Bergleute jährlich 3000 Tonnen Kupfer zu Tage förderten, was gut zwei Drittel der Weltproduktion ausmachte. Während die Fortschrittsbegeisterten Falun als eines der Weltwunder bestaunten, notierte sich ein kritischer Geist wie Ernst Moritz Arndt schon 1804 auf einer Reise durch Schweden, daß man durch den »dichten Schwefeldampf«, der von den dortigen Gruben aufsteige, manchmal nicht »zehn Schritt« weit sehen könne und Fremde, die nach Falun kämen, oft von »Nasenbluten, Kopfschmerz, Husten und Augenschmerzen« geplagt würden.[16] Und auch Johann Friedrich Hausmann schrieb 1818 im 5. Band seiner *Reise durch Skandinavien*, daß die Gegend um Falun »das größte und schrecklichste Bild einer durch Unordnung und Verschwendung herbeigeführten Zerrüttung« darstelle.[17] Im Hinblick auf solche Berichte legte Ludwig Tieck 1828 in seiner Novelle *Der Alte vom Berge* dem greisen Kunz folgende Worte über das zunehmende Fabrikwesen mancher Länder in den Mund: »Die ganze Gegend hier, meilenweit umher, raucht, dampft, klappert, pocht, man schaufelt, webt, gräbt, bricht auf, wütet mit Wasser und Feuer bis in die Eingeweide, kein Wald wird verschont, Glashütten, Alaunwerke, Kupfergruben, Leinwandbleichen und Spinnmaschinen, seht, das muß Unglück oder Glück dem bringen, der die Wirtschaft anrichtet, ruhig kann es nicht abgehen.«[18]

Öffentliche Kritik an der innerdeutschen Entwicklung gab es dagegen erst in den vierziger Jahren. Allerdings hatten solche Proteste, die sich vornehmlich gegen den Lärm der Dampfmaschinen, den Rauch der Fabrikessen oder die Schnelligkeit der Eisenbahnen richteten, meist ein lokales Gepräge. Obendrein drückte sich in ihnen weniger eine Angst vor den ökologischen Konsequenzen als vor den »gesellschaftlichen und kulturellen Verschiebungen aus, die mit der Einführung der Technik verbunden waren«.[19] Daher gab es im Deutschland der vierziger Jahre zwar Weberaufstände und andere Formen der Maschinenstürmerei, denen – neben sozialer Existenzangst – ein ähnlicher Widerwille gegen die Technik zugrunde lag wie den ludditischen Aufständen, die 1811 und 1816 in England stattgefunden hatten, aber kaum Aktionen zum Schutze der Natur. Dementsprechend werden in dem Fabrikroman *Das Engelchen* (1851) von Robert Prutz am Schluß zwar alle Maschinen zerstört, jedoch nicht deshalb, weil sie Luft oder Flüsse verpesten, sondern weil sie Werkzeuge des Teufels seien, durch die der Mensch Schaden an seiner Seele nehme.

Doch selbst solche Entladungen blieben Ausnahmen. Nicht der Protest gegen die Technik bestimmte um 1850 das deutsche Denken, sondern ein wirtschaftlicher Fortschrittsoptimismus nationalliberaler Art, der in den Naturschützern und Naturbewahrern lediglich altmodische, romantisch-versponnene Außenseiter sah. Und sogar diejenigen, die diesen Fortschrittsoptimismus nicht sorglos teilten und Bedenken anmeldeten, taten dies weniger in gegenutopischer Absicht als in stiller Ergebung oder Resignation, indem sie sich wie Friedrich Theodor Vischer in der immer grauer werdenden Welt der bürgerlichen Allgemeinheit mit kompensatorischer Absicht an jene »grünen Stellen« hielten, die ihnen die Jugend, die Liebe oder die Kunst zu offerieren schienen.

Goethes Naturanschauungen

Da sich Goethe im Laufe seines langen Lebens mit keiner politischen, philosophischen oder ästhetischen Strömung voll identifizierte, fällt es schwer, seinen Werken irgendein epochengeschichtliches Etikett aufzukleben. Er war weder ein Rousseauist, jakobinischer Naturutopiker oder Romantiker, der sich eine Wende zum Besseren von der radikalen revolutio zur Ursprünglichkeit der Natur versprach, noch war er ein fortschrittsoptimistischer Liberaler, der sich die Emanzipation des Menschengeschlechts allein von der befreienden Wirkung der Technisierung und Verstädterung erhoffte. Entgegen solchen »Einseitigkeiten« versuchte er stets, die Gesamtheit der menschlichen Entwicklung – mit all ihren naturwissenschaftlichen Erkenntnissen und sozio-ökonomischen Grundvoraussetzungen – im Auge zu behalten, die weder rein zyklisch noch rein linear verlaufe, sondern in ihren mannigfachen Metamorphosen eher einer Spiralbewegung gleiche.

Von vulkanischen Ausbrüchen abgesehen, schrieb er, habe die Natur keine revolutionäre Ungeduld, sondern verfüge über einen langen, ruhigen Atem. Deshalb betonte er als »Freund des Organischen« immer wieder, daß man die Natur nicht »zwingen«, nicht »quälen«, nicht »auf die Folter« spannen dürfe.[20] In ihr spiele sich alles in Form von Entelechien und Wandlungen ab, dürfe also nicht vergewaltigt werden. Sowohl in seinen zahlreichen naturwissenschaftlichen Schriften als auch in seinen poetischen Werken polemisierte darum Goethe unablässig gegen das Zerlegen und Zerstückeln der Natur und einen streng mathematischen oder diskursiv-analytischen Umgang mit ihr. Besonders verhaßt war ihm das skrupellose Experimentieren der physikalisch-exakten Naturwissenschaftler mit der Natur, die nichts in größeren Zusammenhängen betrachteten, sondern alles isolieren, entfremden, abstrahieren müßten. So warf er den Zoologen vor, gnadenlos an lebenden Objekten, an Fröschen und anderen Tieren, »herumzuschneiden«,[21] sich also der teuflischen Vivisektion zu bedienen. Den Chemikern machte er den Vorwurf, selbst die unscheinbarsten Substanzen immer noch weiter »trennen« zu wollen, statt sie in ihrer naturgegebenen »Einheit« zu betrachten.[22]

Am bekanntesten innerhalb dieses Polemikfelds sind Goethes Angriffe gegen Isaac Newton, den Hauptvertreter der mechanischen Physik, in jenen Studien, die er 1810 in seiner *Farbenlehre* zusammenfaßte. Hier wird Newton wegen seiner Spektralanalysen höchst abschätzig unter die »Mathematico-Optiker« eingereiht, denen selbst das Schönste und Geheimnisvollste innerhalb der Natur »als ein greifbares, faßliches und mechanisches Objekt« erscheine, das man willkürlich »zerstückeln« könne.[23] Ein solches Geschäft, welches die Natur »vor den Gerichtsstuhl des Mathematikers zieht, wohin sie nicht gehört«, empfand Goethe als »bloß negativ«.[24] Newtons Methoden der Lichtzerlegung hielt er darum in ihrer »zerstückelnden, zermalmenden, zersplitternden« Art für ausgesprochen unnatürlich, sie verstießen gegen die innere »Einheit« der Natur.[25] Wenn Goethe die Konsequenzen solcher Experimente bedachte, wurde er noch schärfer und warf allen »experimentierenden Technikern«, die sich auf die Seite Newtons schlügen, vor, durch ihr zu »eng gefaßtes« Konzept der Naturwissenschaft eine Lehre zu befördern, die zur »Erstarrung«, wenn nicht gar zum »Tod« der gesamten Natur führen könne.[26]

Um diesen Tendenzen wirkungsvoll entgegenzutreten, forderte Goethe immer wieder, im Forschen zu den »wahren Naturverhältnissen« zurückzukehren und die eigene sinnliche »Anschauung« zur Grundlage der Erkenntnis zu machen.[27] Wie schon Jean-Paul Marat und Denis Diderot wandte er sich gegen ein abstrakt-mathematisches Begreifenwollen jenseits der Erfahrung der Natur, durch welches aus »Mathematikern, Chemikern und Physikern« nur allzu leicht Metaphysiker würden.[28] Es sei das »größte Unheil der neueren Physik«, schrieb Goethe, daß man die Experimente gleichsam vom Menschen und seinen natürlichen Bedürfnissen abgesondert habe.[29] Statt einer unverantwortlichen »Wißbegier« zu huldigen, sah er die eigentliche Aufgabe aller Naturforscher darin, wieder konkret zu werden, in ihrem Denkvermögen »gegenständlich« zu bleiben und sich nicht von ihren Untersuchungsobjekten »abzusondern«.[30] Da in der Natur selbst das Geringste mit dem Ganzen verbunden sei, müsse man stets von der Einheit aller Phänomene, der oft beschworenen »Kette der lebendigen Wesen« ausgehen. In ihr gebe es nichts Getrenntes. Alles entwickele sich im Gegenteil in dauernd-zeugender Bewegung aus einfachen zu immer komplizierteren Formen, was Goethe sowohl anhand der Metamorphose der Pflanzen als auch in seinen Zwischenkieferstudien nachzuweisen suchte. Damit wurde für ihn Naturwissenschaft fast gleichbedeutend mit Morphologie, also Erkenntnis der inneren Entfaltungsgesetze und der vielfältigen Erscheinungsformen alles Lebendigen.

Aber Naturbetrachtung war für Goethe in seiner liebevollen Freude an allem Sinnlich-Konkreten zugleich eine Form des bewundernden Respekts. Statt sich als Forscher der Natur gegenüber menschlich-egozentrische Freiheiten herauszunehmen und damit gegen ihre »Rechte« zu verstoßen, neigte Goethe zu einer im besten Sinne die Natur verehrenden Haltung. Wie in den Schriften Giordano Brunos, Spinozas und Schellings finden sich daher auch in seinen Werken immer wieder Exkurse ins Pantheistische. Selbst da, wo er sich solche Ausflüge versagte, setzte Goethe an die Stelle des mechanischen Materialismus eines Newton gern die Heiligkeit der Immanenz. Demzufolge bedauerte er alle, die im Anschauen der »immer schaffenden Natur« nicht jene »Einheit« zu erkennen vermochten, die sich nur einem respektvollen, sich bescheidenden Auge erschließt.[31] Um diese Thesen zu untermauern, griff er in diesem Zusammenhang manchmal sogar auf ältere Naturreligionen zurück. So lobte er etwa an den »alten Parsen«, daß sie nicht nur das Feuer, sondern alle Elemente als göttlich verehrt und daher eine »heilige Scheu« entwickelt hätten, das Wasser, die Luft und die Erde in irgendeiner Weise zu »besudeln«.[32]

Naturanschauungen dieser Art finden sich jedoch nicht nur in Goethes theoretischen Schriften. Auch in seinen literarischen Werken neigte er von Anfang an, spätestens seit der von Rousseau inspirierten Sturm- und Drang-Zeit, zu einem Naturgefühl, das bis zur totalen Hingabe an die Natur geht. Dafür sprechen neben seinen frühen Gedichten vor allem die *Leiden des jungen Werthers* (1774). Werther ist nur glücklich, wenn er aus der Stadt in die Natur flüchten kann, wenn er unter Bauern und Kindern ist, wenn er allein der Stimme seines Herzens folgen kann, kurz: wenn er sich in ländlich-idyllischer Umgebung in das Goldene Zeitalter zurückversetzt fühlt. Doch im Gegensatz zu den rousseauistischen Naturstaat-Utopien, in denen es zum

Teil um ähnliche Empfindungen ging, bleibt es in den *Leiden des jungen Werthers* bei einem unauflösbaren Widerspruch. Während es bei Knigge, Geiger und Rebmann – aufgrund einer ins Utopische tendierenden Radikalität – zu einem märchenhaft-altruistischen Happy-End kommt, entwarf Goethe das Warnbild eines extremen Außenseiters, der sich der Maßlosigkeit seines Gefühls hingibt und schließlich in seiner unerfüllbaren Egomanie frustriert zur Pistole greift. Dieselbe Diskrepanz zwischen Natur und Gesellschaft versuchte Goethe in seinen *Wahlverwandtschaften* (1809) darzustellen. Doch im Gegensatz zum *Werther*, wo es noch um die Krise des Rousseauismus ging, steht dieses Werk bereits in unmittelbarer Nähe zu seinen in der *Farbenlehre* zusammengefaßten Naturanschauungen. In den *Wahlverwandtschaften* ist die Naturbetrachtung, die weitgehend einem Englischen Garten gilt, bereits zum Grundpfeiler einer Weltanschauung geworden, die Denken und Anschauen – im Sinne einer neuen Weltfrömmigkeit – auf ganzheitliche Weise miteinander zu vereinigen sucht. In Anziehung und Abstoßung, Systole und Diastole, Steigerung und Entsagung, Ethischem und Dämonischem, Männlichem und Weiblichem: in allen Polaritäten offenbaren sich hier naturgesetzliche Urphänomene, die in das Leben der Menschen eingreifen und teils gemeistert, teils aber als überwältigende Mächte erfahren werden. Wie im *Werther* erweist sich dabei die Liebesleidenschaft als die beglückendste und gefährlichste aller Passionen, die nach denselben Gesetzmäßigkeiten abläuft wie die Elementarverbindungen in der Natur, der jedoch der Mensch nicht hilflos ausgeliefert ist, da ihm stets die Möglichkeit der Entsagung bleibt, was zu einem anderem Romanschluß als dem des *Werther* führt.

Noch weiter griff Goethe im zweiten Teil seines *Wilhelm Meister* aus. Hier geht es nicht nur um die Urpolaritäten der Natur und damit auch des menschlichen Wesens, sondern zugleich um die verheerenden Auswirkungen, die das kapitalistische Ausnutzen der Technik zeitigte, in der Goethe eine große Gefahr für die Natur heraufziehen sah. In seinen Briefen an Zelter und den Gesprächen mit Eckermann kommt er häufig darauf zu sprechen. Die ersten Polemiken gegen den zerstörerischen Geschäftsgeist der modernen Welt finden sich in seinen *Reisebriefen aus der Schweiz* von 1797, in denen Goethe angesichts der Schönheit der Schweizer Natur nachdrücklich jene Frankfurter Kaufleute attackiert, die nur auf »schnellen Gewinnst« aus seien, an ihren »Privatvorteil« dächten, sich also rein »egoistisch« verhielten und alles als »Ware« betrachteten.[33] Noch deutlicher wurde Goethe in einem Brief am 7. Juni 1825 an Zelter, in dem er voller Haß gegen die oberflächliche Mobilität der Bourgeoisie schrieb: »Reichtum und Schnelligkeit ist, was die Welt bewundert und wonach jeder strebt; Eisenbahnen, Schnellposten, Dampfschiffe und alle möglichen Fazilitäten der Kommunikation sind es, worauf die gebildete Welt ausgeht, sich zu überbieten, zu überbilden und dadurch in der Mittelmäßigkeit zu verharren.« Eckermann gegenüber erklärte er am 12. März 1828, daß ein »redlicher Mensch mit natürlicher Neigung und Gesinnung«, heute einen »recht bösen Stand« habe. Lediglich beim »Landvolk« habe sich noch »gute Kraft« erhalten, während in den Städten alles »ohne die rechte Natur« sei und dadurch immer »künstlicher und komplizierter« werde.

Der zweite Teil des *Wilhelm Meister*, der zum Teil ähnliche Gedanken artikuliert, spielt daher durchgehend auf dem Lande. Im Zentrum dieses Werks steht die Pädagogische Provinz, die sich wie jede gute Utopie streng von der Außenwelt abschirmt. Neben landwirtschaftlichen Berufen gibt es hier vornehmlich Handwerkerinnungen, während das Maschinenwesen, das die Naturkräfte quält und ausbeutet, als teuflisch gilt. Voller Sorge um die Zukunft heißt es dementsprechend an einer Stelle: »Das überhandnehmende Maschinenwesen quält und ängstigt mich, es wälzt sich heran wie ein Gewitter, langsam, langsam, aber es hat seine Richtung genommen, es wird kommen und treffen.«[34] Um dieser Gefahr entgegenzuwirken, wird jeder, der sich dieser utopischen Gemeinschaft anschließt, sofort in die Lehre der vierfachen »Ehrfurcht« – der Ehrfurcht vor dem, was über, neben, unter und in uns ist – eingeweiht. Als höchster Wert gilt in dieser Provinz eine Weltfrömmigkeit, die auf dem Respekt vor der Natur beruht. Nicht die liberale Selbstverwirklichung, sondern die soziale Verantwortlichkeit wird hier als höchste menschliche Qualität geschätzt. Als die Zustände durch bedrückende Einflüsse von außen immer unerträglicher werden, wandert schließlich die gesamte Gesellschaft nach Nordamerika aus, um dort eine neue Kolonie zu gründen, in der sie hofft, sich – aufgrund der Weite und der dünnen Besiedlung des neuen Kontinents – gegen die korrumpierenden Einflüsse des Kapitalismus leichter zur Wehr setzen zu können.

Unter ähnlichen Gesichtspunkten muß Goethes *Faust* betrachtet werden. Auch er hat teils utopische, teils dystopische Züge, in denen sich sowohl Goethes historische Weitsicht als auch seine Furcht vor einer immer intensiveren Bedrohung der Natur manifestieren. Es ist heute kaum noch vorstellbar, wie lange dieses Werk vom liberal-geschäftigen Bürgertum als ein Leitbild des technischen Fortschritts und der positiven Selbstentfaltung des einzelnen mißverstanden werden konnte. Dabei hat Goethe in seinen zwar spärlichen, aber höchst aufschlußreichen Bemerkungen zum Grundcharakter dieses Dramas immer wieder auf das »ungeduldige«, »rastlose«, »verwegene«, »exaltierte« Wesen dieses »modernen Helden« hingewiesen, der wie Mozarts Don Giovanni nie zu sich selber komme, sondern immer wieder süchtig nach Neuem greife, um so seine innere Leere zu überspielen.[35]

Schon im ersten Teil, aber noch verstärkt im zweiten, tritt Faust als starrer, skrupelloser, sich zwanghaft wiederholender Egomane auf, der nur auf Geschäftigkeit und eigenen Genuß aus ist. Er empfindet Solidarität weder mit den Menschen noch mit der Natur, geht bedenkenlos über Leichen und stellt sein Leben unter die Maxime: »Nur rastlos betätigt sich der Mann« (Vers 1759). Wie fast alle Bürger ist Faust pausenlos aktiv, obwohl er die Arbeit selbst geringschätzt. Genau besehen, ähnelt er jenen Unternehmern, die durch die Entfremdung von der Natur und den anderen Menschen nur noch an der eigenen Singularität, an der Unterwerfung der Natur und am Produktionsprozeß schlechthin ein vorübergehendes Genügen erfahren. In seiner individuellen Freiheit, die er als Wert und Fluch empfindet und die auf dem »Verfall mitmenschlicher Solidarität« und dem »Verlust der Natur als materiell sinnlichem Lebensraum« beruht, steigert sich Faust schließlich in eine »gesellschaftliche Isolation« und »Unbedingtheit« hinein, denen der »Wille zu totaler Selbstverwirklichung« zugrunde liegt.[36] Und da sich dieses Streben nie erfüllen kann, sondern immer neuer Surrogate bedarf, wird Fausts Existenz zwangsläufig zum Exemplum terribilis einer die gesamte Natur bedrohenden Produktions- und Lebensweise.

Wie gefährlich eine solche Haltung ist, macht Goethe vor allem in der »Klassischen Walpurgisnacht« im zweiten Teil deutlich, die fast den Charakter einer grünen Gegenutopie hat. Ein Gewimmel naturnaher Figuren tritt auf, die sich in »gedehnten Kettenkreisen« (8447) durch Ober- und Unterwelt bewegen und sich in einem rhythmischen Gewoge in immer neuen Figuren miteinander verbinden, aber nie vergessen, daß sie sich auf ihren jeweiligen Bahnen in das Ganze einzuordnen haben. Doch diese bewegte, wenn auch in sich ruhende Harmonie wird zweimal gestört. Zu Beginn der Szene kommt es zum Streit zwischen den fröhlichen Bewohnern des Parnaß, die in »bebuschten Wäldern« leben, und den rastlos tätigen Pygmäen, die in den Bergen nach Gold suchen und alles an sich raffen und »ausklauben« wollen (7585). Nachdem diese Ausbeuter durch hilfreiche Kraniche wieder vertrieben sind und die Natur in Frieden weiterexistieren kann, kommt es durch das Auftreten Fausts zur zweiten Konfrontation: zwischen naturnaher Utopie, die in die Antike verlegt ist, und naturferner Dystopie, die sich in der Moderne abspielt. Das antike Weltbild wird dabei als ein System dargestellt, das auf zyklischen Abläufen beruht und wie der gesamte Kosmos als ein Netzwerk bewegter Gleichgewichte in sich selber ruht. Hier herrschen noch Teilnahme, Einordnung und Bindung. Hier ist alles noch heil, noch wohltätig milde, noch auf Gegenseitigkeit bedacht. Hier ergibt sich die Wahrheit noch aus der sinnlichen Wahrnehmung. Nichts ist statisch. Im Gegenteil, alles bewegt sich und befindet sich in immerwährender Umgestaltung, alles steht im Zeichen des »Proteischen« (8320). Die innerste Triebkraft dieser Utopie ist die organische Metamorphose. Statt sich zu erschöpfen, drängt sich in dieser Welt alles in kreisenden Bewegungen nach wohltätiger Berührung und ordnet sich in den Rhythmus des Ganzen ein. Hier herrschen Vielfalt in der Einheit und Dauer im Wechsel. Mensch und Natur sind noch homöostatisch miteinander vernetzt, wobei dem Ganzen als Grundprinzip der ewigen Anziehung und Sympathie jener »Eros« zugrunde liegt, »der alles begonnen« (8479).

In diese Welt bricht Faust mit seinem ungezügelten Tatendrang ein. Er ist der Vertreter der negativen Utopie, der Unnatur des Habenwollens. Er verkörpert den linear denkenden und handelnden Menschen schlechthin, den nur sein Ego interessiert, der nur seine Bahn im Auge hat, der sich stets zwanghaft wiederholt, dauernd neue Eroberungen ins Auge fast, keinen liebenden Bezug zu anderen Menschen hat – und dessen ständige Vorwärtsbewegung deshalb eine Gefahr für alle Lebewesen um ihn herum bedeutet. Fausts Taten sind nicht Werke der Natur, sondern Akte seines »Herrisch-Seins« (8470). Im Gegensatz zur Natur, in der sich alles langsam entwickelt, ist er der Mann der Ungeduld, der nicht warten kann, der die natürlichen Abläufe verkürzen will, der stets nach neuen Projekten Ausschau hält, der sich alles erkämpfen muß. Faust ist daher der Mann der Starrheit, der Sucht, der Hybris. Sein Freiheitsstreben drängt nur in eine Richtung, sein Wille setzt sich nur ein Ziel: die Aufblähung seines Ich. Dieses Ziel verfolgt er mit einer Intensität, die notfalls auch zur Gewalt greift und ganze »Staaten und Städte« niederlegt (8375), falls sie sich seinem Willen widersetzen. Dementsprechend handelt Faust stets geradlinig, zweckbetont, zielgerichtet, das heißt zerstört alle natürlichen Ordnungen, schlägt gewaltsam Schneisen in die ihn umgebende Welt, ja frißt sich geradezu süchtig in jede fremde Materie, in jeden fremden Menschen hinein. Er braucht immer alles, und das so schnell wie möglich. Sein Dasein steht nicht im Zeichen des Eros, sondern des Thanatos. Und so hinterläßt er auf der breiten Schleifspur seines Lebens fast nur gebrochene Herzen, fahrlässig umgebrachte Menschen und zerstörte Natur.

Um das Destruktive dieser Tendenz noch zu verdeutlichen, führt Goethe zwei weitere Figuren ein: Homunculus und Euphorion. Homonculus, das chemische Retortenprodukt, läßt sich als Warnbild kaum mißverstehen. Er ist der total künstliche Mensch, den sein Erfinder von der übrigen Welt durch eine schwebende Glaskugel abgesondert hat. In ihm verkörpert sich die Überspanntheit eines technischen Denkens, das auf natürliche Gegebenheiten keine Rücksicht mehr nimmt. Als Homonculus Bewußtsein erlangt, ist seine erste Frage: »Was gibt's zu tun?« (6901). Er bleibt jedoch, wie Faust, in seinem Tätigkeitsdrang völlig autistisch. Sein Tod tritt in dem Moment ein, als selbst er vom Eros ergriffen wird und seine Glaskugel verlassen will. Auch Euphorion, Fausts Sohn, erweist sich als lebensunfähig. Die einzige Mitgift, die er von seinem Vater empfangen hat, ist der Starrsinn, immer das gleiche tun zu wollen. Auch Euphorion ist ein totaler Egomane, ein in sich befangener Narziß, der nur auf eins versessen ist, nämlich zu »hüpfen«. In dieser Einseitigkeit wird er immer starrer, immer ungeduldiger, bis er schließlich wie Ikarus der Sonne entgegenfliegen will und bei diesem Versuch tot zu Boden stürzt.

Ihren Höhepunkt erleben diese Konfrontationen zwischen Natur und menschlichem Egoismus im fünften Akt. Aus Faust ist inzwischen ein imperialistischer Herrscher geworden, der in einem großen Palast wohnt, der selbst vor Piraterei und Krieg nicht zurückschreckt und dessen Arm schließlich »die ganze Welt umfaßt« (11225). Mephisto sekundiert ihm dabei mit dem Spruch: »Man hat Gewalt, so hat man Recht« (11184). Das einzige, was Faust in seiner näheren Umgebung noch stört, ist jene grüne Enklave, in der Philemon und Baucis wohnen, und die dem Türmer Lynkeus wie ein »paradiesisch Bild« erscheint (11086). Da Philemon und Baucis ihren Besitz nicht aufgeben wollen, muß Mephisto auch hier »kolonisieren« (11273) und ihr Hüttchen in Brand stecken. Selbst die Sorge, die Faust mit Blindheit schlägt, kann ihn nicht von seinem zerstörerischen Teufelsweg abhalten. Unbefriedigt, wie er ist, will er die Natur weiterhin seinem Willen unterjochen und einen Deich anlegen, der das Meer endlich »mit strengem Band umschließt« (11542). Und erst jetzt, als ihm alle »frönen«, ihn das »Geklirr der Spaten ergetzt« (11539) und er sich im »Hochbesitz« seiner imperialistisch zusammengescharrten Reichtümer fühlt (11169), glaubt sich Faust endlich jenem höchsten Augenblick nahe, nach dem er sich Zeit seines Lebens gesehnt hat. Und er erlebt ihn sogar, aber er erlebt ihn sterbend, da diese Form eines skrupellosen Tätigseins nur zum Tode führen kann.

Auch Fausts Schlußmonolog, in dem er triumphierend behauptet, einen »faulen Pfuhl« (11563) entsumpft und eingedeicht zu haben, läßt sich nur als Manifest eines falschen Bewußtseins lesen, mit dem Goethe noch einmal jenen widersinnigen Tatendrang anprangern wollte, von dem er in seinen *Maximen und Reflexionen* geschrieben hatte: »Unbedingte Tätigkeit, von welcher Art sie sei, macht zuletzt bankrott« (Nr. 1081). Wie ein Berserker hat Faust sogar in seiner nächsten Umgebung die Natur zerstört und dabei eine Freiheit gepriesen, die auf gut kapitalistische Weise jeden Tag »neu erobert« werden muß (11578). Überhaupt herrschen in seinem Reich nur Gewalt, Unfrieden und Konkurrenz, ausgelöst durch ein nie zu sättigendes Besitzstreben. Fausts höchster Augenblick ist daher ein »schlechter, leerer Augenblick« (11585), nämlich der Triumph eines ungezügelten Freiheitsdranges, der ständig in einen narzißtischen, egomanischen Destruktionstrieb übergeht, da Faust jeden Sinn für menschliche Solidarität oder Mitgefühl mit der Natur verloren hat.

In den folgenden Szenen bleibt zwar manches etwas widersprüchlich, läßt aber dennoch deutlich genug erkennen, daß Goethe dem Prinzip des vertilgenden, verzehrenden, vernichtenden Tätigkeitsdrangs noch eine Vision des Friedlichen, eine zweite »grüne Utopie«, entgegensetzen wollte. Schließlich begegnen wir in diesen Schlußabschnitten weitgehend Eremiten, Anachoreten, seligen Knaben, Büßerinnen und anderen Entsagenden, die in »Bergschluchten« wohnen und sich zum Ideal der Bescheidung oder des Verzichts bekennen. Nur wenn solche Kräfte der Selbstlosigkeit und der Solidarität tätig werden, wenn die Hast hinter der Geduld, der Egoismus hinter dem Gemeinschaftsbewußtsein zurücktreten, kann die Welt heil und bewohnbar werden. Am Schluß steht daher, wie in der »Klassischen Walpurgisnacht«, abermals die Liebe, wenn auch aus dem Bereich des Eros in den Bereich der Agape gehoben. Es sind die Liebe der Büßerinnen und das im »Ewig-Weiblichen« zum Ausdruck kommende Prinzip Hoffnung, die hier der Welt der Egomanie, die sich auf den Abgrund hin bewegt, als letztmögliche Utopie entgegengehalten werden.

In diesen Szenen siegt also – in spiegelbildlicher Verkehrung des vorangegangenen Geschehens – das Aufbauende über das Zerstörerische, die Geduld über die Ungeduld, die ursprüngliche Güte über das unnatürliche Streben nach Besitz, das Wir über das Ich, das Zusammenklingende über das Abgesonderte, die Ehrfurcht über die Respektlosigkeit, die teilnehmende Liebe über den autistischen Narzißmus, kurzum: die Freiheit, die aus der Bindung erwächst, über den Freiheitsdrang, der der zwanghaften Wiederholung unterliegt. Während es in der Antike die erotische Attraktion war, »die alles begonnen«, ist es jetzt die »allmächtige Liebe«, die »alles bildet, alles hegt« (11873). Denn nur sie hat wie die Natur die Kraft, das Verlorene wieder in ihren Schoß zurückzuholen und zu umsorgen. Und damit wird jene Produktions- und Lebensweise, die – um der »unendlichen Vermehrung des Wohlstands« willen – allein auf den Prinzipien der Naturbeherrschung, des »technischen Fortschritts« und des »künftigen Gewinns« beruht, als ein Teufelsweg angeprangert, der in seinem »Streben nach stetem Wachstum« und damit »maßloser« Ausbeutung der natürlichen Ressourcen notwendig zur Katastrophe führen muß.[37]

Fortschrittskult und liberaler Optimismus

Nachdem die Industrialisierung im Zeitalter der Metternichschen Restauration, also zwischen 1815 und 1848, nur langsame Fortschritte gemacht hatte, setzte durch die Gründung des Norddeutschen Bundes, den Sieg über Frankreich und die Ausrufung des Zweiten Kaiserreichs im Jahr 1871 auch in Deutschland ein wirtschaftlicher Boom ersten Ranges ein, durch den das Hohenzollernreich erst Frankreich und dann sogar England überholte und 1913 schließlich, hinter den USA, den zweiten Platz in der Weltrangliste der Industrienationen einnehmen konnte. All dies brachte nicht nur eine bis dato ungeahnte Industrialisierung, sondern auch eine ebenso unvergleichliche Verstädterung mit sich. Während in den frühen siebziger Jahren erst zwei Millionen Deutsche in Großstädten, also Städten mit über 100000 Einwohnern lebten, waren es im Jahr 1910 bereits vierzehn Millionen. Immer mehr Menschen fügten sich in diesem Zeitraum der Notwendigkeit oder folgten der Verlockung, in den neuen Industriezentren ihr Glück zu suchen und an der allgemeinen wirtschaftlichen Expansion teilzuhaben, die von der Mehrheit der Bevölkerung als ein Schritt zu immer neuen Höhen des Wohlstands begrüßt wurden.

Daß mit der rapiden Industrialisierung eine ebenso rapide Naturzerstörung einherging, wurde von den meisten Menschen bewußt übersehen – oder als »unvermeidlich« in Kauf genommen. Besonders das sich schnell bereichernde Bürgertum drängte erst einmal auf

Selbstentfaltung, Aufstieg und Profitmaximierung, also auf eine ungehemmte Beschleunigung der wirtschaftlichen Expansion, der sich alle anderen Wertvorstellungen unterordnen mußten. Selbst gewisse »Rücksichtslosigkeiten« wurden von manchen Wortführern dieser Bevölkerungsgruppe in begrüßenswerte »Fortschritte« umgedeutet. Daher gab es anfangs nur wenige, die gegen das Ausufern der Städte und die Zersiedelung von immer mehr Acker- und Weideland zu protestieren wagten. Und auch gegen die zunehmende Verpestung der Luft, die Abgase und Rauchschwaden der Fabriken, den hektisch angekurbelten Straßen- und Eisenbahnbau sowie die sogenannte Schwemmkolonisation, mit der immer mehr Gewässer überdüngt und verseucht wurden, meldeten sich in den fünfziger und sechziger Jahren nur recht zaghafte Stimmen zu Wort.

Ebenso passiv nahmen viele die Umwandlung der Wälder und bäuerlichen Ländereien in produktionsintensive Nutzflächen hin – und überließen damit den skrupellosen Naturausbeutern das Feld. So begrüßte Emil Wolf 1854 in seinem Buch *Die naturgesetzlichen Grundlagen des Ackerbaus nebst deren Bedeutung für die Praxis* die Einführung der Agrikulturchemie als absolut notwendig und riet allen Landwirten, sich bei der Rationalisierung ihrer Betriebe von Wissenschaftlern beraten zu lassen, um so den »alten Schlendrian« zu überwinden.[38] 1894 empfahl C. Wilbrandt den Bauern in seiner Broschüre *Die agrarische Frage*, sich nicht nur der chemischen Düngung zu bedienen, sondern wie die Industriellen stärker als bisher von konkurrenz- und profitorientierten Gesichtspunkten und nicht von antiquierten Naturvorstellungen auszugehen. Im Einklang mit solchen Maximen entstanden in diesem Zeitraum zum Teil wesentlich größere Feldeinheiten, denen viele Hecken und Gehölze zum Opfer fielen. Außerdem wurden Tausende von Bächen begradigt, fast alle größeren Flüsse gestaut und kanalisiert, die noch bestehenden Wälder in gleichmäßige Parzellen eingeteilt, immer mehr Feuchtgebiete trokkengelegt und sogenannte Ödflächen mit Fichtenmonokulturen überzogen, die einen möglichst raschen Gewinn versprachen, das heißt die gesamte Landschaft einer geradlinigen »Geometrie« unterworfen, in der sich rein utilitaristische Prinzipien manifestieren.[39]

Mit dem gesamtgesellschaftlichen Verhältnis zur Natur veränderte sich in diesen Jahrzehnten auch das individuelle Verhältnis zu ihr. Immer mehr Menschen, vor allem die großbürgerlichen Urlauber aus den Städten, sahen in der Natur zusehends einen Tummelplatz ihrer Selbstentfaltung, ein touristisches Erholungs- und Abenteuergebiet. Sie erwarteten, daß ihnen hier – in Form eleganter Hotels und Waldrestaurants – der gleiche Luxus geboten wurde wie in Berlin oder Wien. Zudem hielten sie ihre Kinder an, seltene Blumen zu pflücken und in ihre Herbarien zu pressen oder exotisch aussehende Schmetterlinge zu fangen und auf eigens dafür angefertigte Brettchen zu spießen, mit denen man später zu Hause renommieren konnte. Ebenso verbreitet war die Unsitte, überall seinen Namen einzukratzen. Den Besuchern des Elbsandsteingebirges wurde damals sogar ausdrücklich empfohlen, »kleine eiserne Instrumente oder Pinsel« mitzubringen, um sich auf den Felsen verewigen zu können.[40]

Nicht minder verhängnisvoll wirkten sich die Mode-, Jagd- und Eßgelüste des Bürgertums auf die Natur aus. So fing man in der zweiten Hälfte des 19. Jahrhunderts in Deutschland nicht nur unzählige Singvögel ein, um sie als »Stubenvögel« zu verkaufen, auch ihr Fleisch galt als geschätzte Delikatesse. Neben Fasanen und Wachteln wurden selbst Meisen und Krammetsvögel (Wacholderdrosseln) und sogar Lerchen und Amseln zu Hunderttausenden gefangen, getötet, ausgenommen und für die bürgerlichen Eßtische zubereitet. Andere Vögel, die ein farbiges Federkleid hatten, fielen zur gleichen Zeit der Modeindustrie zum Opfer. Dadurch verschwanden zwischen 1830 und 1880, wie der Ornithologe Karl Theodor Liebe feststellte, allein in Thüringen sechs Prozent aller Vogelarten.[41] Aber auch manchen Säugetierarten erging es nicht viel besser. Sie wurden in immer kleineren Waldparzellen eingesperrt oder abgeschossen – falls sie nicht, wie viele der Hunde, Katzen, Meerschweinchen und Mäuse, in den Versuchslaboratorien der Kosmetik- und Pharmaindustrie umkamen.

Diesem liberalen Selbstentfaltungsdrang lag ideologisch meist ein platter Materialismus zugrunde. Alles, was den Fortschritt förderte, der weitgehend auf ein hemmungsloses Streben nach Bereicherung reduziert wurde, also dem gesteigerten Wohlstand und der individuellen »Freiheit« diente, galt im Rahmen dieser Weltanschauung als positiv, während alles, was an Bescheidenheit, Bindung, Solidarität erinnerte, als obsolet empfunden wurde. Dieser Fortschritt schien vielen ein geradezu naturgesetzlicher Prozeß zu sein, ein Triumph der Spezies »Mensch« über alle anderen Lebewesen. Sich auf Darwin beziehend, wurde dafür gern die Formel vom »Kampf ums Dasein« gebraucht, aus dem nur die Fähigsten als Sieger hervorgingen. Demzufolge begrüßten die Ideologen dieses sozialdarwinistischen Wirtschaftsliberalismus jede neue technische Errungenschaft, jede neue Profitchance, jede weitere Rationalisierung der Land- und Forstwirtschaft mit lautem Jubel. In diesem auf das Materielle beschränkten Fortschrittskult gab es nur noch zwei Götzen: die Technik und die Naturwissenschaft.

Um wenigstens ein Beispiel für diese Form der Fortschrittsbegeisterung anzuführen, sei auf das Buch *Das goldene Zeitalter oder Das Leben vor der Geschichte* (1891) des bekannten »Materialisten« Ludwig Büchner verwiesen, das sich gegen den Mythos einer paradiesischen Vorzeit wandte, die es nach Büchners Meinung nie gegeben habe, und dafür jenen Fortschritt pries, der durch Technik und Naturwissenschaft ermöglicht werde. »Das Paradies liegt nicht hinter uns«, erklärte er, »sondern vor uns.« Während im Goldenen Zeitalter die Menschen noch »elend und erbärmlich« gelebt hätten, herrsche heute, im »Eisernen Zeitalter« eine so »großartige Beherrschung der Natur und ihrer Kräfte«, daß es den Menschen möglich geworden sei, immer mehr und immer bessere »Häuser, Schiffe, Maschinen, Eisenbahnen, Kriegswerkzeuge etc.« herzustellen. Daraus schöpfte Büchner am Schluß die Hoffnung, daß sich die Menschheit erst am Anfang ihrer »zivilisatorischen Entwicklung« befinde und in ihrem »rüstigen Fortschreiten« immer höhere Stufen der Entwicklung erklimmen werde.[42]

Als eines der wichtigsten Leitbilder dieser Entwicklung schwebte hierbei vielen liberalen Fortschrittsoptimisten Goethes Faust-Gestalt vor, die sie auf vulgärdarwinistische Weise, das heißt unter Verkennung ihrer kritischen Warnfunktion, in ihrem solipsistischen Durchsetzungsdrang, ihrer über Leichen gehenden Rücksichtslosigkeit als positiv interpretierten. Alle eindimensional-orientierten Fortschrittsenthusiasten sahen darum in Faust nicht den Verführer Gretchens oder den skrupellosen Großgrundbesitzer, der Philemon und Baucis ermorden läßt, sondern den großen Rastlosen, den Projektemacher und Deichbauer, den Herrscher und Imperialisten, der seine Schiffe in die ganze Welt hinausschickt und trotz einiger »kleiner Schönheitsfehler« am Schluß gnadenvoll in den Himmel aufgenommen wird. Für sie war dieses Drama – jenseits aller kleinlich »moralischen« Wertungen – in erster Linie ein »Stück Menschheitsentwicklung«, ein Werk, das »aus den Kämpfen und Ringen einer sich neu gebärenden Welt« hervorgegangen sei und daher noch immer einen exemplarischen Charakter habe.[43]

Im Umkreis einer solchen Gesinnung blieb für kritische Gegenbilder, die auch die Rolle der Natur mitberücksichtigten, wenig Platz. Die meisten Fortschrittsoptimisten entwarfen im Hinblick auf die Zukunft lediglich Utopien einer immer perfekteren Technik, die dem Menschen sowohl eine größere Arbeitserleichterung als auch einen größeren Wohlstand bescheren würde. Als Vorbilder dienten dabei wiederum die Utopien bereits »weiterentwickelter« Länder wie Frankreich, England und der USA. Die wohl größte Wirkung unter diesen Werken hatten *Le voyage en Icarie* (1840) von Etienne Cabet und *Looking Backward. 2000–1887* (1888) von Edward Bellamy. Beide entwerfen Großstadtutopien, in denen eine wohlorganisierte Fülle von Großküchen und Großwäschereien für die erhoffte Arbeitserleichterung sorgt und auch sonst alles im Zeichen perfekt funktionierender Dampfmaschinen, Eisenbahnen, Telegraphen usw. steht. Auf der Strecke geblieben ist in diesen Werken lediglich die Natur, für die in dieser großstädtischen High-Tech-Welt kein Platz mehr ist. Alles andere jedoch ist dafür höchst vernünftig geregelt. In diesen Städten gibt es weder Abgase noch Kanalisationsprobleme, und selbst die ökonomischen Krisen, die lange Zeit für unabwendbar galten, sind verschwunden. Auf liberale Weise hat man hier den »Habitus der kapitalistischen Welt« bis zur Perfektion gesteigert, wie Ernst Bloch einmal schrieb.[44] Man könnte auch sagen, in diesen Städten herrscht ein Kapitalismus ohne kapitalistische Züge, der zwar keinen übertriebenen Luxus mehr kennt, aber sonst alle bürgerlichen Wertvorstellungen beibehalten hat.

Da Deutschland in diesem Zeitraum die gleiche sozio-ökonomische Entwicklungsstufe erreichte wie England, Frankreich und die USA, entstanden auch hier seit den sechziger Jahren viele Utopien mit ausgesprochen bürgerlich-liberaler Tendenz. Die meisten dieser Werke beruhen auf futurologischen Phantasien, das heißt rückten unter Titeln à la Jules Verne wie *Im Aeroplan um die Erde, Im Reiche Bellamys* oder *Die perfekte Stadt der Zukunft* irgendwelche heldenhaften Ingenieure oder technischen Erfindungen in den Vordergrund, die damals noch als sensationell galten, jedoch schon kurze Zeit später auf die Ebene der Jugendbuchliteratur absanken. Sozialrelevantes findet sich in diesem Umkreis kaum. Bemerkenswert sind hier nur jene Utopien, in denen die der Technik geopferte Natur nicht einfach als quantité négligeable behandelt, sondern zum Anlaß weiterführender Reflexionen wird, obwohl auch sie – jedenfalls im Bereich der liberal-technikgläubigen Literatur – selten eine kritische Note haben. Selbst in ihnen werden die üblichen Naturzerstörungen entweder als »unvermeidlich« hingestellt oder einfach bagatellisiert, um sich nicht in der optimistischen Vision einer auf Wohlstand und Bequemlichkeit beruhenden Zukunft beirren zu lassen.

Zu den zukunftsgläubigen Werken dieser Art zählt die Utopie *Freiburg im Frühling 1980* (1890) von Löhl, in der die Kleinstadt Freiburg zur Großstadt anwächst, gewaltige Markthallen und Fabriken bekommt sowie durch einen Kanal mit dem Rhein verbunden wird. Von den mittelalterlichen Toren und alten Häusern bleiben dabei nicht viele übrig, ohne daß irgendein Bedauern darüber geäußert wird. Und auch von einem ökologischen Bewußtsein fehlt jede Spur. Hier herrscht jener Geist, der um 1900 in der Formel zusammengefaßt wurde: »Das 1000jährige Reich der Maschinen bricht an!«[45] Doch derart eindimensionale Utopien sind relativ selten. Meist klingen wenigstens einige ökologische Bedenken an. Während jedoch in England und den USA schon 1854 bzw. 1872 kritisch gestimmte Utopien wie *Walden or Life in the Woods* von Henry David Thoreau und *Erewhon* von Samuel Butler erschienen, die sich direkt oder indirekt gegen den Prozeß der Verstädterung und Industrialisierung wandten, gab es solche Bedenken im Umkreis der bürgerlich-liberalen Literatur in Deutschland eher am Rande.

Dafür sprechen die Utopien von Kurd Laßwitz, der 1862 in seiner Erzählung *Apoikos* (»Stadt der Pflanzen«, »Pflanzstadt«) eine »kleine, aber glückliche Gemeinschaft philosophierender Seelen« beschrieb, die auf einer abgelegenen Insel wohnt und im Sinne des herkömmlichen Liberalismus – wie später die Insulaner in Ferdinand Amersins Utopie *Das Land der Freiheit* (1874) – die persönliche Selbstbestimmung als den höchsten Wert erachtet.[46] Obwohl diese Menschen relativ bedürfnislos sind und sich aufrichtig bemühen, so weit wie möglich im Einklang mit der Natur zu leben, besitzen sie dennoch eine hochentwickelte Technik, die sie allerdings nur dazu benutzen, sich durch einen Ätherwall vor Fremden abzuschirmen. Ansonsten sind sie überzeugte Pazifisten und Kantianer. Eine ähnliche Welt schildert Laßwitz in seinem 1897 erschienen Roman *Auf zwei Planeten*. Die hier dargestellten Marsmenschen sind den Erdbewohnern nicht nur durch ihre ethischen Vorzüge, sondern auch durch ihre avancierte Technologie überlegen. Statt wie auf Erden die Energie aus der Kohle zu entwickeln und damit über den großen Städten einen schwarzen »Nebel« zu erzeugen, beziehen sie ihre Energie »direkt aus der Sonnenstrahlung« und werfen den Erdlingen vor, vom »Kapital, statt von den Zinsen zu leben«.[47] Auch sie sind kantianisch gesinnte Liberale, die sich an den kategorischen Imperativ halten und in einer humanistisch-pazifistischen Gesellschaftsordnung leben. Doch genau besehen, haben sie den Erdbewohnern eher technisches Wissen als ökologisches Bewußtsein voraus, da sie weitgehend Wolkenkratzer in großen Städten bewohnen und zudem keine natürlichen, sondern synthetisch hergestellte Nahrungsmittel zu sich nehmen.

Ähnliches gilt für die Utopien Theodor Hertzkas aus den neunziger Jahren. In seinem Roman *Freiland* (1890) gründet eine Gruppe liberaler Utopiker eine Kolonie, die sie »Edental« nennt, rottet aber dort sofort alle »wilden Tiere« aus und legt Fabriken und Bergwerke an, die sich mit dem Konzept eines neuen »Paradieses« schwer vereinbaren lassen.[48] Wie bei Bellamy geht es hier um einen illusionären Kapitalismus ohne Kapitalismus, das heißt eine genossenschaftliche Gesellschaftsordnung, in der Profitinteresse, Sozialfürsorge und gemeinsamer Bodenbesitz auf idealistische Weise miteinander harmonisiert werden. Etwas »grüner« wirkt dagegen Hertzkas sozialpolitischer Science Fiction-Roman *Entrückt in die Zukunft* (1895), der eine Welt schildert, in der man die Tropen fast ausschließlich zur Nahrungsmittelerzeugung nutzt, die Menschen in angenehmen subtropischen Gebieten ansiedelt und die Wälder des rauhen Nordens »den großen Massen zahmen wie wilden Getiers« überläßt. Das klingt zum Teil recht verlockend, erweist sich jedoch bei näherer Betrachtung als ebenso anthropozentrisch wie alle liberalen Zukunftsentwürfe. So bevölkern in dieser Utopie nicht mehr als 3,5 Milliarden Menschen die Erde, diese Menschen sind jedoch in rastloser Neugier ständig unterwegs und schwärmen im Sommer in »ungezählten Millionen« in den Norden, bis nach Norwegen und Schottland, aus, da sie selbst in den sogenannten Wildnisgebieten nur einen »großen Lustgarten und Lustwald« sehen, der allein zu ihrer Vergnügung dient. Lediglich das Energieproblem ist in diesem Buch auf eine »saubere«, wenn auch phantastische Weise gelöst: die Menschen verbrennen nicht mehr Kohle und Öl, sondern nutzen den Erdmagnetismus als Energiequelle.[49]

Eine ähnliche Tendenz weisen folgende Utopien aus diesen Jahren auf. Sie sind zwar oft recht unterschiedlicher Natur und greifen zuweilen bis ins Pazifistische, Anarchistische und Elitär-Edelmenschliche aus, stimmen jedoch in ihrer liberalen Grundtendenz weitgehend überein. So erklärte Bertha von Suttner 1889 in ihren »Zukunftsvorlesungen über unsere Zeit«, denen sie den Titel *Das Maschinenzeitalter* gab, daß der technische Fortschritt, durchaus zu begrüßen sei, aber von einem moralischen Fortschritt, vor allem in pazifistischer Hinsicht, begleitet werden müsse. Verwandte Tendenzen finden sich in den Schriften von Josef Popper-Lynkeus, der sich im Rahmen seiner Fortschrittskonzepte nicht nur für den Pazifismus einsetzte, sondern auch forderte, verstärkt Rücksicht auf die Natur zu nehmen, statt sie im Prozeß der Industrialisierung lediglich auszuplündern. Noch entschiedener bekannte sich Alfred Cless in seiner Schrift *Ein Zukunfts-*

bild der Menschheit (1893) zu einem Leben, bei dem der Mensch zwar nicht auf einen »gewissen Luxus« verzichte, aber nie über seine »natürlichen Bedürfnisse« hinausgehe, wobei ihm freiheitlich-anarchische und zugleich pazifistische Kommunebildungen vorschwebten.[50] Noch idealere Lösungen schlug Karl May in seiner Altersutopie *Ardistan und Dschinnistan* (1907) vor, die auf der Idee des »Ewigen Friedens« beruht und zugleich eine spezifisch antitechnologische Gesinnung verrät, welche allerdings von einer gralshaften Verklärung ins Edelmenschliche überblendet wird.

All dies waren noble Gedanken und Gefühle, die jedoch aufgrund ihrer subjektiv-liberalen Grundtendenz nie ins Gesamtgesellschaftliche und damit Politisch-Konkrete vorstießen. Radikalität war von den Liberalen dieser Ära nicht zu erwarten. Einerseits waren sie als Partei viel zu schwach, da sie sich seit den späten siebziger Jahren in immer kleinere Gruppen und Grüppchen aufspalteten, andererseits fühlten sich die Liberalen zu sehr mit dem technischen Fortschritt verbunden, durch den sie überhaupt erst zu einer ernstzunehmenden Bewegung geworden waren. Zwar hingen sie zum Teil edlen Träumen nach, drangen jedoch in ihrer Kritik nie bis zur Wurzel allen Übels, nämlich der unablässigen Steigerung der wirtschaftlichen Expansionsrate, vor, welche die Voraussetzung für ein jedes liberal-kapitalistisches System bildet. Ihre Reformvorschläge, mit denen sie – auf der Ebene des Tier-, Pflanzen- und Landschaftsschutzes – ihr Scherflein zur Schonung der Natur beizutragen hofften, hatten deshalb weitgehend privaten Charakter und liefen lediglich auf eine dem Menschen angemessenere Integration von Stadt und Land hinaus.

Am aktivsten engagierten sich manche Liberale auf dem Sektor des Tierschutzes. Um der Bedrohung und Ausrottung der Vögel – »unserer lieben gefiederten Freunde« – entgegenzutreten, gründete Karl Theodor Liebe 1878 den »Deutschen Verein zum Schutze der Vogelwelt«, der sich gegen die verbreitete Haltung von Vögeln in Käfigen, den Import exotischer Vögel, das Geschäftemachen der Modeindustrie mit Vogelfedern sowie das Fangen von Singvögeln und ihren Verkauf als Delikatessen wandte. Die gleiche Tendenz hatte der »Bund für Vogelschutz«, den Lina Hähnle 1899 ins Leben rief und der sich für eine verschärfte Gesetzgebung zum Schutze der Vögel einsetzte. Ebenso eifrig traten einige Liberale für den Schutz von Hunden, Katzen und anderen »Heimtieren« ein, die bereits damals von den Bewohnern der großen Städte zu Hunderttausenden gehalten wurden. Je mehr sich das großstädtische Bürgertum von der Natur entfremdete, desto mehr schwärmte es auf sentimental-verhätschelnde Weise für alles, was naturnah zu sein schien. Vor allem der Hund stieg in dieser Zeit zum »besten Freund des Menschen« auf. So beklagte sich Friedrich Theodor Vischer in seinem Roman *Auch Einer* (1878) über die verbreitete Lieblosigkeit der Menschen und pries dafür die Hunde, die ihren Besitzern bis zum Tod die Treue hielten. Er behauptete sogar, daß man bürgerlichen Idyllen wie Goethes *Hermann und Dorothea*, in denen kein Hund vorkomme, das »Prädikat des Vollkommenen« vorenthalten solle.[51]

Viele der frühen Tierschutzvereine traten deshalb für eine »humanere« Behandlung von Haus- und Heimtieren ein. Zu ihren Forderungen gehörten eine größere Schonung von Hunden und Pferden im Krieg, eine staatliche Kontrolle aller Schlachthäuser, eine »Verbesserung« der Tötungsmethoden durch die Einführung der Behr-Pistole und der Bruneau-Maske, eine bessere Behandlung der Zirkustiere, ein grundsätzliches Verbot aller Stier-, Hahnen- und Hundekämpfe sowie die Ersetzung der alten Käfigmenagerien durch großräumige Tiergehege nach der Art des Hagenbeckschen Tierparks in Hamburg. Manche dieser Vorschläge wurden vom Staat sogar aufgegriffen und in Gesetzen verankert. Allerdings waren solche Änderungen meist weitgehend kosmetischer Natur, da selbst viele Vertreter der liberalen Tierschutzvereine gegen die Fleischkost, die Ausbeutung von Tieren in der Landwirtschaft, die Tierquälerei in den Zirkusmanegen oder die Haltung bestimmter Heimtiere nichts einzuwenden hatten.

Etwas entschiedener traten allein die Gegner der Vivisektion auf. Sie fanden es unerträglich, daß man den Artgenossen ihrer kleinen Lieblinge, also Hunden, Katzen, Hamstern und Mäusen, zu Tausenden das Fell über die Ohren zog, ihnen bei lebendigem Leibe den Bauch aufschlitzte und sie anderen gräßlichen Experimenten unterwarf. Seit 1870 kam es deshalb in den liberalen Blättern Deutschlands zu zahllosen Protesten gegen solche Untaten. Im Sinne John Ruskins, Robert Brownings, Mark Twains und George Bernard Shaws schlossen sich auch hier viele Tierschützer einer Kampagne an, die 1879 schließlich zur Gründung einer »Liga gegen Tierquälerei« führte.

Wirkliche Tierfreunde innerhalb dieser Bewegung waren allerdings nur jene, die erklärten, daß jedes humanitäre Bekenntnis im Hinblick auf die Tiere auch ein Bekenntnis zum Vegetarismus sein müsse. Sie empörten sich nicht nur darüber, daß man Tiere zu Versuchszwecken quälte oder tötete, sondern ebenso, daß viele Tierfreunde sich nicht scheuten, einerseits ihren Hund zu streicheln und andererseits mit größter Wonne eine Fasanenbrust zu verzehren. Zur Stützung ihrer Postulate beriefen sie sich sowohl auf ältere religiöse Sekten wie die

Orphiker, Pythagoräer und Katharer als auch auf große Humanisten wie Leonardo da Vinci, Montaigne, Milton, Voltaire, Rousseau und Benjamin Franklin, die angeblich niemals Tierfleisch gegessen hätten. In England liehen dieser Bewegung vor allem Charles Darwin, George Bernard Shaw, Henry S. Salt und H. G. Wells ihre Stimme, während der Vegetarismus in Deutschland hauptsächlich von Gustav Struve und Eduard Baltzer propagiert wurde. Baltzer gab als Organ der »Vegetarianer« ab 1869 das *Vereinsblatt für natürliche Lebensweise* heraus. Im gleichen Jahr rief Struve, wie Baltzer ein enttäuschter Achtundvierziger, die »Vegetarische Gesellschaft« ins Leben, die 1869, als Struve sein Buch *Pflanzenkost. Grundlage einer Weltanschauung* herausbrachte, den »Ersten Vereinstag der deutschen Vegetarianer« in Nordhausen abhielt. Eine gleichsam höhere Weihe erhielten diese Bestrebungen durch Richard Wagners Bekenntnis zum Vegetarismus, der – vom Buddhismus, von Schopenhauer und Gleizès beeinflußt – 1871 in Bayreuth das erste vegetarische Speisehaus in Deutschland mitbegründete und sich auch in Aufsätzen wie *Religion und Kunst* sowie *Was nützt diese Erkenntnis?* für eine größere Achtung der unbarmherzig mißhandelten Tierwelt einsetzte. Ihren künstlerischen Ausdruck fand diese Gesinnung in jener Szene, in der Gurnemanz den jungen Parsifal, der gerade einen Schwan erlegt hat, auf die Heiligkeit aller lebenden Wesen hinweist – und Parsifal daraufhin beschämt seinen Bogen zerbricht.

Aber nicht nur der Tierschutz, auch der Pflanzen- und Landschaftsschutz lag manchen Liberalen am Herzen. Während die ausschließlich am ökonomischen Fortschritt orientierten Industriebürger rücksichtslos drauflos wirtschafteten, versuchten die Empfindsameren unter den Liberalen nicht nur ihre Gärten, sondern auch ihre Wohnungen und Wintergärten durch Blumen und Blattgewächse in kleine grüne Utopien zu verwandeln. Zudem erreichten sie, daß zwischen 1860 und 1880 in Berlin, Köln, Dresden, Bremen, Karlsruhe, Magdeburg, Aachen und anderen Städten größere Parks geschaffen wurden. Auch für die Erweiterung jener Kleingartenkolonien, die unter dem Namen Schrebergärten in die Geschichte eingegangen sind, setzten sie sich ein. Ein wirklich ökologisches Interesse läßt sich jedoch in solchen Bemühungen kaum ausmachen. Sie hatten vornehmlich eine kosmetische oder kompensatorische Funktion und sollten weniger der Rettung der Natur als einer besseren Einbeziehung der Natur in den allgemeinen Verstädterungs- und Industrialisierungsprozeß dienen.

Etwas mehr Erfolg im Hinblick auf einen pfleglicheren Umgang mit der Natur hatten dagegen liberale Kommunalpolitiker, welche die Ableitung von Fäkalstoffen in die Gewässer zu unterbinden suchten oder sich für eine verstärkte Aufforstung der hemmungslos gerodeten Wälder einsetzten. Doch viel konnten selbst diese Gruppen nicht erreichen. Sowohl der »Verein zur Rettung des Siebengebirges« als auch jene Landschaftsschutzvereine, die sich für den Erhalt der Lüneburger Heide einsetzten, scheiterten in ihrem Bemühen, diese Gebiete vor einer weiteren industriellen und landwirtschaftlichen »Nutzung« zu bewahren. Sogar die Bestrebungen, einige der für landwirtschaftliche oder industrielle Nutzung weitgehend unbrauchbaren Gebiete, etwa besonders pittoreske Alpenpartien, durch die Anlage von Nationalparks vor der weiteren Zerstörung zu retten, blieben lange Zeit ergebnislos.

Die einzige »grüne« Utopie, die sich um die Jahrhundertwende auf liberaler Seite wenigstens ansatzweise verwirklichen ließ, war die Gartenstadt. Auch sie stammte, wie viele Bestrebungen dieser Art, aus England und ging weitgehend auf das Buch *Garden Cities of To-Morrow. A Peaceful Path to Real Reform* (1898) von Ebenezer Howard zurück. Statt die bestehende Trennung von Stadt und Land noch weiter zu forcieren, forderte Howard – unter Berufung auf Goethe, Darwin, Ruskin, Tolstoi und Emerson – seine Zeitgenossen auf, wohldurchdachte Satellitenstädte »im Grünen« zu bauen und damit die Industrialisierung in vernünftige, kontrollierbare Bahnen zu lenken. Im gleichen Jahr erschien in Deutschland das Manifest *Die Stadt der Zukunft (Gartenstadt)* von Theodor Fritsch, der die großen Städte vor allem deswegen verwarf, weil in ihnen ein ungebärdiges Chaos herrsche, das den »wildesten und rohesten Trieben«, sprich: den proletarischen Sozialisierungsbestrebungen Vorschub leiste.[52] Dem setzte Fritsch auf gutbürgerliche Weise das Modell einer parkähnlichen Stadt entgegen, in der vor allem Ordnung und Sauberkeit herrschen sollten. Gleichzeitig sprach er damit jene völkischen Gruppen an, die sich von solchen Gartenstädten einen gesunden Bevölkerungsüberschuß versprachen.

Ähnliche Vorstellungen liegen Schriften wie *Industriegartenstädte* (1907) von Leopold Katscher, *Die Gartenstadtbewegung* (1909) von Hans Kampfmeyer, *Die deutsche Gartenstadt* (1912) von Gustav Simons und *Gartenstädte* (1913) von Hermann Salomon zugrunde, die ebenfalls vom Gedanken einer neuen Sozialharmonie ausgingen. Als Beispiele solcher Siedlungen wiesen sie gern auf die für verdiente Kruppianer angelegte »Margarethenhöhe« bei Essen sowie die Gartenstadt »Hellerau« bei Dresden hin, wo sich neben den Deutschen

Werkstätten auch das Dalcrozesche Kunstinstitut niedergelassen hatte und so der Gartenstadtutopie eine ästhetische Dimension verlieh. Auch der Aufsatz *Großstadtgrün* (1900) von Camillo Sitte, in dem empfohlen wurde, zwischen allen größeren Gebäudekomplexen – als Lärmschutz und zur Luftbereinigung – Baumgruppen anzupflanzen, spielte in diesem Zusammenhang eine Rolle.[53] Doch die Wirklichkeit sah meist ganz anders aus. Die meisten sogenannten Gartenstädte, die nach 1900 gebaut wurden, waren lediglich modernisierte Versionen der älteren Villenviertel, in denen sich das gehobene Bürgertum – wie in Berlin-Frohnau oder Berlin-Schlachtensee – den Luxus leistete, neben ihren Stadtwohnungen auch mit großen Gärten ausgestattete Landhäuser zu besitzen, die an großzügig bepflanzten Straßen lagen – worin sich noch einmal der tiefgehende Widerspruch zwischen noblem Sentiment und gesellschaftlicher Parvenügesinnung dieser Form des Liberalismus manifestierte.

Monistische Naturbeseelung

Zu den wenigen Gruppen innerhalb des liberalen Lagers, die sich im Laufe des späten 19. Jahrhunderts etwas stärker ökologisch engagierten, gehörten die Monisten. Daß sie im Gegensatz zu einer egozentrischen Weltanschauung, wie sie für weite Bereiche des landläufigen Liberalismus bezeichnend ist, zum Teil auch sozial- und naturverantwortliche Elemente in ihr Gedankengut einzubeziehen suchten, läßt sich auf zwei ideologische Einflüsse – den goetheanisch-spätromantischen Pantheismus und den biologischen Evolutionismus – zurückführen. Dieser Hintergrund bewahrte die Monisten sowohl vor jenem platt-mechanistischen Materialismus, wie ihn nach 1848 Philosophen wie Ludwig Büchner, Karl Vogt und Jakob Moleschott vertraten, als auch vor einem Rückfall in einen abstrakten Idealismus, der überhaupt keine materiellen Voraussetzungen anerkennt. Die von den Monisten angestrebte Synthese dieser beiden Weltanschauungen nannten sie zunächst Realidealismus und dann Monismus.

Als Hauptvertreter des goetheanisch-spätromantischen Pantheismus galt um 1850 Gustav Theodor Fechner, der in seinem Buch *Nanna oder Über das Seelenleben der Pflanzen* (1848) unter Berufung auf die Naturanschauungen der Antike und Goethes sogar die bisher als unbeseelt geltenden Pflanzen als Teil einer »allgemein gottbeseelten Natur« charakterisierte und zur Konsolidierung dieser These auch bei ihnen ein klar erkennbares Nervensystem nachzuweisen suchte.[54] Noch weiter ging Fechner in seiner Streitschrift *Professor Schleiden und der Mond* (1856), in der er behauptete, daß die Natur nicht nur Materie, sondern ebenso »Symbol jenes Geistes« sei, der hinter allen Dingen stehe, daß also in ihr eine gottgleiche »All-Seele« wirke.[55] Wie schon Goethe und nach ihm Carl Gustav Carus erklärte auch Fechner, daß man die Natur nicht in ein Innen und Außen, in Geist und Materie zerlegen dürfe, sondern daß sie selbst in ihren kleinsten Bestandteilen ein und dieselbe Emanation der gleichen substantiellen Wesenheit sei.

Der wichtigste Vertreter des biologischen Evolutionismus war um die Jahrhundertmitte der Engländer Charles Darwin, dessen Zentralwerk *On the Origin of Species by Means of Natural Selection, or the Preservation of Favoured Races in the Struggle for Life* (1859) bereits ein Jahr später in deutscher Übersetzung erschien. Im Gegensatz zu seinen Vorgängern auf dem Gebiet der Evolutionstheorie wies Darwin in diesem Werk nach, daß es »innerhalb jedes Organismus eine innere Triebkraft gebe, die es zu immer höheren und vollkommeneren Formen emporhebe«. Während sich Darwin von den evolutionären Antrieben im Hinblick auf das menschliche Geschlecht »eine wachsende Vorherrschaft der altruistischen über die selbstsüchtigen Triebe« erhoffte, wurde diese »Triebkraft« von vielen seiner Anhänger, vor allem den Sozialdarwinisten unter ihnen, meist im Sinne des herrschenden Laissez-faire-Liberalismus ausgelegt, was zu einer immer kruderen Form eines allein durch Wettbewerbs- und Überlebenstaktiken bestimmten Fortschrittsdenkens führte.[56]

Der Forscher, der diese beiden Weltanschauungen – den goetheanisch-spätromantischen Pantheismus und den biologischen Evolutionismus – in Deutschland zu einer komplexen Einheit verschmolz und »Monismus« nannte, war Ernst Haeckel. Er hatte bei dem spätromantischen Naturphilosophen Lorenz Oken studiert und war 1865 als Professor für Biologie nach Jena berufen worden, wo er bis 1909 als weltberühmter Gelehrter tätig blieb. Das erste größere Werk, in dem er die Naturphilosophie von Giordano Bruno, Spinoza, Goethe, Schelling und Oken mit dem Darwinismus zu verquicken suchte, war die *Generelle Morphologie der Organismen* von 1866. In diesem Buch fällt erstmals das Wort »Ökologie«, worunter Haeckel »die gesamte Wissenschaft von den Beziehungen der Organismen zur umgebenden Außenwelt« verstand.[57] Wenige Jahre später erweiterte er diese Definition, indem er als »Ökologie« oder »Ökonomie der Natur« die »Wechselbeziehungen aller Organismen« bezeichnete, »welche an einem und demselben Ort miteinander leben, ihre Anpassung an ihre Umgebung sowie ihre Umbildung durch den Kampf ums Dasein«.[58]

In allen weiteren Büchern ging Haeckel dementsprechend von der Idee eines »Naturhaushaltes« aus, in dem jedes Lebewesen im Kontext eines größeren Ganzen steht. Zwischen physikalischen, psychologischen und biologischen Erscheinungen machte er kaum noch Unterschiede und schrieb wie Goethe, daß er sich »keinen Geist ohne Substanz und keine Substanz ohne Geist vorstellen« könne.[59] Bei aller wissenschaftlichen Nüchternheit griff Haeckel deshalb gern auf die Weltgeistspekulationen der älteren Naturphilosophie zurück und behauptete, daß jedes Atom, da es mit »Energie« geladen sei, auch eine Seele besitzen müsse. Im Gefolge solcher Gedankengänge bekannte er sich schließlich 1879 in seiner *Natürlichen Schöpfungsgeschichte* zu einer »Naturreligion«, die in Form eines »tieferen Naturverständnisses« den ihr aufgeschlossenen Menschen »jenen reinsten Genuß des Gemüts« sowie »jene sittliche Veredelung der Vernunft« beschere, welche auf »keinem anderen Wege erlangt werden« könnten.[60] Diese Naturreligion müsse in Zukunft auch die Entwicklung der Technik in vernünftige Bahnen lenken. Erst dann werde eine moderne Weltanschauung entstehen, die des sich zu immer höheren Formen der Erkenntnis durchringenden Menschen würdig sei. Allerdings sah er dabei zwei Gefahren voraus: einerseits den »vergiftenden Aberglauben des Mittelalters«, wie er von der »Orthodoxie der Kirchen« vertreten werde, die weiterhin auf die »Sitten oder besser Unsitten« der zivilisierten Welt einen unheilvollen Einfluß ausübten, andererseits jenen unerbittlichen »Kampf ums Dasein«, der vor allem im Bereich des »Militarismus« und der »Börsenspekulation« immer schärfere Formen annehme.[61]

Um diesen Übeln entgegenzutreten, bekannte sich Haeckel in Schriften wie *Der Monismus als Band zwischen Religion und Wissenschaft* (1892), *Die Welträtsel. Gemeinverständliche Studien über die monistische Philosophie* (1899) und *Die Lebenswunder* (1904) mit utopischem Elan zur biologischen Lehre einer Entwicklung, die zu immer höheren Formen des Lebens dränge und sich eines Tages auch im gesellschaftlichen Leben durchsetzen werde. Den Grundstein zu einem Staats- und Gesellschaftsgebilde neuer Art, das nicht mehr auf Parteienhader und Klasseninteressen, sondern auf einer biologisch-rationalen Ordnung beruhe, versuchte Haeckel 1904 in seinen *Thesen zur Organisation des Monismus* zu legen, in denen er zur Bildung eines weltweiten Monistenbundes aufrief. Wie berühmt Haeckel damals war, beweist die Tatsache, daß er im September des gleichen

Jahres bei der Tagung des Freidenkerbundes in Rom zum Gegenpapst ausgerufen wurde – ein Amt, das er willig auf sich nahm. Ein Jahr später wählte man ihn zum Ersten Vorsitzenden des von ihm ins Leben gerufenen Monistenbundes. Hierauf widmete sich Haeckel vor allem dem weiteren Ausbau des Monistenbundes, dem Entwurf einer Ästhetik, der jene *Kunstformen der Natur* zugrunde liegen sollten, wie er sie bereits 1899 bis 1904 in mehreren Bilderfolgen unter diesem Titel anvisiert hatte, wissenschaftlichen Studien wie dem Buch *Kristallseelen* (1917), in dem er nachzuweisen suchte, daß auch Kristalle keine toten, sondern belebte Körper seien, und schließlich der Propagierung einer monistisch vertieften Naturreligion, die ihren Höhepunkt in seinem Buch *Gott-Natur (Theophysis)* von 1913 fand. Doch letztlich ging es Haeckel stets um das Gleiche, nämlich Popularisierung einer Identitätsphilosophie von Gott und Welt (Deus sive Natura), die selbst im unscheinbarsten Naturphänomen ein Wunderwerk göttlichen Waltens erblickt und sogar einer Alge, einem Stein, einer Amöbe oder einem Atom einen tiefen Respekt entgegenbringt. Seine Kirche finde daher der »Realmonist«, wie er schrieb, einzig und allein in der »herrlichen Natur selbst«.[62]

Die Wirkung dieser neo-religiösen Form des Monismus auf die sogenannten Neuromantiker um 1900 läßt sich kaum überschätzen. Auch sie versuchten, um Johannes Schlaf zu zitieren, die »trockenen Resultate der exakten Naturwissenschaften«, auf die die Naturalisten der späten achtziger Jahre geschworen hatten, in schwärmerische »Gefühlswerte« umzusetzen.[63] Dafür sprechen – neben Prosahymnen wie *In Dingsda* (1892) und *Frühling* (1895) von Schlaf – vor allem Werke wie *Phantasus* (1898–99) von Arno Holz, *Hermann Lauscher* (1901) von Hermann Hesse, *Jost Seyfried* (1905) von Cäsar Flaischlen, *Einhart der Lächler* (1907) von Carl Hauptmann und *Himmelsvolk* (1915) von Waldemar Bonsels. Fast alle diese Autoren verließen damals die großen Städte und zogen aufs Land oder in die neugegründeten Gartenstädte. Wenn sie »Natur« schilderten, taten sie dies fast ausschließlich im Sinne einer monistischen oder pan-psychischen Beseelungstendenz, die deutlich ins Stiumulierende, Paradiesische, wenn nicht Ekstatische tendiert. Während die Vertreter des Monistenbundes bei solchen Liebeserklärungen an die Natur auch das Gesellschaftliche im Auge behielten, ging es den Neuromantikern weniger um die Natur als um ihre eigene Person, die auch den Genuß des Natureindrucks weitgehend solipsistisch erlebte. Immer wieder schlich sich bei ihnen jener Liberalismus ein, der auch im Umgang mit der Natur vornehmlich das Ungebundene und Außergesellschaftliche der eigenen Existenz erfahren will. In den meisten Werken dieser Art wirft man sich an den »Busen der Natur«, wie man sich früher an den Busen der Geliebten geworfen hätte, legt man sich ins blühend-schwellende Gras, wie man sich in ein frischgemachtes Bett legen würde, steigert man sich beim Anblick gleißender Meere oder glühender Eisberge in geradezu orgiastische Hochgefühle hinein – ohne dabei allzu viel an die auf menschliche Schonung und Solidarität angewiesene Natur zu denken.

Noch die besten Vertreter dieser Richtung waren Bruno Wille und Wilhelm Bölsche. Beide begannen als sozialdemokratisch-orientierte Großstadt-Naturalisten, zogen dann nach Friedrichshagen in die märkische Heide hinaus und verbrachten den Rest ihres Lebens mit dem Schreiben von Büchern, in denen sie sich im Gefolge Haeckels um eine Synthese aus darwinistischer Entwicklungslehre und panpsychistischer Naturbeseelung bemühten. Bruno Wille tat dies vor allem in seinem Roman *Offenbarungen des Wacholderbaums* (1901), der sich nicht nur gegen den philosophischen Materialismus, sondern auch gegen das moderne Großstadt- und Maschinenwesen wendet. Im Mittelpunkt dieses Werks steht ein »Allseher«, der so stark mit der Natur verbunden ist, daß ihm sogar die Sprache der geheimnisvoll raunenden Bäume und Sträucher geläufig ist. Unter Berufung auf Goethe, Fechner und Haeckel glaubt er an eine monistische Allbeseelung, also an die Vorstellung, daß alles, auch die Materie, mit Geist ausgestattet ist. Aus diesem Grunde tritt er allem, selbst dem geringsten Wesen, mit respektvoller Sympathie und Liebe entgegen. Nichts erscheint ihm nur nützlich, nur ausbeutungsreif, nur zweckinstrumental. Aus Dankbarkeit dafür nennt ihn der Geist des Wacholderbaums, mit dem sich Willes »Allseher« besonders oft unterhält, viermal »mein grüner Philosoph«.[64]

Denselben Ehrentitel hätte dieser Baum sicher auch Wilhelm Bölsche verliehen. Bölsche war der bekannteste Schüler und Popularisator Haeckels. Er wurde vor allem durch sein zweibändiges Werk *Das Liebesleben in der Natur* (1898–1902) berühmt, in dem er die Attraktion des Eros als das Urprinzip aller sich in der Natur abspielenden Prozesse nachzuweisen suchte. Spezifisch neuromantisch wandelt sich bei ihm der Darwinismus aus der Vorstellung des unbarmherzigen Konkurrenzkampfes (»Fressen und Gefressenwerden«) in eine Art erotischen Monismus oder Panerotismus, der etwas ausgesprochen »Lyrisches« hat. Sein Buch schildert in ständiger Steigerung die Geschichte des Geschlechtstriebs von seinen niedersten Formen bei den Fliegen, Quallen und Bandwürmern bis hinauf »zu den erhabensten Augenblicken menschlicher Liebe«, in denen sich die Sexualität »schließlich in den Ausdruck des Künstlerischen und Religiösen verklärt«.[65] Wie Wille berief sich Bölsche bei diesem »ständigen Werden durch die Liebe« gern auf Goethe, Fechner und Haeckel, ja sogar auf Novalis, um seinem panpsychistischen Monismus eine neuromantische Note zu geben und ihn zugleich ins Ästhetische zu erheben.[66] Mit Schriften dieser Art, die Bölsche zwischen 1900 und 1930 zu einem Bestsellerautor machten, erweckte er bei vielen Menschen ein lebhaftes Interesse an der Natur, bei manchen sogar ein ökologisches Bewußtsein. Und auch er selber blieb nicht nur ein anthropozentrischer Liebhaber der Natur, sondern bekannte sich in der Folgezeit immer wieder zu einem heimat- und umweltschonendem Verhalten, um seiner Begeisterung für alles Beseelte die nötige Relevanz zu geben.

Sozialistische Ökologiekonzepte

Im Gegensatz zum bürgerlichen Liberalismus und seiner Ichorientiertheit erwartet man vom Sozialismus des späten 19. Jahrhunderts, der sich aller Unterdrückten anzunehmen suchte, auch im Hinblick auf die Natur eine wesentlich größere Solidarität. Daß davon nur mit einigen Abstrichen die Rede sein kann, hat verschiedene Gründe. Zunächst war der Sozialismus, wie der Liberalismus, ebenfalls ein Resultat der fortschreitenden Verstädterung und Industrialisierung, der in seinem Einsatz für die in diesem System ausgebeuteten Menschen die Natur weitgehend vernachlässigte. Dementsprechend traten seine Anhänger, im Gegensatz zu den sich an Rousseau anlehnenden Naturutopikern des 18. Jahrhunderts, nicht mehr für eine Rückkehr des Menschen zu seinen »ursprünglichen« Zuständen ein, sondern versuchten, die materiellen Produktionsbedingungen der kapitalistischen Industrie lediglich ihren eigenen Aspirationen anzupassen, das heißt wollten diese Produktionsbedingungen zur Grundlage eines Gesellschaftssystems machen, das sich eher in seinen Organisationsformen, nämlich der »Freien Assoziation der freien Produzenten«, als in seinen Herstellungsmethoden vom herrschenden Kapitaleignersystem unterscheidet. Demzufolge lehnten sie jede Ideologie, die nicht auf diesem Transformationsprozeß basierte, als »utopisch« ab und verhinderten damit zum Teil die Konzeption neuer, naturgemäßerer Produktionsverhältnisse.

Diese Einstellung ist schon für Karl Marx bezeichnend. Während er sich in seinen *Pariser Manuskripten* von 1844, die in manchen Abschnitten noch vom Humanismus der Goethezeit zehren, einer der Natur zugewandten Lebensweise durchaus noch aufgeschlossen zeigt, schloß Marx in der zweiten Hälfte der vierziger Jahre, als er sich in die Arena des politischen Kampfes begab, alle ins Grüne hinüberspielenden Gedankengänge zusehends aus. Das wird besonders an seinem 1848 publizierten *Kommunistischen Manifest* deutlich, wo er die Produktivkraft des Kapitalismus als das einzig wahrhaft »revolutionäre« Element innerhalb der modernen Entwicklung hinstellte. Durch den Kapitalismus werde zwar alles auf die »nackte Zahlung« reduziert, zugleich aber der anachronistisch gewordene Feudalismus hinweggefegt und somit die Bahn für die Beseitigung der bisherigen Mangelwirtschaft freigemacht.

Angesichts der in England herrschenden ökonomischen und sozialen Zustände kamen Marx im Laufe der fünfziger und sechziger Jahre jedoch Zweifel an dieser »Produktivkraft«. Daher stellte er im ersten Band von *Das Kapital* (1867) nicht nur die gewaltig angekurbelte industrielle Produktion, sondern – in Anlehnung an Schriften wie *Die Chemie in ihrer Anwendung auf Agrikultur und Physiologie* (1840) von Justus Liebig und *Klima und Pflanzenwelt* (1847) von Carl Fraas – auch die Landwirtschaft als einen kapitalistischen »Raubbau« an den natürlichen Rohstoffen hin, durch den nicht nur der Arbeiter, sondern auch die Natur unbarmherzig ausgebeutet werde. »Mit dem stets wachsenden Übergewicht der städtischen Bevölkerung, die sie in großen Zentren zusammenhäuft«, schrieb er hier, »häuft die kapitalistische Produktion einerseits die geschichtliche Bewegungskraft der Gesellschaft, stört sie andererseits den Stoffwechsel zwischen Mensch und Erde, das heißt die Rückkehr der vom Menschen in der Form von Nahrungs- und Kleidungsmitteln vernutzten Bodenbestandteile zum Boden, also die ewige Naturbedingtheit dauernder Bodenfruchtbarkeit.« Daraus leitete Marx die These ab: »Jeder Fortschritt der kapitalistischen Agrikultur ist nicht nur ein Fortschritt in der Kunst den Arbeiter, sondern zugleich in der Kunst den Boden *zu berauben*, jeder Fortschritt in Steigerung seiner Fruchtbarkeit für eine gegebene Zeitfrist zugleich ein Fortschritt im Ruin der dauernden Quellen dieser Fruchtbarkeit. Je mehr Land, wie die Vereinigten Staaten zum Beispiel, von der großen Industrie als dem Hintergrund seiner Entwicklung ausgeht, desto rascher dieser Zerstörungsprozeß. Die kapitalistische Produktion entwickelt daher nur die Technik und Kombination des gesellschaftlichen Produktionsprozesses, indem sie zugleich die Springquellen allen Reichtums untergräbt: *die Erde und den Arbeiter.*«[67] Aufgrund dieser Einsichten zögerte Marx gegen Ende seines Lebens, für die von ihm angestrebte befreite, klassenlose Gesellschaft, die sich ebenfalls auf das Prinzip der industriellen Produktion und damit der Naturausbeutung stützen sollte, irgendwelche Prognosen aufzustellen.

Dasselbe gilt für Friedrich Engels. Auch er wollte im Hinblick auf die Zukunft des Sozialismus keine Prophezeiungen machen. Wie Marx versprach sich Engels anfänglich alles zukünftige Heil von einer ungehemmten industriellen Produktionssteigerung und der revolutionären Übernahme dieser Produktion durch das Proletariat. Doch angesichts der verheerenden Wirkung einer solchen Akzelerierung bekam auch er Bedenken an dieser Entwicklung und schrieb in seiner *Dialektik der Natur* (1871 ff.) unter Berufung auf Darwin und die sich ausbreitenden monistischen Ideen, daß die gesamte Welt zwar in einem Prozeß dialektischer Progression ständig voranschreite, jeder Gewinn jedoch zugleich einen Verlust – vor allem im Hinblick auf die Natur – einschließe. »Schmeicheln wir uns indes nicht zu sehr mit unseren menschlichen Siegen über die Natur«, heißt es hier, »für jeden solchen Sieg rächt sie sich an uns. Jeder hat in erster Linie zwar die Folgen, auf die wir gerechnet, aber in zweiter und dritter hat er ganz andere, unvorhergesehene Folgen, die nur zu oft jene ersten Folgen wieder aufheben.«[68]

Auf die deutsche Sozialdemokratie des späten 19. Jahrhunderts hatten diese Äußerungen allerdings wenig Einfluß. Die *Pariser Manuskripte* von Marx sowie die *Dialektik der Natur* von Engels kamen erst im 20. Jahrhundert heraus, und die zitierten Passagen aus dem ersten Band des *Kapital* wurden meist übersehen. Daß es innerhalb der Arbeiterbewegung, die sich den Fortschritt der Menschheit – wie das liberale Bürgertum – weitgehend von einer weiteren Expansion der industriellen Zuwachsrate versprach, überhaupt zu einer Ökologiedebatte kam, läßt sich vor allem auf zwei Bücher zurückführen: die mit vielen utopischen Elementen durchsetzte Schrift *Die Frau und der Sozialismus* (1879) von August Bebel sowie den utopischen Roman *News from Nowhere* (1890) von William Morris, den Wilhelm Liebknecht 1892 mit einer begeistert zustimmenden Einleitung auf deutsch unter dem Titel *Kunde von Nirgendwo* in der *Neuen Zeit* abdrucken ließ, während Karl Kautsky die bürgerlich-liberale Utopie *Looking Backward* von Edward Bellamy kurz zuvor im gleichen Blatt unbarmherzig verrissen hatte.[69]

Morris war von John Ruskin beeinflußt, der mit seiner »St. George's Guild« bereits um die Jahrhundertmitte als Gentleman-Reformer gegen die fortschreitende Verwüstung Englands durch Großstadt- und Industriewesen eingetreten war und später, wie Bellamy, eine partielle Verstaatlichung der wichtigsten Produktionsstätten gefordert hatte. Dadurch war es Ruskin gelungen, nicht nur Liberale, sondern auch Sozialisten für seine Ideen zu gewinnen. Auch Morris war Sozialist und gründete 1885 mit Freunden die »Socialist League«, von der er sich jedoch schon 1894 mit dem Manifest *How I Became a Communist* lossagte, weil sie ihm zu anarchisch erschien. In seiner Utopie *News from Nowhere* entwarf Morris, als Gegenbild zu Bellamys Industrieutopie *Looking Backward*, das Bild einer ländlichen Gesellschaft des 21. Jahrhunderts, die keine Klassenunterschiede und kein Privateigentum, keine Geldwirtschaft, Habsucht oder Prestigebedürfnisse mehr kennt und in der sich alle Menschen nur Tätigkeiten widmen, die dem Gemeinwohl dienen. Diese Tätigkeiten sind fast ausschließlich bäuerlicher oder handwerklicher Art und bemühen sich – neben der Befriedigung elementarster Bedürfnisse – vornehmlich darum, allem menschlichen Leben einen ästhetisch veredelten Charakter zu geben, den es in der kapitalistischen Warengesellschaft des ausbeuterischen Nützlichkeitsprinzips notwendig verloren habe. Das in diesem Roman beschriebene Leben auf dem Lande ist daher nicht romantisch, sondern sozialistisch gemeint. In ihm ist jeder Raubbau am Menschen und damit an der Natur verschwunden. Hier vollzieht sich mitten in der Natur eine Vergesellschaftung des Menschen, die einer radikalen Aufhebung der »Entfremdung« gleichkommt.

Doch nicht nur in seinen Grundthesen, auch in vielen Einzelheiten demonstrierte Morris in *News from Nowhere* ein sozialistisches und zugleich ökologisches Bewußtsein. So wird ausdrücklich erwähnt, wieviele Wälder und Wildnisgebiete es in der hier geschilderten Landschaft gibt. Statt sich in verrußten Städten mit Büro- und Fabrikarbeiten abzuplagen, leben Morris' Menschen in lockeren Streusiedlungen inmitten ausgedehnter Garten- und Parkgebiete. Sie achten nicht nur die Bäume, Pflanzen und Tiere, sondern sorgen auch dafür, daß die Flüsse rein bleiben und die Luft nicht durch zu viele Kamine verpestet wird. In einer so schönen Umgebung fällt es ihnen leicht, auf ihre früheren Luxusbedürfnisse zu verzichten und genügsam zu leben. Sämtliche »nicht notwendigen Dinge« werden abgeschafft. An ihre Stelle treten Gebrauchsgegenstände, die sowohl »nützlich« als auch »schön« sind und von allen mit dem gleichen schonenden Respekt behandelt werden. In einer solchen Form der »Schönheit« sah Morris ein positives Widerstandspotential gegen die Häßlichkeit des Kapitalismus, der durch seinen »Kommerzgeist« und sein »Nützlichkeitsdenken« alles »verschandelt« und »vergiftet« habe. Demzufolge lief sein Denken immer wieder auf eine sozialistische Landutopie, ja Ökopax-Utopie hinaus, in der nicht mehr die naturzerstörerische Habgier, sondern eine veredelnde und zugleich naturschonende Besorgtheit im Vordergrund steht.[70]

Obwohl Engels in seiner Schrift *Die Entwicklung des Sozialismus von der Utopie zur Wissenschaft* (1880) das Ausmalen von Zukunftsbildern scharf verurteilt hatte, übte dieses Buch auf die deutsche Sozialdemokratie der neunziger Jahre einen beträchtlichen Einfluß aus. Während sich ihre Theoretiker – von Wilhelm Hasenclever einmal abgesehen, der sich 1883 im Reichstag über den »Raubbau« an den Wäldern und die mit ihm verbundenen »Devastationen« und »umfangreichen Versandungen« beschwert hatte[71] – vor 1890 um den Umweltschutz kaum gekümmert hatten, traten jetzt einige SPD-Führer ganz offen für eine größere Schonung der Natur ein. Neben der Wirkung von Morris äußerte sich darin der steigende Einfluß, den die Schriften Haeckels und anderer Monisten auf die Sozialdemokraten um die Jahrhundertwende auszuüben begannen. Manche SPD-Mitglieder wurden deshalb nach 1904 zugleich Mitglieder des Monistenbunds. Vor allem August Bebel hatte für solche Ideen ein offenes Ohr und las nicht nur die Schriften Darwins und Haeckels, sondern auch viele der zeitgenössischen Utopien. So ist zu erklären, daß er in seinem bedeutendsten Buch, der 1879 erstmals erschienenen Studie *Die Frau und der Sozialismus*, in späteren Auflagen jene Abschnitte, die sich auf Umwelt- oder Rohstoffprobleme bezogen, immer weiter ausbaute.

Im Gegensatz zum kapitalistischen System, das nur auf kurzfristige Profitvermehrung bedacht sei, also nach der Maxime »Nach mir die Sintflut!« operiere, heißt es hier, werde der Sozialismus den geregelten Stoffwechsel zwischen Mensch und Natur einführen und damit zur Stabilisierung der in Unordnung geratenen Verhältnisse beitragen. Während der Kapitalismus den »Giftbaum«, den er pflanze, sogar noch »dünge«, werde zwar der Sozialismus die Industrie nicht abschaffen, aber auf wenige Gebiete »konzentrieren« und dafür Sorge tragen, daß alle Fabriken gut »durchlüftet« würden, statt die Arbeiter weiterhin der Gefahr von »Rauch und Ruß« auszusetzen. Und zwar knüpfte Bebel seine Hoffnung auf eine »saubere« Energie, also eine Befreiung von Kohle und Öl, weitgehend an eine aus der Natur zu gewinnende Elektrizität. »Unsere Wasserläufe, Ebbe und Flut des Meeres, der Wind, das Sonnenlicht«, lesen wir bei ihm, »liefern ungezählte Pferdekräfte, sobald wir erst ihre volle Ausnutzung verstehen.«[72]

Sein größtes Vertrauen setzte Bebel in die Sonnenenergie. Unter Berufung auf neueste britische und US-amerikanische Studien sowie das Buch *Die Energie der Arbeit und die Anwendung des elektrischen Stromes* (1900) von Friedrich Kohlrausch sah er schon kurz nach 1900 den Zeitpunkt voraus, an dem man in den »glühenden Wüsten der Sahara« jene »großen Sonnenstrahlenfallen« oder »Heliomotoren« aufstellen werde, von denen es in Kalifornien bereits einen gebe, der pro Minute 11000 Liter Wasser aus der Erde pumpe. »Hiernach wäre die Sorge, daß es uns jemals an Heizstoffen und Energiequellen fehlen könnte, beseitigt.« Doch nicht nur aus den Sonnenstrahlen, sondern auch aus der Kraft des Wassers werde die Menschheit in Zukunft gewaltige Energiemengen schöpfen. »Die Fabriken, die mit dieser ›weißen‹ oder ›grünen‹ Kohle mit der Gewalt der rauschenden Gießbäche und Wasserfälle getrieben werden«, schrieb Bebel mit utopischer Euphorie, »werden keine Schornsteine, keine Feuer mehr haben.« Falls selbst das nicht ausreichen sollte, könne man dazu übergehen, die »Hitze des Erdinnern« der Energieerzeugung nutzbar zu machen, wie es in einem Nachsatz heißt.[73]

Mit der gleichen Ausführlichkeit wandte sich Bebel den Problemen der Land- und Forstwirtschaft zu. Statt in »kapitalistischer Ausbeutung des Grund und Bodens« jene »planlosen Waldrodungen« fortzusetzen, die sich höchst ungünstig auf die »Feuchtigkeit des Landes und damit Fruchtbarkeit« des Bodens auswirkten, riet er auch auf diesem Gebiet zu Schonung und langfristiger Planung, die sich allerdings nur durch eine Überführung der Wälder und Ländereien in Gemeinbesitz erreichen ließen. Besonderes Augenmerk richtete er dabei auf die Speicherung von Wasser durch große Waldflächen, um so die drohende Bodenaustrocknung zu verhindern und statt dessen eine belebende »Regenbildung« zu befördern. Dieselbe Fürsorge kommt in seinen Äußerungen über eine »Bodenmelioration« zum Ausdruck. Auf diesem Gebiet trat er dafür ein, in Zukunft alle »tierischen und menschlichen Abfallstoffe« wieder ins Erdreich zurückzuschleusen, statt sie in die Flüsse abzuleiten und somit zu einer weiteren Verschmutzung der Gewässer beizutragen.[74]

Um diese Ideen in die Praxis umsetzen zu können, werde man im Sozialismus, folgerte Bebel, die »großen Städte« allmählich auflösen und die Bevölkerung auffordern, sich – wie bei Morris – wieder aufs Land zu begeben. Nur dann werde es möglich sein, die Erde in jenen weiträumigen »Garten« zu verwandeln, von dem so viele Utopiker geträumt hätten. Obwohl Bebel keinen strikten Vegetarismus befürwortete, erhoffte er sich von diesem Übergang zu einer ländlichen

Gartenkultur zugleich eine Zunahme »vegetabilischer Nährstoffe«, nicht nur aus ethischen Motiven, sondern auch aus der ökologischen Einsicht, daß man mit »derselben Fläche Land« viel mehr Menschen mit Gemüse und Obst als mit tierischen Produkten ernähren könne. Diese Konzepte beflügelten ihn zugleich in der Hoffnung, daß die Stärkung eines sozialistischen Bewußtseins sogar zu einer Bevölkerungsverminderung führen könne, da der bisherige Kinderreichtum im wesentlichen ein Ergebnis der Armut gewesen sei.[75]

Auf die gesellschaftliche Praxis der Jahrhundertwende übten diese Thesen keinen Einfluß aus. Als »gemeingefährliche« Oppositionspartei, wie sie von der bürgerlichen Presse angegriffen wurde, hatte die Sozialdemokratie um 1900 nicht die geringste Chance, sich für eine naturbewahrende Umgestaltung der Industrie einzusetzen. Also blieb ihr auf diesem Gebiet nur die Utopie. Die einzigen Gruppen innerhalb der SPD, die vor dem Ersten Weltkrieg auch in ihrer Lebenspraxis einen neuen Naturbezug herzustellen suchten, waren die der Partei angegliederten »Naturfreunde«. Die erste dieser Gruppen wurde 1895 in Wien, die zweite 1905 in München gegründet. Nachdem die Naturfreunde anfangs vor allem die Idee des proletarischen Wanderns unterstützten, nahmen sie schon 1910 auch einen Paragraphen zum Naturschutz in ihre Verbandssatzungen auf. Die Naturfreunde wollten nicht nur in den großstädtischen Arbeitermassen eine »Liebe zur Natur wecken«, sondern verstanden sich zugleich als Vertreter eines »ökologischen Frühwarnsystems«. Dementsprechend protestierten sie energisch gegen die fortschreitende Verschandelung der Natur durch »kapitalistische Profitgier« und traten in ihrer Zeitschrift *Der Naturfreund* gegen die Kanalisierung der Flüsse, das Abholzen der Wälder, die Zerstörung der Hochmoore und das Aufstellen häßlicher Reklameschilder auf. Um sich diesen Entwicklungen wirksam entgegenstemmen zu können, setzten sie sich für die Anlage großer »Natur- und Nationalparks«, den Schutz seltener Wildpflanzen und -tiere sowie die Erhaltung besonderer Felsformationen ein und gründeten in den Alpen und im Schwarzwald sogar »Bergwachten« gegen die Zerstörung von Fauna und Flora.[76]

Doch massenwirksam wurden auch die Schutz- und Schonparolen der Naturfreunde nicht. Dazu blieben sie als Bewegung zu klein. Weil manche ihrer Untergruppen auch den Vegetarismus, Antialkoholismus und Nudismus der bürgerlichen Lebensreformer in ihre Programme aufnahmen, wurden sie sowohl von den Gewerkschaften als auch von der SPD-Führung als Sektierer angesehen. Die Mehrheit der SPD blieb letztlich von solchen Tendenzen unberührt, las selbst über die ökologiebewußten Partien in Bebels *Die Frau und der Sozialismus* hinweg – und huldigte statt dessen einem durch Darwin und Haeckel angefeuerten Evolutionismus, dessen zwangsläufiges Ergebnis ein sozialdemokratisches Staatswesen sein würde.[77]

Heimatschutz als Forderung der Völkischen Opposition

Während die bürgerlichen Liberalen und die Programmatiker der Arbeiterbewegung als Befürworter des Industrialisierungsprozesses primär auf die Großstadt bezogen blieben, orientierte sich die Völkische Opposition zum Wilhelminischen Reich fast ausschließlich an vorindustriellen Leitbildern. Ihr Ideal war weder der nach totaler Liberalisierung strebende Besitzbürger noch der klassenbewußte Arbeiter, sondern der mit seiner Scholle verbundene Bauer oder kleinstädtische Handwerker. Diese Gruppen, die Deutschland in seinem angestammten Wesen erhalten wollten, sahen in der rapiden Industrialisierung und Verstädterung zwischen 1870 und 1914 lediglich eine fatale Auswirkung jener westlichen Zivilisation, durch die das Deutsche Reich in Gefahr geraten sei, seine nationale Identität zu verlieren. Wenn sie von Naturschutz sprachen, meinten sie deshalb zugleich den Schutz ihrer Heimat vor jenem Modernisierungsprozeß, den sie als undeutsche Überfremdung betrachteten.

Diese Haltung wurde – auf seiten sich als »fortschrittlich« verstehender Gruppen – lange Zeit für regressiv gehalten und als kleinbürgerlich-verstockte Reaktion auf die gewaltig angekurbelte Industrialisierung Deutschlands im späten 19. Jahrhundert charakterisiert. Schon um die Jahrhundertwende wandten sich viele großstädtisch-liberale Kritiker gegen die »provinzielle Verspätung« oder »altmodische Verklemmtheit« dieser Bewegung. In der Weimarer Republik sowie der Ära des westdeutschen »Wirtschaftswunders«, ja bis in die achtziger Jahre hinein, hat man solche Konzepte als »völkischen Wahn«, »Agrarromantik«, »Präfaschismus« oder – unter dem Einfluß Theodor W. Adornos – als Beschwörungen einer verlogenen »heilen Welt« abgekanzelt.[78] Im Hinblick auf die politischen Folgen dieser Richtung soll solchen Urteilen keineswegs widersprochen werden. Wenn es überhaupt eine Bewegung zwischen 1890 und 1933 gegeben hat, die dem deutschen Faschismus den Weg bereitete, dann sicher die stammesbetonte, regionalistische oder völkische Heimatschutz- und Heimatkunstbewegung um 1900. Und doch sollte das Unbehagen am Industriealisierungsprozeß, das in dieser Strömung zum Ausdruck kommt, heute nicht mehr pauschalisierend als »regressiver Antikapitalismus« oder »Kritik am Kapitalismus von rechts« abgetan werden, nachdem wir nicht nur die mörderischen Konsequenzen des Faschismus, sondern auch die der allgemeinen Industrialisierungsprozesse erlebt haben. Gerechtfertigt war dies nur, solange sich viele der marktwirtschaftlichen wie auch sozialistischen Theoretiker einen möglichen »Fortschritt« allein von der Steigerung der industriellen Produktion versprachen und sich dadurch in ihrem Drang nach Besitz, ihrem Konsumfetischismus, ihrem vulgären Materialismus auf den gleichen »Teufelsweg« begaben, dem bereits Goethe in seinem *Faust* entgegengetreten war. Was uns heute an dieser Bewegung interessieren sollte, sind vor allem ihre Bescheidenheitsideale, ihr Konsumverzicht, ihr Protest gegen die zunehmende Naturverschandelung und ihre ökologischen Warnungen.

Der erste, der unter nationaler Perspektive dem sogenannten Modernisierungsschub nachhaltig entgegenzutreten versuchte und schnell als das geistige Haupt der antiindustriellen Gegenströmung anerkannt wurde, war Wilhelm Heinrich Riehl, der bereits in seinen Büchern der fünfziger und sechziger Jahre – wie zum Beispiel der vierbändigen *Naturgeschichte des deutschen Volkes als Grundlage einer deutschen Sozialpolitik* (1851–1869) – die fortschreitende Industrialisierung als das Hauptübel des aus dem Westen importierten modernistischen Ungeists bloßstellte und den »ewigen Bauern« als den Hauptgaranten einer Bewahrung der deutschen Wesenseigentümlichkeiten herausstrich. Riehl war der festen Überzeugung, daß eine weitere Industrialisierung und Verstädterung, also Zerstörung der bäuerlichen Grundlage, zwangsläufig zu einer »Entartung der Natur« führen würde.[79] »Es ist eine Sache des wahren Fortschritts«, schrieb er schon 1857, für eine ungeschmälerte Beibehaltung des »Ackerlandes« und ein »Recht auf Wildnis« einzutreten,[80] um Deutschland vor jener grauen Allgemeinheit zu bewahren, die im Zuge der fortschreitenden Industrialisierung in allen Ländern des Westens um sich greife.

Unter Berufung auf solche Thesen traten in der Folgezeit immer mehr Vertreter einer betont »völkischen« Opposition zum offiziellen Wilhelminismus und seiner forcierten Industrialisierungsprogramme auf, die sich für das angestammte Landleben begeisterten. Statt jene Landflucht gutzuheißen, die dazu führte, daß die Zahl der Großstädter in Deutschland zwischen 1871 und 1914 von zwei auf vierzehn Millionen Menschen anstieg, beschworen sie immer wieder die »gute, alte Zeit« und die Freuden des »einfachen Lebens«, von denen sie sich eine Bewahrung der »natürlichen Lebensordnungen« versprachen. Vor allem in den neunziger Jahren schwoll diese Opposition, und zwar von Julius Langbehns *Rembrandt als Erzieher* (1890) bis zu Karl Oldenburgs *Deutschland als Industriestaat* (1897), zu einem Chor von Stimmen an, der lautstark beklagte, daß das Deutsche Reich seine landwirtschaftliche Autarkie verliere, sich auf die risikoreichen Wechselfälle des Welthandels einlasse, seine landschaftlichen Schönheiten einem profitorientierten Fortschrittsungeist opfere und seine Bürger dazu zwinge, in den »Asphaltwüsten« und »Zementgebirgen« der Großstädte ein entseeltes, wenn nicht gar entmenschtes Leben zu fristen.[81]

Was man zu diesem Zeitpunkt als Heimatschutzbewegung bezeichnete, geht weitgehend auf das Wirken und die Schriften Ernst Rudorffs zurück, der 1880 in seinem grundlegenden Aufsatz *Über das Verhältnis des modernen Lebens zur Natur* die eher allgemein gehaltenen Äußerungen Riehls über die fortschreitende Naturzerstörung ins Gesellschaftliche zu konkretisieren suchte. Rudorff machte für diesen Zerstörungsprozeß neben der hemmungslosen Industrialisierung, der Zunahme von Lärm und Qualm sowie der Flurbereinigung und der daraus resultierenden Landkartengeometrie vor allem den steigenden Egoismus der großstädtischen Touristen verantwortlich, der dazu geführt habe, »die Natur in ihrem eigensten Wesen zu zerstören unter dem Vorgeben, sie dem Genuß zugänglich zu machen«.[82] Ebenso folgenreich waren zwei Aufsätze, die er 1897 unter dem Titel *Heimatschutz* in den *Grenzboten* publizierte und die 1901 unter dem gleichen Titel auch als Buch herauskamen. Die von Riehl noch gefeierte »Wildnis«, heißt es hier, gebe es inzwischen nicht mehr. »Was hat nicht in dieser kurzen Spanne Zeit«, erklärte Rudorff emphatisch, »der Vernichtungskampf, den das moderne Leben nicht nur gegen die Mauern, die Straßen, die Häuser unserer Ahnen, sondern vor allem gegen die wilde Natur führt, alles hingemordet, in einem Umfang, wie es niemand damals auch nur von fern ahnen konnte!« Überall habe sich das »kahle Prinzip der geraden Linie und des Rechtecks« durchgesetzt, so daß die meisten »Feldmarken wie nationalökonomische Rechenexempel« aussähen. Überall bringe man »Reklameinschriften und Reklameschilder« an. Überall baue man Eisenbahnbrücken durch die schönsten Gebirgstäler und errichte Fabriken an malerischen Flußufern. Überall begegne man Sommerfrischlern, die selbst inmitten der Natur auf ihren »Komfort« nicht verzichten könnten. Überall werde die Landschaft zur »Sklavin erniedrigt«, indem man ihr ein »Joch abstrakter Nutzungssysteme« auferlege, das ihr »völlig fremd« sei, um sie zum eigenen Gewinn und Vergnügen »bis zum letzten Tropfen auszupressen«. Und so werde die Natur – wie alles andere – mehr und mehr in »Kapital« umgesetzt oder zur »Ware« herabgewürdigt.[83]

Um diesem Prozeß, durch den Deutschland mit jedem Tag »häßlicher, künstlicher, amerikanisierter« werde, dem »Rennen und Hasten nach Reichtum und Wohlleben«, dem Trug eines »vermeintlichen Glücks«, dem »Scheinwesen« und der »Aufgeblasenheit« endlich Einhalt zu gebieten, bot Rudorff nach alter Tradition vor allem Werte wie »bürgerliche Tüchtigkeit, Schlichtheit, Friede und Freude, Genügsamkeit und Genügen, Humor und Gottesfurcht« auf. Nur wenn sich diese Werte wieder durchsetzten, werde sich in Deutschland nicht die Allerweltszivilisation des Westens verbreiten, sondern sich das herkömmliche deutsche Wesen in seiner natürlichen Umgebung erhalten. Rudorff begnügte sich jedoch nicht nur mit moralischen Appellen gegen das »gesteigerte Erwerbs- und Verkehrsleben unserer Tage«, sondern forderte zugleich die Anlage großer Naturschutzgebiete, statt tatenlos zuzusehen, wie die deutsche Landschaft Stück für Stück ein Opfer der industriellen »Barbarei« werde.[84]

Als Rudorff dieses Büchlein herausbrachte, stand er schon nicht mehr allein da. Heinrich Sohnrey, einer seiner Gesinnungsgenossen, hatte bereits 1893 das Monatsblatt *Das Land. Zeitschrift für die sozialen und volkstümlichen Angelegenheiten auf dem Lande* gegründet, in dem er sich ebenfalls aktiv gegen die herrschende »Landflucht« und den »Volkstod« in den großen Städten wandte. Hugo Cowentz, ein anderer Repräsentant dieser Richtung, forderte 1898 im Preußischen Abgeordnetenhaus, nach US-amerikanischem Vorbild auch in Deutschland große »Staatsparks« anzulegen, um damit wenigstens Teile der bedrohten Landschaft vor dem vernichtenden Zugriff der Industrie zu retten. 1904 brachte Cowentz ein Buch unter dem Titel *Die Gefährdung der Naturdenkmäler und Vorschläge zu ihrer Erhaltung* heraus, in dem er sich, wie Rudorff, entschieden gegen die Auswüchse des Massentourismus und die kapitalistische Herabwürdigung der Natur zur Ware einsetzte. Noch deutlicher wurde Paul Schultze-Naumburg in seiner Schrift *Die Gestaltung der Landschaft durch den Menschen* (1901): »Die Industrie nahm ganze Länder in Beschlag und trug keinen anderen Gedanken, als nur in möglichst kurzer Zeit möglichst viele finanzielle Werte herauszuholen. Für das, was ohne Not und gedankenlos zerstört wurde, war kein Verlustkonto angelegt, und an die Möglichkeit, auch die Industrieanlagen schön und harmonisch zu gestalten, dachte man nicht.« Er stellte sogar schon die Frage: »War diese Methode, die Landschaft zu gestalten, die einzig richtige und notwendige? Zwang das neue Wirtschaftswesen unausweichlich dazu, diese Wege einzuschlagen, oder wäre es möglich gewesen, neue Ziele und bewährte Methoden zu vereinigen? Trägt überhaupt die beginnende Verwüstung der landschaftlichen Schönheit zur Erhöhung der Erträgnisse bei, und steht nicht am Ende das allgemeine und nationale Wohl mit ihr im Widerspruch.«[85]

Im Sinne dieser Thesen wurde Schultze-Naumburg in den folgenden Jahren nicht müde, in seinen zahlreichen *Kulturarbeiten* mit gebotener Schärfe auf die fortschreitende Entwürdigung der deutschen Landschaft durch Telefonleitungen, Stromkabel und Eisenbahntrassen, Straßenbau, Schilderinflation und immer größeren Lärm hinzuweisen, der nur durch eine konsequente Restaurierung der agrarischen und kleinstädtischen Zustände Einhalt geboten werden könne. Am deutlichsten kommt das in Schultze-Naumburgs Buch *Die Entstellung unseres Landes* (1905) zum Ausdruck, wo er – im Gegensatz zur »Nüchternheit« der »kapitalistisch durchseuchten« Industriegesellschaft – die bäuerlich-schlichte Gemütlichkeit des Biedermeiers als Vorbild einer naturverbundenen Zukunft herausstellte. Erst durch rein praktische Gesichtspunkte, eine liberale Ellbogenfreiheit und die skrupellose Gewinnsucht der Bodenspekulanten sei Deutschland im Laufe des 19. Jahrhunderts in die Gefahr geraten, lesen wir hier, sich in »ein trostloses Allerweltsschema zu verwandeln, das an Öde gewissen kalten, nüchternen Abstraktionen eines Gleichheits-Zukunftsstaates nicht nachstehe.[86]

Als 1904 in Dresden der »Bund Heimatschutz« gegründet wurde, an dessen erster Tagung neben Ernst Rudorff auch Peter Rosegger, Wilhelm Bölsche, Heinrich Sohnrey und Friedrich Lienhard teilnahmen, wählte man Paul Schultze-Naumburg zum Vorsitzenden dieser Vereinigung. Wie der Satzung des Bundes zu entnehmen ist, sollte seine Aufgabe darin bestehen, die »deutsche Heimat in ihrer natürlichen und geschichtlich gewordenen Eigenart zu schützen« und neben der »Erhaltung der ländlichen und bäuerlichen Bauweise« vor allem für den »Schutz des Landschaftsbildes« und die »Rettung der einheimischen Tier- und Pflanzenwelt« einzutreten.[87] Daß sich diese Ziele nur gegen das herrschende Wirtschafts- und Sozialsystem durchsetzen ließen, war vielen Mitgliedern des »Bundes Naturschutz« durchaus bewußt. So erklärte Carl Johann Fuchs in einem seiner Grundsatzreferate: »Es ist der Kampf gegen den rücksichtslos das Gewordene und seine Schönheiten zerstörenden Kapitalismus, der in letzter Linie bei allen Fragen des Heimatschutzes zugrunde liegt.«[88] Allerdings waren viele Heimatschützer idealistisch genug anzunehmen, daß die Überwindung oder Einschränkung des Kapitalismus lediglich eine Sache des »guten Willens« sei. Darin wurden sie bald eines anderen belehrt. Als sie nämlich den Bau eines Wasserkraftwerks bei Laufenburg am Rhein verhindern wollten, um den »malerischen Charakter« der dortigen Stromschnellen zu erhalten, stießen sie sofort auf unüberwindliche Schwierigkeiten und wurden von den zuständigen Firmen als »antiquiert« belächelt. Als sie dennoch weitere solcher Erhaltungsmanöver inszenierten, setzte der »Bund der Industriellen« 1911 eine »Kommission zur Beseitigung der Auswüchse der Heimatschutzbestrebungen« ein, die allen landschafts- und naturschützenden Kampagnen entgegentrat und sich dabei auf den »Fortschritt«, die »Stärkung des Vaterlandes«, die Notwendigkeit neuer Arbeitsplätze und dergleichen mehr berief.[89]

Angesichts ihrer Wirkungslosigkeit blieb den meisten Heimatschützern bis zum Beginn des Ersten Weltkriegs nichts anderes übrig, als sich aufs Räsonieren und Lamentieren zu verlegen. Hierbei bedienten sie sich einer doppelten, aber komplementären Strategie: Auf der einen Seite versuchten sie im Sinne von Heinrich Sohnreys und Ernst Löbers Buch *Das Glück auf dem Lande* (1906), den Bauern klar zu machen, wie gut sie es hätten, weil sie inmitten der Natur wohnen und arbeiten dürften. Auf der anderen Seite stellten sie das Leben in den großen Städten als eine wahre »Hölle« hin, in der alles Gesunde und Natürliche notwendig verkümmere. So schrieb Carl Jentsch 1913 in seiner *Volkswirtschaftslehre*: »Aus der grünen Landschaft wird der Mensch in die Steinwüste verbannt oder auf eine rauchende, stinkende, geschwärzte Schutthalde, und in eine solche wird die grüne Landschaft verwandelt. An die Stelle der Beschäftigung mit organischen Dingen, die jedem nicht verschrobenen Menschen eine Freude ist: Wiesenheu, Saaten, reifem Korn, Blumen, Früchten, Weinstöcken, Bäumen, Pferden, Rindvieh, Geflügel und anderen Tieren, Holz, tritt die mit unorganischen: Metallen, Kohlen, Chemikalien, von denen viele giftig, viele widerwärtig für alle Sinne sind. An die Stelle der landwirtschaftlichen Beschäftigungen, die durch Mannigfaltigkeit erfreuen und für Leib und Seele schon darum gesund sind, weil sie in freier Luft und schöner Umgebung betrieben werden, an die Stelle der Handwerksarbeit, bei der sich die Individualität betätigen und zur Kunst erhoben werden kann, tritt die einförmige Bedienung der Maschinen.«[90]

Von ähnlichen Prämissen gingen die Vertreter der Heimatkunstliteratur aus, von denen viele auch im »Bund Heimatschutz« tätig waren. So wurde beispielsweise die führende Zeitschrift dieser Literatur, die *Heimat*, im Jahr 1900 von Adolf Bartels und Friedrich Lienhard mitbegründet. Auch die »Los von Berlin«-Bewegung ging auf eine Schrift Lienhards, nämlich das Manifest *Die Vorherrschaft Berlins* (1900), zurück. Wie die Natur- und Heimatschützer stellten die Heimatschriftsteller dieser Ära fast immer den deutschen Bauern ins Zentrum ihrer Werke. Auch sie verfluchten einerseits den entwürdigenden Charakter der großen Städte und priesen andererseits die einfachen Freuden des ländlichen Lebens. Bevorzugt nutzten sie hierfür den Roman, in dem sie zu Recht die populärste Literaturgattung sahen. Auf diese Weise kam es nach 1895 zu einer beachtlichen Flut von Heimat- und Bauernromanen, die in den vorausgegangenen Jahrzehnten eine relativ untergeordnete Rolle gespielt hatten. Hauptvertreter dieser Strömung waren Peter Rosegger, Wilhelm von Polenz, Heinrich Sohnrey, Adolf Bartels, Emil Strauß, Jakob Christoph Heer, Clara Viebig, Gustav Frenssen, Lulu von Strauß und Torney, Timm Kröger, Paul Ernst, Hermann Hesse, Paul Keller, Hermann Stehr, Helene Voigt-Diederichs, Hermann Löns, Gorch Fock, Heinrich Federer, Jakob Schaffner und Fedor von Zobeltitz. Die Werke dieser Autoren wurden von den Wortführern der Heimatschutzbewegung – nach der großstädtischen »Renommisterei« der gründerzeitlichen Parvenüliteratur, den naturalistischen »Entgleisungen« ins Schmutzige und Bordellhafte sowie der westlich-internationalistischen »Dekadenz« der impressionistisch-symbolistischen Fin-de-siècle-Literatur – geradezu überschwenglich als die wichtigsten Manifestationen einer tiefgreifenden Rückbesinnung auf Gesundes, Natürliches, auf bäuerliche Verbundenheit mit der Scholle und damit wahrhaftes Deutschtum hochgejubelt. »Die Bauern in der Literatur«, schrieb Michael Georg Conrad, ein vom Naturalismus zur Heimatkunst bekehrter Autor, 1902 emphatisch, »damit hebt allemal ein neuer Geistesfrühling an.«[91]

Etwas genauer betrachtet, war diese Literatur jedoch gar nicht so einheitlich, wie sie sich gern darstellte. Dafür sprechen Romane wie *Der Büttnerbauer* (1895) von Wilhelm von Polenz, in denen ein ehemals blühender Bauernhof durch sinkende Getreidepreise und steigende Löhne zugrunde gewirtschaftet wird, Erzählungen wie *Leute eigener Art* (1904) von Timm Kröger, die einen eindeutig nostalgischen Grundzug haben, der an Theodor Storm oder den alten Wilhelm Raabe erinnert, Romane wie Hermann Hesses *Peter Camenzind* (1904), in denen sich ein hochgebildeter Städter im Verlauf einer komplizierten Wandlung entschließt, alles »Moderne« hinter sich zu lassen und Zuflucht bei der Einfachheit des ländlichen Lebens zu suchen, und schließlich Bücher wie *Der Wehrwolf* (1910) von Hermann Löns, in denen das Hohe Lied des bäuerlichen Kampfeswillen gegen fremdländische Marodeure gesungen wird, oder wie *Jörn Uhl* (1901) von Gustav Frenssen, in denen die schollеverhafteten Uhlen mit den bewußt modernen, landflüchtigen und geschäftstüchtigen Kreyen konfrontiert werden.

Wie schon in den Proklamationen Wilhelm Heinrich Riehls und der späteren Heimatschutzbewegung ist in diesen Werken das übergreifende Motiv und die Ursache allen Übels meist der »Moloch Großstadt«, während Natürliches und Gesundes von vornherein mit bäuerlichen Grundwerten assoziiert wird. Die positiven Figuren dieser Romane sind daher ausnahmslos Bauern, mit mystischen Einsichten begabte Spökenkieker oder an der Scholle hängende Erbsassen, die dem Ungeist des Kapitalismus – und mag er sich noch so verführerisch geben – mit tiefem Mißtrauen begegnen und sich nicht verlocken lassen, das ihnen anvertraute Land zu verkaufen und in die Stadt zu ziehen. Ihnen gegenüber stehen meist großstädtische Händlertypen, denen das kapitalistische Schachern, Handeln und Betrügen bereits in Fleisch und Blut übergegangen ist. Solche Geschäftemacher sind durchgehend »Fremde«, die sich nicht scheuen, mit den übelsten Tricks den Bauern das verlogen-gleisnerische Bild eines bequemen Großstadtlebens vorzugaukeln. Wie in vielen Manifesten der Heimatschutzbewegung läuft daher auch hier fast alles auf die Formel »Deutsch gleich schollebewußt, undeutsch gleich kapitalistisch« hinaus.

Ernstzunehmende Utopien brachte diese Bewegung kaum hervor – denn wer das Vergangene bewahren will, entwirft sich nicht in die Zukunft. Die wenigen nach vorn gerichteten Romane dieser Zeit sind meist Dystopien, in denen die Menschen durch unvorhergesehene Katastrophen wieder zum Bäuerlichen zurückfinden oder dieser Umkehrwille durch nationalistische oder rassistische Ideologiekomplexe ausgelöst wird. Zur ersten Gruppe gehört vor allem der Roman *Planetenfeuer* (1899) von Max Haushofer, in dem die großstädtische Bevölkerung – nach Jahrzehnten einer sozial-liberalen Koalition, in denen sie drogensüchtig und gebärfaul geworden ist – erst durch einen mörderischen Kometenregen wieder einen Sinn für Instinktives, Natürliches und Deutsch-Bäuerliches bekommt. Zur zweiten Kategorie zählt beispielsweise der Roman *In purpurner Finsternis* (1895) von Michael Georg Conrad, der unter nietzscheanischer Perspektive darstellt, wie sich durch die allgemeine Verstädterung und Industrialisierung im »Teutaland« eine Mediokrität verbreitet, die keine »übermenschlichen« Leistungen mehr erlaubt. Niemand weiß mehr, was Natur, Kunst oder Größe ist. Alles hat den Ausdruck einer »seelenlosen Mechanik« angenommen. Überall dominieren Eisenbahnen und Fabriken, die »schwarze Rauchwolken« um sich verbreiten. An manchen Stellen türmen sich bereits »kolossale Schuttberge« auf. Die meisten Menschen machen den Eindruck »erbärmlicher Stadtleichen«, die sich ohne Kontrolle »ins Blaue hinein vermehren«, obwohl sie dadurch immer tiefer im »Elend« versinken. Als die vier Hauptgründe dieser Übel werden »Kapitalismus, Geldwirtschaft, Weltmarktspekulation und Konkurrenztollheit« hingestellt. Den einzigen Weg aus der Misere dieser »industriellen und kapitalistischen Metallzeit« sieht Conrad in einer Rückbesinnung auf Bäuerliches. Auf die Schilderung des korrupten »Teutalandes«, also des wilhelminischen Deutschland, folgt daher ein Bild des von Conrad erträumten »Nordica«-Landes, dessen Bewohner »freie Naturmenschen« sind, in einer tier- und blumenreichen Landschaft leben, fast ausschließlich als Bauern arbeiten, ihre höchsten Werte in »Sonne, Licht, Natur« sehen, vorwiegend »Rohes essen« und »Quellwasser« trinken, auf »überflüssiges Maschinenwerk« verzichten, keine üble Bodenspekulation kennen und ihre politischen Hoffnungen auf einen zukünftigen Erlöser, einen »Zarathustra« der »germanischen Rasse«, setzen.[92]

Die meisten dieser Manifeste und Romane sind zwar nicht im heutigen Sinne ökologiebewußt, tendieren aber in diese Richtung. Allerdings wird der »grüne« Kern ihrer ideologischen Entwürfe, Lamentationen oder Utopien weitgehend von nationalistischen Ideologien verdeckt, die zum Teil recht penetrant sind und in ihren chauvinistisch-rassistischen Tendenzen unmittelbar zum deutschen Faschismus nach 1933 überleiten, den sowohl Bartels als auch Frenssen und Schultze-Naumburg aktiv unterstützt haben. Dennoch zeigt sich in diesen Werken auch ein soziales, wenngleich ins Chauvinistische depraviertes Gewissen, das durchaus positive Züge aufweist. In diesem Punkt heben sie sich wohltuend von jener bürgerlich-impressionistischen Ideologie um 1900 ab, die – im Zuge einer gewaltig angeheizten Hochkonjunktur – fast ausschließlich auf solipsistischer Subjektivität, konsumistischer Bedürfnissteigerung und sinnlos schweifender Mobilität beruhte. Während in diesem Kontext vornehmlich von den gesteigerten Bedürfnissen der »westlich« orientierten Crème der Gesellschaft die Rede war, wurde im Rahmen der Heimatkunstbewegung ein Bescheidungsethos oder soziales Bewußtsein propagiert, daß die sogenannte dritte Sache nicht von vornherein der ersten Sache zum Opfer brachte. Man könnte also – unter ökologiebetonter Perspektive – fast umgekehrt zur bisherigen Einschätzung dieses Phänomens sagen: Gerade da, wo diese Bewegung ins Nationale, das heißt Gesamtgesellschaftliche tendiert, kommen in ihren schlimmsten Tendenzen – wie es Thomas Mann im Hinblick auf den Nationalsozialismus formulierte – zugleich ihre besten Tendenzen zum Durchbruch.

Es waren deshalb oft diejenigen Autoren, welche lange Zeit als »reaktionär«, wenn nicht »verwerflich« galten, die im Rahmen ihrer Rückwendung zu bäuerlichen, nationalen oder rassistischen Wertvorstellungen um die Jahrhundertwende als die schärfsten Gegner der kapitalistisch-industriellen Skrupellosigkeit im Umgang mit Mensch und Natur auftraten. So pries etwa Adolf Bartels in seinem Buch *Der Bauer in der deutschen Vergangenheit* (1900) nicht allein den »ewigen Bauern« als Vorbild einer wahren Menschlichkeit an, sondern wandte sich zugleich vehement gegen den »industriellen Radikalismus«, der sich zum gefährlichsten Feind des deutschen Volks entwickelt habe.[93] Kurze Zeit später schrieb er im Sinne einer Ideologie, die sich um 1900 als »fortschrittliche Reaktion« verstand: »An Telegraphen, Eisenbahnen, Dampfschiffe, elektrisches Licht, Börsenpapiere glauben wir allerdings nicht, sondern halten die Leute, die das tun, für reaktionär.«[94] Ähnliche Äußerungen finden sich bei Hermann Löns, der 1911 empört beteuerte, daß der bisherige »Naturschutz« weitgehend »Pritzelkram« geblieben sei und aufgrund seiner unterprivilegierten Stellung in der Gesellschaft lediglich »en detail« arbeiten konnte, während man den kapitalistischen Naturverhunzern von Staats wegen alle Möglichkeiten eingeräumt habe, »en gros« vorzugehen und damit zu einer immer »grauenhafteren Verschandelung der deutschen Landschaft« beizutragen.[95]

Solche Bemerkungen sind die gewichtigsten und zugleich »grünsten« innerhalb dieser Literatur, da sie unter »Heimat« nicht allein etwas Malerisches oder Chauvinistisches verstanden, sondern zum Kern der Sache – den materiellen Ursachen der verheerenden Auswüchse der fortschreitenden Industrialisierung – vorstießen. Daß Erklärungen dieser Art vor 1914 eher von bisher als reaktionär oder präfaschistisch eingestuften Autoren als von gutbürgerlichen Liberalen vorgebracht wurden, die vornehmlich auf die Erweiterung ihrer ohnehin schon beachtlichen Privilegien bedacht waren, sollte zu denken geben. Sie beweisen, daß ein konsequent ökologisches Denken letztlich nur aus einem heimatlichen oder regionalistischen Verantwortungsbewußtsein hervorgehen kann, während subjektivistische oder internationalistische Ideologien in dieser Hinsicht oft einen blinden Fleck aufweisen.

Die Lebensreformbewegung um 1900

Neben den monistischen, sozialdemokratischen und nationalistischen Reaktionen auf den liberalen Fortschrittskult und seine Konsequenzen wandte sich Ende des 19. Jahrhunderts vor allem die Lebensreformbewegung gegen die verhängnisvolle Naturzerstörung und stellte ihr das Bild eines anderen, einfacheren, umweltbezogeneren Lebens entgegen. Obwohl sie sich, wie der Monistenbund und der Bund Heimatschutz, weitgehend aus dem liberalen Bürgertum rekrutierte, tendierte sie aufgrund ihres ökologischen Bewußtseins zunehmend ins Solidarische, ja erlebte ihren Höhepunkt schließlich in jenen Landkommunen und Koloniebildungen um 1900, die einen ausgesprochen antistädtischen und antitechnologischen Charakter hatten.

In ihren Anfängen setzte sich die Lebensreformbewegung vornehmlich mit den unnatürlichen, krankmachenden Auswirkungen des Großstadtlebens auseinander. Einerseits wandte sie sich gegen das bürgerliche Prestigegehabe in den städtischen Salons, andererseits gegen den Tempokult, der sich in immer schnelleren Eisenbahnen und Dampfschiffen äußerte, die bedrohliche Zunahme von Rauch und Lärm sowie die ungesunde Enge der übervölkerten Stadtgebiete, die zu einer gesteigerten »Reizsamkeit«, wenn nicht Neurasthenie führen müsse. Statt sich weiterhin einer solchen Daseinsform zu unterwerfen, propagierten die Lebensreformer ein Leben in Licht, Luft und Sonne, das heißt ein von allen Zwängen befreites Leben auf dem Lande, um so der verloren gegangenen Natur wieder näherzukommen. Im Gegensatz zu den Monisten und Sozialisten setzten sie dabei ihre Hoffnungen nicht allein auf eine erst in der Utopie befreite Zukunft, sondern wollten diese neue Natürlichkeit bereits im Hier und Heute verwirklichen. Daher verließen die Entschiedeneren unter diesen Lebensreformern die großen Städte und versuchten, in sogenannten befreiten Enklaven dem Rest der Menschheit ein alternatives, wieder »natürlich« gewordenes Reformdasein vorzuleben.

Von entscheidendem Einfluß auf die Entstehung dieser Bewegung war die Naturheilkunde, die sich bereits kurz nach der Jahrhundertmitte entwickelte und auf Methoden beruhte, die heute als »holistisch« gelten. Zu ihren Initiatoren gehörten unter anderem Eduard Baltzer, Gustav Struve, Vincenz Prießnitz, Johann Schroth, Theodor Hahn, Louis Kuhne, Wilhelm Winsch, Emil Weilshäuser, Gustav Jäger, Gustav Simons und Sebastian Kneipp. Einige dieser Lebensreformer gründeten bereits in den fünfziger und sechziger Jahren eine

Reihe von Naturheilstätten, in denen »geschädigte Stadtmenschen« ihren nackten Körper dem kalten Wasser, der frischen Luft und dem Licht der Sonne aussetzen konnten, um sich den »entnervenden« Wirkungen der Zivilisation zu entziehen und ihre »Natürlichkeit« zurückzugewinnen. Diese Gruppen waren erbitterte Gegner jeglicher Verunreinigung des Wassers und der Luft und ließen im Hinblick auf ihre körperlichen Belange nur das Naturgemäße gelten. Deshalb trugen sie baumwollene, luftdurchlässige Unterwäsche, lehnten alle scharfen Gewürze, Zigarren und Alkoholika ab und bevorzugten statt dessen Vollkornbrot, Salate, Kräutertee und Kneipp-Malzkaffee. Für die »fleischlose« Kost entschieden sie sich nicht nur aus medizinischen, sondern auch aus ethischen Gründen. Das Töten unschuldiger Tiere, schrieben sie, befördere lediglich jene kapitalistisch-militaristische Wolfsgesinnung, die ohnehin immer stärker werde. Baltzer gründete deswegen schon in den sechziger Jahren einen »Verein für naturgemäße Lebensweise«, dessen Mitglieder vornehmlich Nüsse, Körnerfrüchte, Gemüse und Obst aßen.

Dieser Trend zur Vereinsbildung verstärkte sich im Rahmen der späteren Lebensreformbewegung von Jahr zu Jahr. In den frühen siebziger Jahren wurden neben den bereits bestehenden Naturheilstätten die ersten vegetarischen Speisehäuser eingerichtet. 1882 rief F. E. Bilz in seiner Schrift *Wie schafft man bessere Zeiten? Die wahre Lösung der sozialen Frage nach dem Naturgesetz* zur Gründung eines Lebensreformerbundes auf, dem er den Namen »Neuer Reform-Verein« gab. 1883 gründete Louis Kuhne in Leipzig die erste »Arzneilose Heilanstalt auf vegetarischer Basis«. 1884 trat Johannes Gutzeit mit seinem »Pythagoräerbund« an die Öffentlichkeit. 1887 bildete sich in Höllriegelskreuth im Isartal die erste deutsche Landkommune, deren geistiges Haupt Karl Wilhelm Diefenbach war und die den jungen Fidus in die Ideen der Lebensreform, vor allem der Nacktkultur und des Vegetarismus, einführte.

Einen noch größeren Zulauf erlebte die Lebensreformbewegung in den neunziger Jahren. 1893 wurde von Bruno Wilhelmy der Grundstein zur »Obstbaumkolonie Eden« in Berlin-Oranienburg gelegt, deren Mitglieder sich als Anhänger der Nacktkultur und Vegetarier aus dem »kapitalistischen Ozean auf eine selbstgeschaffene Insel« retten wollten, wie sie in ihrer Zeitschrift *Hinaus aufs Land. Monatsschrift zur Förderung ländlicher Siedlungstätigkeit* erklärten.[96] 1896 eröffnete Adolf Just die Kuranstalt »Jungborn« im Harz, deren Programm er in seinem im gleichen Jahr erschienenen Buch *Kehrt zur Natur zurück. Die naturgemäße Lebensweise als einziges Mittel zur Heilung aller*

Krankheiten und Leiden des Leibes, des Geistes und der Seele erläuterte. Um 1900 entstanden schließlich Hunderte solcher Kolonien, Siedlungen, Vereine, Orden und Bünde, die in Schrift und Praxis die »naturgemäße« Lebensweise propagierten. Besonders beliebt waren Naturheilvereine, die auf dem Prinzip der Nacktkultur beruhten und von denen es in Deutschland im Jahr 1907 über 180 gab. Auch die zur gleichen Zeit gegründeten »Reformhäuser«, die Obstsäfte, Graham-Brot und Eden-Margarine anboten, erfreuten sich schnell einer wachsenden Anhängerschaft.

Von den wichtigsten Gruppen, die von der Gesundung des Einzelmenschen zur Gesundung der gesamten Menschheit voranzuschreiten versuchten und dabei häufig ins Utopische ausgriffen, seien hier nur drei erwähnt: die »Neue Gemeinschaft«, die »Anthroposophische Gesellschaft« und die Vegetarierkolonie »Monte verità«. Die Neue Gemeinschaft wurde 1900 von Julius und Heinrich Hart in Berlin-Schlachtensee gegründet und war eine freiheitlich-autarke Siedlung bürgerlicher Aussteiger, die mit ihrem Monismus, ihrer Natur- und Sonnenanbetung, ihrem alternativen Lebensstil, also der Aufhebung aller unnatürlichen Zwänge im menschlichen Zusammenleben, der bürgerlichen Konkurrenz-, Konsum- und Renommiergesellschaft ein »natürliches« Dasein entgegensetzen wollte. Frei nach Gustav Landauer bekannte man sich hier zu dem Motto: »Durch Absonderung zur Gemeinschaft.«[97] Etwa zur gleichen Zeit gründete Rudolf Steiner die Anthroposophische Gesellschaft, die sich in Dornach niederließ. Unter Berufung auf Goethes Naturanschauungen, über die sich Steiner schon in Büchern wie *Grundlinien einer Erkenntnistheorie der Goetheschen Weltanschauung* (1886) und *Goethes Weltanschauung* (1897) ausgelassen hatte, bemühten sich die Mitglieder dieser Gesellschaft um eine Lebensweise, die von einer ganzheitlichen Naturauffassung ausging, in holistischer Sicht keinen Gegensatz zwischen Geist und Materie anerkannte und sich medidativ in die »Wesensgesetze der Natur« einzufühlen versuchte. Außerdem entwickelten die Anthroposophen die »biologisch-dynamische Landbauweise« und brachten ihre Erzeugnisse unter dem Namen »Demeter«-Produkte auf den Markt. Auch die Vegetarierkolonie »Monte Verità«, zu deren ersten Siedlern Karl Gräser, Ida Hofmann und Henri Oedenkoven gehörten, wurden um 1900 gegründet und bekannte sich zu Naturheilkunde, Kleiderreform und Nacktkultur, das heißt wollte – als konkrete Utopie – den im »Sumpf der großen Städte« lebenden Menschen ein Vorbild wahrer Naturnähe und Naturschonung sein. Vor allem Gräser und seine Freunde strebten eine enge Produktions- und Lebensgemeinschaft an. Als entschiedene »Naturmenschen« versuchten sie ohne Geld auszukommen, schliefen im Freien oder in sogenannten Lufthütten, aßen vornehmlich Obst, Gemüse und Körnerfrüchte und verzichteten auf alle »bürgerlichen« Besitztümer.

Auf einer anderen und doch ähnlichen Ebene lagen die Gesundungs- und Erneuerungskonzepte der Wandervögel und späteren Jugendbewegung, die sich ebenfalls um eine naturnahe, tierfreundliche und umweltschonende Haltung bemühten. Ihr erster Impuls war ein Protest gegen die bürgerliche Salonkultur des Karrieremachens, die mechanischen Lernzwänge der Schulen und den liberalen Amüsierbetrieb der großen Städte. Um diese zivilisatorische Entfremdung rückgängig zu machen, faßten sie eine Gesamtreform des Lebens ins Auge, bei der das Wandern nur eine vorbereitende und auflockernde Rolle spielen sollte. Die frühen Wandervögel wollten keine bürgerlichen Lebemänner oder Bohemiens, sondern geradgesinnte junge Menschen sein, die der großstädtischen Korruption entschieden den Rücken kehrten. Sie verließen daher die städtischen »Steinwüsten der Zivilisation« (»Aus grauer Städte Mauern zieh'n wir durch Wald und Feld«) und erwanderten sich die Natur, die »Heimat«, in welcher sie einen wahren Jungborn sahen. Statt der burschenschaftlichen Farben Schwarz-Rot-Gold wählten sie für ihre Mützen und Bänder die Farben Grün-Rot-Gold, um sich damit – wie Hans Paasche in seinem zivilisationskritischen Roman *Die Forschungsreise des Afrikaners Lukanga Mukara ins innerste Deutschland* (1912) – zu einer neuen Naturverbundenheit zu bekennen. Die Radikalen unter ihnen versuchten zeitweilig sogar, endgültig von der Stadt Abschied zu nehmen und aufs Land zu ziehen, wofür die Kommune Blankenburg bei Donauwörth wohl das bekannteste Beispiel ist.

Im Gegensatz zu den Monisten, Sozialdemokraten und Heimatschützern wurden von der Lebensreformbewegung – neben einer Fülle hochfliegender Proklamationen – wenigstens probeweise einige Versuche unternommen, der fortschreitenden Naturzerstörung mit praxisbezogenen Koloniebildungen entgegenzutreten. Doch fast alle diese Siedlungen und Kommunen lösten sich nach kurzer Zeit wieder auf. Schließlich war ein wohlmeinender Liberalismus, der keine höheren Bindungsprinzipien kennt, keine ernsthafte Grundlage für eine nur auf solidarischen Konzepten aufzubauende Gemeinschaftsform. In solchen Kolonien siegte daher schnell das Private oder Anarchische über das Kollektive, was zu ihrem Zerfall führen mußte.

Aus diesem Grunde erwiesen sich auch die lebensreformerischen Utopien, so subjektiv ehrlich sie im einzelnen gemeint waren, als nicht stark genug, die jeweiligen Bünde oder Vereine dieser Bewegung dauerhaft zu stabilisieren. Dafür spricht bereits die Schrift *Ideen zur sozialen Reform* (1872) von Eduard Baltzer, in der zu Anfang viel von einem neuen Respekt vor der Erde die Rede ist, in dem sich ein verstärkter »Gemeinschaftsgeist« manifestiere. Unter dem Motto »Die Erde gehört allen« wendet sich Baltzer hier vehement gegen den herrschenden Privatbesitz an Grund und Boden und fordert eine Verstaatlichung aller Wälder und landwirtschaftlich genutzter Flächen, um so an die Stelle des bisherigen »Bodenraubs« eine sinnvolle, naturschonende »Bodenarbeit« zu setzen. Dann wird jedoch der gesamte utopische Elan auf das Prinzip des Vegetarismus verkürzt. Und selbst die darin zum Ausdruck kommende »Solidarität« mit den Tieren beruht nicht auf einem ethischen Prinzip, sondern auf der Befürchtung, daß zuviel Fleisch für den Menschen »schädlich« sein könne.[98]

Ähnliches gilt für die Utopien *Wie schafft man bessere Zeiten?* (1882) und *Der Zukunftsstaat. Staatseinrichtung im Jahr 2000* (1904) von F. E. Bilz. Auch Bilz sah den Hauptgrund der »naturwidrigen Verhältnisse«, durch die alle Menschen zu »eigennützigen«, nur an Profit und Prestige denkenden »Interessenmenschen« geworden seien, in der Verkehrtheit des kapitalistischen Wirtschaftssystems und seines dreckigen Industriewesens, setzte jedoch seine Hoffnungen ausschließlich auf die Segnungen des von ihm propagierten Naturheilverfahrens, also den Aufenthalt in sauberer Luft, das Tragen nicht beengender Reformkleidung, Alkohol- und Nikotinverzicht sowie einer neuen Tierliebe. Statt wie bisher falschen, unnatürlichen Genüssen nachzujagen, solle sich der Mensch in Zukunft an der Natur erfreuen und »ungeschäftiger« werden. Dazu werde es allerdings nötig sein, den Grundbesitz zu verstaatlichen und für eine saubere, durch Wasserkraft erzeugte Elektrizität zu sorgen, um nicht mehr von Energiequellen wie »Holz, Kohle, Gas und Petroleum« abhängig zu sein.[99] Erst dann könne sich eine friedliche Weltzivilisation, ein »Paradies für uns Menschen«, entwickeln, dessen Bewohnern die »Krebsschäden« der heutigen Gesellschaft – Besitzerstolz, Konkurrenzneid, Drogensucht und die Lust an Tierexperimenten – völlig unbekannt seien.[100]

Nicht weniger anthropozentrisch sind auch andere Utopien aus diesem Umkreis. So schildert August Wick in seinem Roman *Ein neues Eden* (1904), wie ein Gemälde mit dem Titel *Ein neues Paradies*, auf dem die »neuen Menschen«, die sogenannten »Freien«, in göttlicher Nacktheit inmitten einer tropischen Vegetation lustwandeln, viele Menschen dazu bewegt, sich in lebensreformerische Einsiedeleien zurückzuziehen, um die sie hohe Mauern bauen, damit sie in den Augen der anderen nicht als »verrückt« gelten. In Hans Hardts Roman *Im Zukunftsstaat* (1905) gerät ein junger Deutscher in Italien in eine genossenschaftlich lebende Kolonie naturverbundener Menschen, den »Ceres-Bund«, der nicht nur Alkohol, Tabak und scharfe Gewürze, sondern auch den Fleischgenuß ablehnt und sein Leben in »Licht und Luft«, in Schönheitsliebe und antikischer Nacktheit verbringt. Noch utopischer wirken die Verhältnisse in dem Roman *Das irdische Paradies. Ein Märchen aus dem 27. Jahrhundert* (1903) von C. von Mereschkowsky. Hier ist die Erdbevölkerung – durch »kluge Zuchtwahl« – auf zwei Millionen Menschen zusammengeschrumpft, die fast alle Fabriken abgeschafft haben, da sie die Fortschritte der Technik und Wissenschaft als »verabscheuungswürdig« empfinden und sich dafür lieber – in bewußter »Vereinfachung« ihrer Bedürfnisse – jenen »Freuden« überlassen, welche die Natur ihnen bietet.[101]

Wesentlich ökologieorientierter, ja fast wie ein Traktat der vegetarisch-orientierten Naturheilkunde liest sich dagegen das Buch *Selbsthilfe. Ein Roman der Sparsamkeit und Lebenskunst. Realsozialistisches Zukunftsbild*« (1894) von Leopold Heller. In seinem Zentrum steht der Sozialverein »Eintracht«, der sich gegen die materialistische Genußsucht, das heißt die herrschende Luxus-, Alkohol- und Geldgier wendet und dafür Tugenden wie Arbeitsamkeit, Bedürfnislosigkeit und Tierliebe predigt. Er empfiehlt seinen Mitgliedern vor allem einfache Nahrungsmittel wie Körner, Hülsenfrüchte, Haferbrei, Graham-Suppe, Schroth-Brot, Malzkaffee und Gemüse, statt sich durch Fleischnahrung an der Natur zu versündigen. Um diese Parolen in die Praxis umzusetzen, gründen seine Mitglieder am Ende des Romans die Kolonie »Sonnenhof«, wo sie in Obstbaumanpflanzungen arbeiten und von »Sonne, Luft, Licht, Bewegung, gutem Wasser und kräftiger, reiner Nahrung« leben.[102]

Martin Atlas schildert dagegen in seinem Roman *Die Befreiung* (1912) mit ähnlicher Tendenz ein wesentlich größeres Staatsgebilde. In ihm wird der »Frieden mit der Natur« dadurch erreicht, daß man eine strikte Geburtenkontrolle einführt, als Energiequelle lediglich die Sonnenwärme und den Erdmagnetismus nutzt und nur künstlich hergestellte Nahrungsmittel zu sich nimmt, um die Natur nicht durch Landwirtschaft zu vergewaltigen. Aus diesem Grunde können die Mitglieder dieser »Freien Gemeinschaft« ohne weiteres die häßlichen, dreckigen Großstädte verlassen und in großen »Parkanlagen« oder »blühenden Wäldern« wohnen, wo sie im Umgang mit der Natur zu ihrer eigenen Natürlichkeit zurückfinden. Diese Gesellschaft entschließt sich, sogar bisher als weniger schön geltende Landstriche, also

Wüsten und andere Ödländer, mit einer neuen »Humusschicht« zu überziehen, auf der zunächst Gras und kleinere Sträucher wachsen, bis später ausgedehnte Wälder entstehen und aus der ganzen Erde wieder ein einziger großer »Garten« wird, in dem sich niemand mehr an die frühere Industriezivilisation mit all ihren Widrigkeiten und ihrem rasanten Vernichtungsdrang erinnert.[103]

Ihren Höhepunkt erreichten diese utopischen Sehnsüchte nach einer allgemeinen Lebensreform in den Jahren kurz vor dem Ersten Weltkrieg, als die Industrialisierung im Zuge einer langanhaltenden Hochkonjunktur immer hektischer wurde und Deutschland schließlich 1913 den zweiten Platz in der Weltrangliste der Industrienationen einnahm. Da die Liberalen diese Entwicklung lebhaft begrüßten und die Sozialdemokraten, vor allem nach dem Tode Bebels, immer geringeren Widerstand leisteten, waren es vornehmlich die Heimatschützer, Wandervögel und Lebensreformer, die sich gegen diesen Prozeß zur Wehr setzten. Welche Erbitterung in manchen dieser Gruppen über den verblendeten »Fortschritts«-Kult herrschte, belegt wohl am besten die Schrift, die Ludwig Klages 1913 unter dem Titel *Mensch und Erde* zur Festschrift des Ersten Freideutschen Jugendtags auf dem Hohen Meißner beisteuerte. Voller Empörung über die zunehmende Zerstörung aller natürlichen Lebensbedingungen schrieb er hier: »Zerrissen ist der Zusammenhang zwischen Mensch und Erde, vernichtet für Jahrhunderte, wenn nicht für immer, das Urlied der Landschaft. Dieselben Schienenstränge, Telegraphendrähte, Starkstromleitungen durchschneiden in roher Geradlinigkeit Wald- und Bergprofile, sei es hier, sei es in Indien, Ägypten, Australien, Amerika; bei uns wie anderswo werden die Gefilde ›verkoppelt‹, das heißt in rechteckige und quadratische Stücke zerschnitten, Gräben zugeschüttet, blühende Hecken rasiert, schilfumstandene Weiher ausgetrocknet; die blühende Wildnis der Forsten von ehedem hat ungemischten Beständen zu weichen; aus den Flußläufen, welche einst in labyrinthischen Krümmungen zwischen üppigen Hängen glitten, macht man schnurgerade Kanäle; Wälder von Schloten steigen an ihren Ufern empor, und die giftigen Abwässer der Fabriken verjauchen das lautere Naß der Erde – kurz, das Antlitz der Festländer verwandelt sich allgemach in ein mit Landwirtschaft durchsetztes Chicago!«

Und als ob dies nicht anklagend genug wäre, erklärte Klages im Hinblick auf die von fast allen Naturfreunden abgelehnte Industrialisierung: »Unter den Vorwänden von ›Nutzen‹, ›wirtschaftlicher Entwicklung‹, ›Kultur‹ geht es heute in Wahrheit auf *Vernichtung des Lebens* aus. Er, der ›Fortschritt‹, trifft es in allen seinen Erscheinungsformen, rodet Wälder, streicht die Tiergeschlechter, löscht die ursprünglichen Völker aus, überklebt und verunstaltet mit dem Firnis der Gewerblichkeit die Landschaft und entwürdigt, was er von Lebewesen noch übrigläßt, gleich dem ›Schlachtvieh‹ zur bloßen Ware, zum vogelfreien Gegenstande eines schrankenlosen Beutehungers. In seinem Dienste aber steht die gesamte Technik und in deren wiederum die weitaus größte Domäne der Wissenschaft.« Die Folgerungen, die Klages daraus zog, grenzten eindeutig ans Dystopische: »So hatten wir denn beisammen die Früchte des ›Fortschritts‹! Wie ein fressendes Feuer fegte er über die Erde hin, und wo er die Stätte einmal gründlich kahl gebrannt, da gedeiht nichts mehr, solange es noch Menschen gibt! Vertilgte Tier- und Pflanzenarten erneuern sich nicht, die heimatliche Herzenswärme der Menschheit ist ausgetrunken, verschüttet der innere Born, der Liederblüten und heilige Feste nährte, und es bleibt ein mürrisch-kalter Alltag, mit dem falschen Flitter lärmender ›Vergnügungen‹ angetan.«[104]

Von der Jahrhundertwende bis zum Ende der »Wirtschaftswunder«-Ära

Die Natur-Utopien des Expressionismus

Im Zuge der immer stärkeren Industrialisierung, die nicht nur zu einer ungeahnten Verstädterung, sondern auch zu einem imperialistischen Machtrausch innerhalb der wilhelminischen Führungsspitzen führte, mußte es unter der jungen Intelligenz dieses Reichs zwangsläufig zu starken Spannungen zwischen einem steigenden Selbstbewußtsein und einem Ekel vor dem kruden Materialismus dieses »Aufschwungs« kommen. Einerseits wurden die Vertreter dieser Schicht von der Rasanz der Entwicklung, der überwältigenden Dynamik der Großstädte und technischen Errungenschaften einfach mitgerissen, andererseits versuchten sie der allgemeinen Verflachung ins Materialistische, Militaristische und Imperialistische mit einer intensivierten Innerlichkeit oder neuen Natürlichkeit entgegenzutreten, die in einem krassen Widerspruch zu allem Technischen stehen. Beide Tendenzen nannte man damals expressionistisch.

Da, wo sich Anhänger dieser Richtung lediglich dem sogenannten Zeitgeist anpaßten, tendierten sie – wie die italienischen Futuristen, französischen Kubisten oder russischen Konstruktivisten – weitgehend zu einem eindimensionalen Technik- und Großstadtkult. »Wir Heutigen, Zeitgenossen der Ingenieure«, schrieb Ludwig Meidner 1914 in seiner *Anleitung zum Malen von Großstadtbildern*, lieben vor allem »die Schönheit der geraden Linien, der geometrischen Formen« und begeistern uns für die »brüllende Koloristik der Autobusse und Schnellzuglokomotiven«.[1] Ebenso betont modernistisch erklärte Kurt Hiller: »Das Paradies ist nicht arkadisch; vielmehr zeigt es die fabelhafteste Zivilisation – mit Industrie und Technik, Schule, Verkehr, allem.«[2] Und so wie Meidner und Hiller empfanden zwischen 1910 und 1914 viele junge Expressionisten, die als ästhetenhafte Frondeure gegen den wilhelminischen Klassizimus auftraten, ohne zu sehen, daß dieser Wilhelminismus – in der Allianz der Hohenzollern mit den Krupps – längst in die Phase der technischen Modernisierung eingetreten war.

Als jedoch der Erste Weltkrieg, den anfangs viele Vertreter dieser Bewegung als einen Aufbruch ins intensivierte Leben begrüßt hatten, in den Jahren 1915/16 zusehends stagnierte und den Charakter mörderischer Materialschlachten annahm, trat an die Stelle des anfänglichen Technikkults innerhalb des Expressionismus zusehends das Konzept einer »Menschheitsdämmerung«, das auf der Dialektik von Niedergang und Neugeburt beruht und teilweise deutlich apokalyptische Züge trägt. Wo bisher ein linearer Fortschrittskult geherrscht hatte, verbreitete sich nun die Hoffnung auf eine Totalkatastrophe, bei der sich das Neue nicht aus der Weiterbildung, sondern aus dem Zusammenbruch des Alten und des hinter ihm stehenden technisch-kapitalistischen Systems ergeben würde. So schilderte Theodor Heinrich Meyer in der Geschichte *Die Erde brennt*, die 1915 in seinem Novellenband *Von Menschen und Maschinen* erschien, wie ein deutscher Großkonzern mit gewaltigen Bohrtürmen die Erdölvorkommen in Peru ausbeutet, ohne dabei – aus Gründen der Profitsteigerung – im geringsten Rücksicht auf die natürliche Umwelt dieser Region zu nehmen. Lediglich ein junger Geologe erkennt den Wahnsinn dieses Unternehmens und erklärt: »Ich erblicke das Heil der Menschheit nicht im Fortschritt, nicht in der fortwährenden Vervollkommnung aller Lebenserscheinungen, sondern in der Zerstörung, in der Rückkehr zum Urzustand.« Er nennt sich daher voller Stolz einen »Destrukteur« und hofft auf ein allesvernichtendes Feuer, das dann auch ausbricht.[3] Ähnliche Vorgänge spielen sich in der *Gas-Trilogie* (1917–1920) von Georg Kaiser ab, in der die immer bedrohlichere Industrialisierung – trotz mahnender Stimmen, wieder »Siedler auf grünem Grund« zu werden – auf eine Explosion zusteuert und schließlich in den Prozeß der »Selbstvernichtung« mündet.[4]

Aber nicht nur die Entwicklung der Technik, auch der ihr zugrunde liegende Fortschrittsglaube wurde zu diesem Zeitpunkt – parallel zu Oswald Spenglers *Untergang des Abendlandes* (1918–1922) – von einigen Expressionisten als Hybris angeprangert, die zur Katastrophe führen müsse. So schildert ein Roman wie *Balthasar Tipho* (1919) von Hans Flesch, wie ein vom Technikwahn besessenes Menschengeschlecht alles Leben auf Erden auslöscht. Der gleiche Tenor bestimmt die Dystopie *Der letzte Mensch* (1921) von Max Picard, die nachzuweisen versucht, daß der Untergang der Menschheit weitgehend auf die Ausbreitung der Großstädte und des Maschinenwesens zurückgehe. Wohin man sehe, heißt es hier, herrsche Zerfall. Ein Lebensbereich nach dem anderen – erst die Bäume, dann die Tiere und schließlich die Menschen – werde Opfer der »Verkrebsung«, da man alles ins Artifiziell-Unnatürliche depraviert und zerstückelt habe.[5] Statt Pflanzen, Tieren und Menschen werde es daher eines Tages nur noch abgestorbene Ödflächen geben. Mit der gleichen apokalyptischen Radikalität stellte Alfred Döblin in seinem Roman *Berge, Meere und Giganten* (1924) den Untergang der Menschheit durch eine allesvernichtende Maschinenherrschaft dar. Hier kommt es zwar zu einem kurzlebigen Aufstand der Siedler gegen die Maschinenmenschen, aber letztlich scheint auch in diesem Werk der allgemeine Untergang nicht aufhaltbar zu sein.

Solchen dystopischen Bildern einer durch Großstadt und Technik herbeigeführten Destruktion setzten die Expressionisten zum Teil ebenso übersteigerte Bilder, Träume und Visionen neuer Natur-Utopien entgegen, mit denen sie sich trotz defätistischer Anwandlungen Mut zu machen versuchten. Selbst in ihren dunkelsten Werken finden sich deshalb stürmische Durchbrüche ins Naturhafte, Paradiesische, Tropische, Exotische, Archaische und damit im weitesten Sinne »Grüne«, die eine durchgreifende Verwilderung des Menschen vorwegnehmen sollen. Nur von einer radikalen Kehrtwendung versprachen sich die Expressionisten die leidenschaftlich ersehnte Möglichkeit, wieder »Mensch«, wieder »wesentlich« zu werden. »Entreinigt euch der winterlichen Städte!« rief Johannes R. Becher seinen Lesern zu.[6] »Hier ist der Eingang zum Grenzenlosen«, heißt es bei Paul Zech im Hinblick auf unbetretene Wälder und Wiesen.[7] »Natur, nur das ist Freiheit, Weltalliebe ohne Ende«, jubelte Theodor Däubler.[8] Ja, manche Dichter steigerten sich bei solchen Proklamationen gegen die mörderischen Konsequenzen der herrschenden Gesellschaftsordnung bis ins Antizivilisatorische und ließen nichts gelten, was der unverfälschten Natur zuwider lief.

Viele Expressionisten träumten also von einem Zurück zum Glück des Primitiven, zum »Ur« schlechthin. Afrikanisches und Südseehaftes standen deshalb wegen ihrer angeblichen Wildheit und Ungebrochenheit in dieser Literatur hoch im Kurs. In Reinhard Goerings *Seeschlacht* (1917) ist es die Reizvokabel »Samoa«, die seine Matrosen bis zur Raserei treibt. Wilhelm Ständer, der Held in Carl Sternheims *Tabula rasa* (1916), bricht am Schluß nach China und in die Südsee auf, um endlich »wahrem Menschentum« zu begegnen. Wenn also die Expressionisten überhaupt eine Zielvorstellung entwickelten, um ihren revolutionären Rausch etwas klarer zu umreißen, dann war es die Hoffnung auf ein neues Friedensreich in utopisch-exotischer Umgebung, in dem sich alle Menschen – wie die Edlen Wilden – wieder ihren natürlichen und daher guten Instinkten überlassen können.

Ein bezeichnendes Beispiel für solche Aufbrüche in eine ideologisch noch unbewältigte und ungewisse Zukunft ist Friedrich Wolfs Drama *Der Unbedingte* (1919), dessen Held – in seinem Kampf gegen habgierige Bodenspekulanten und herzlose Ingenieure – den um ihn versammelten Proletariern ein neues »Natur«- und »Erd«-Gefühl zu vermitteln versucht. Als ihn daraufhin die Würdenträger der bürgerlichen Gesellschaft mit Hohn überschütten und auf die Segnungen der Technik verweisen, schreit Wolfs Protagonist nur um so fanatischer: »Die Zerstückelungsmaschine! Sie hat die Zeitgenossen zerlegt, zerstückelt... Verhältnisse, Beziehungen... doch wo der Mensch? Bildungsinstitute... doch wo Anbetung? Thermoelektromassagekabinette... wo Erdbodenfühlung? Hygiene in den Fabriken... wo Freude an der Arbeit? Brüder, sprengt die Särge, in die ihr euch selbst gesenkt!« Anschließend schlägt er den Arbeitern vor, in »Erdhöhlen« zu ziehen, um wieder als urweltliche Naturwesen zu leben. »Seht, die Erde ist euer einziges Gut«, erklärt er ihnen, »das man nicht fälschen noch knechten kann. Ihr könnt Berlin asphaltieren, daß kein Grashalm mehr wächst... doch über dem Potsdamer Platz – was sind tausend Jahre – werden wieder Stiere äsen! Ihr könnt den Zeitgenossen in Glashallen und auf Stahlplatten züchten... doch plötzlich erwacht die Erinnerung an Land... Wiese... Kindheit.«[9]

Während Friedrich Wolf in diesem Drama den utopischen Traum von einem neuen Naturzustand der Menschheit wenigstens ansatzweise mit dem Schicksal der proletarischen Masse zu verbinden suchte, gebrauchten andere Expressionisten meist nur Reizworte wie »Natur« oder »Jugend«, um diesem Aufbruch ins Paradies die nötige Verve zu geben. Bei diesen Autoren ist zuweilen nicht klar ersichtlich, ob es ihnen in ihrer vehementen Ablehnung der Industrie und ihrer ebenso vehementen Sehnsucht nach einer Rückkehr zum »Ur« tatsächlich um eine größere Naturnähe oder nur um eine größere Ungebundenheit ging. Schließlich ist auch der Expressionismus, trotz des metaphorisch Naturhaften, Exotischen, Wilden, das auf außerbürgerliche Bereiche hinweist, immer noch vom bürgerlichen Liberalismus geprägt, der auch in der Natur lediglich einen Spielraum der eigenen Persönlichkeitsentfaltung sieht. Viele naturutopische Züge, die den expressionistischen Werken eine gesteigerte Leuchtkraft verleihen, sind daher nur Ausdruck von aus dem Bohemienhaften ins Expressive radikalisierten Auslebebedürfnissen, welche zwar die Welt der Technik nachdrücklich ablehnen, aber auf die Natur, die als Gegenbild fungiert, nicht eben viel Rücksicht nehmen.

Von einzelnen ethisch gesinnten Idealisten wie Leonhard Nelson einmal abgesehen, der sich als Sozialist und Vegetarier in aller Entschiedenheit für das Recht der Tiere einsetzte, findet sich deshalb in der expressionistischen Literatur, so naturnah sie sich teilweise gibt, nur weniges, das einer spezifisch ökologischen, umweltschonenden Gesinnung entspringt. Manche Expressionisten, wie die Mitglieder der »Brücke«, holten sich zwar grellbunte Exotika in ihre Ateliers und badeten nackt in den Moritzburger Seen, setzten aber selbst solche Akte nur zur Ichsteigerung oder Stimulierung ihrer Kunst ein, anstatt sie – wie die Monisten, Heimatschützer und Lebensreformer – auch zum Anlaß weiterreichender Reflexionen über den bedrohten Zustand der Natur oder deren Rettung zu machen.

Technikkult und Siedlungsutopismus in der Weimarer Republik

Auch in den zwanziger Jahren blieb das ökologische Denken relativ marginal. Nach einer kurzen politisch turbulenten Phase, die von linken und rechten Putschversuchen gekennzeichnet ist, kam es im Zuge der Währungsreform, der ersten US-amerikanischen Kredite und der Einführung der tayloristischen Rationalisierungsmethoden nach 1923 zu einer immer schnelleren Produktionssteigerung der deutschen Wirtschaft, durch welche die Weimarer Republik im Jahr 1929 abermals den zweiten Platz in der Rangliste der führenden Industrienationen hinter den USA einnehmen konnte. Diese Entwicklung führte – nach einer Phase expressionistischer, novembristischer und dadaistischer Protestaktionen – auch ideologisch und kulturell zu einer sich liberal gebenden Fortschritts- und Prosperitätsgesinnung, die von allen Parteien, die in diesen Jahren die Regierungskoalitionen stellten, lebhaft begrüßt wurde.

Innerhalb dieser Weltanschauung wich die Besorgtheit um die Natur, die kurz vor dem Ersten Weltkrieg eine wichtige, wenn auch nicht zentrale Rolle gespielt hatte, einem steigenden Vertrauen in die Segnungen einer »sauberen«, auf Elektrizität beruhenden Industrialisierung. Der technische Fortschritt, die Entstehung der Angestelltenklasse und das sich vergrößernde Warenangebot bestärkte die Mehrheit der Bevölkerung in dem Gefühl, den sichersten Weg zu einem ständig wachsenden Wohlstand eingeschlagen zu haben. Nicht nur im konservativen, auch im linken Lager gab es kaum Gegenstimmen zu dieser Entwicklung. Schließlich hatte sogar Lenin die tayloristischen Produktionsmethoden als fortschrittlich bezeichnet. Stalin, der 1928 mit dem ersten Fünfjahresplan eine gewaltige industrielle Produktionssteigerung in der Sowjetunion in Gang setzte, die sich zum Teil auf die Mitwirkung US-amerikanischer und deutscher Ingenieure stützte, folgte ihm auf diesem Wege.

Die utopische Literatur der Weimarer Republik steuerte zu dieser Fortschrittsideologie zwei Romantypen bei: kurz nach dem Ersten Weltkrieg die eher konservativ als liberal gesinnten Wunderwaffenromane, in denen die deutsche Heeresführung die »Schmach von Versailles« mit Hilfe mysteriöser Strahlenkanonen oder Weltraumschiffe rückgängig zu machen versucht, sowie Mitte der Zwanziger Jahre die auf futorologisch-optimistischen Prämissen beruhenden Science-Fiction-Romane mit ihrer vom Amerikanismus beeinflußten Technikgläubigkeit à la Hans Dominik. In diesen Romanen stehen fast immer geniale Erfinder oder Ingenieure im Mittelpunkt, die den Deutschen, der weißen Rasse oder der gesamten Weltbevölkerung zu größerer Prosperität verhelfen. Für die Natur bleibt hier nicht viel Raum übrig. Dasselbe gilt für viele der sozialistischen Fortschrittsutopien dieser Jahre. So schilderte Werner Illig 1930 in seinem Roman *Utopolis*, wie die vereinigte Arbeiterschaft alle bisherigen Kapitaleigner entmachtet und das von ihnen aufgebaute Industriesystem, dieses »Nervensystem des Gemeinschaftskörpers«, übernimmt und durch die Einführung »sauberer« Elektrizität in eine Welt »ohne Ruß und Schlacke« verwandelt. Schauplatz des Geschehens ist eine mit »metallenen« Wolkenkratzern durchsetzte Großstadt, die einen Durchmesser von über 100 Kilometern hat. Sogar die Probleme der Landwirtschaft sind in dieser Utopie technologisch gelöst worden. »Unter dem Einfluß von elektrischen Kurzwellenstrahlern«, heißt es, »die sich über die Äcker verteilten, und künstlichem Regen, den man durch elektrisches Strahlungsverfahren aus der Luft zog, so oft man ihn brauchte, erzielte man zwei- und dreifache Ernten. Hier wie überall verrichtete den Kulidienst die Maschine.«[10]

Die Zahl derer, die sich in der Weimarer Republik blindlings oder mit vollem Bewußtsein dem herrschenden Technikkult anschlossen, ist Legion. Um so kleiner ist dagegen die Zahl derer, die zwischen 1919 und 1933 Bedenken gegen die maßlose Beschleunigung der industriellen Produktion anmeldeten – oder ihr gar unter Protest den Rücken kehrten und sich zu Landkommunen zusammenschlossen. Zu Beginn der zwanziger Jahre taten dies vor allem jene Anarcho-Sozialisten, die sich bei ihren Kolonie- oder Siedlungskonzepten entweder auf Kropotkin, Tolstoi und Landauer, also auf ethische Liebesangebote im Sinne einer wechselseitigen Hilfeleistung oder spezifisch lebensreformerische Vorstellungen beriefen, die auch Vegetarismus und Nudismus einschlossen. Dafür sprechen unter anderem die von

Hans Koch gegründete Kommune des deutschen Wandervogels in Blankenburg bei Donauwörth, die von Heinrich Vogeler in Worpswede ins Leben gerufene Barkenhoff-Kommune, die von Hugo Hertwig geleitete Kommune »Lindenhof« bei Itzehoe, die Siedlung »Sannerz« von Eberhard Arnold sowie die Kolonie »Freie Erde« bei Düsseldorf, die alle zwischen 1918 und 1921 entstanden. In diesen freien ländlichen Kommunen versuchte man auf genossenschaftlicher Basis zu leben, indem man Gemüse und Obst anbaute und zugleich einige Tiere hielt. Auf diese Weise wollten die Kommunarden den durch die Industrialisierung korrumpierten Großstädtern beweisen, daß das Heil der Zukunft allein auf einer Wiederversöhnung mit der Natur beruhe. In der »Wüste des Kapitalismus« sollten diese Kommunen, wie schon die Monte Verità-Siedlung bei Ascona, »Oasen« eines regenerierten Lebens sein, wobei sie ihre Rückkehr zur Scholle – im Sinne sozialistischer Parolen – durchaus revolutionär verstanden.[11]

Das kam besonders deutlich bei dem Treffen revolutionärer Siedler zum Ausdruck, das Vogeler 1921 auf dem Barkenhoff abhielt und bei dem Paul Robien eine überparteiliche »Sozialistische Siedlungs-Aktionsgemeinschaft« gegen die erdrückende Dominanz der industrialisierten Großstädte forderte. Zu ähnlichen Zielen bekannte sich Leberecht Migge, der bereits 1919 in seiner Schrift *Das grüne Manifest* für die »Expropriation der Städte« und die Errichtung eines »grünen Lands der Jugend, der Gesundheit und des Glücks«, das heißt ein landwirtschaftliches Selbstversorgungssystem auf der Basis eines intensivierten Gartenbaus, eingetreten war.[12] Während Migge für diese Zwecke in seiner eigenen Gartensiedlung »Sonnenhof« auf einige technische Errungenschaften – wie etwa große Treibhäuser – keineswegs verzichtete, lehnte Robien jeden Kompromiß mit der bestehenden Technik ab und setzte sich im Sinne der Parole »Brot! Sonne! Luft!« für eine sozialistische Instandbesetzung der großen Landgüter ein.

Doch alle diese Siedlungsprojekte scheiterten. Weder die Gewerkschaften noch die Sozialdemokraten oder Kommunisten waren für solche Ideen zu gewinnen. Daher blieb schließlich Paul Robien auf seiten der Naturrevolutionäre, Ökosozialisten und Landanarchisten als einer der wenigen übrig, die auch nach 1923 weiterhin energisch gegen die Trockenlegung der Sümpfe, die Ölverseuchung der Meere, die Vergiftung der Wälder und die Urbarmachung sogenannter Ödländer protestierte. Hierbei wandte er sich ebenso scharf gegen rechts wie gegen links. Den Großindustriellen warf er vor, durch die ungehemmte Produktionssteigerung dem Kapitalismus einen Zug des

»Verbrecherischen« gegeben zu haben, während er die Kommunisten bezichtigte, selbst in Rußland das »naturfeindliche System« der westlichen Industrialisierung eingeführt zu haben, statt sich an die Lehren des Kropotkinschen Landanarchismus zu halten.[13] »Wir sehen nicht ein«, schrieb er 1923 in dem Blatt *Der freie Arbeiter*, »daß die Erdoberfläche in ein Feld von Kunstbeeten, in einen Wald von Schloten und Windrädern verwandelt werden soll, in dem nur noch tausendfach gespaltene, künstliche Menschen statt der vielen edlen Tierformen leben sollen, mit denen der Mensch zusammen ein Ganzes bildet.«[14]

Die einzige Gruppe, die in diesen Jahren Robiens sozialistisch-revolutionäre Naturschutzideen teilte, war der Kölner »Volksland-Bund«, der sich als natursozialistischer »Erdbund für föderative Neu-Kultur« verstand.[15] Aber auch er stieß in der Wohlstandsphase der Weimarer Republik nach 1923, als Wachstumseuphorie- und Technikbegeisterung dominierten, weitgehend auf Unverständnis. Ähnlich erging es der späteren »Ghandi-Bewegung«, deren Anhänger als anarchistische Maschinenstürmer mit Spaten und Webstuhl gegen das überhandnehmende Industriewesen vorzugehen versuchten, von der überwältigenden Mehrheit der Bevölkerung jedoch als spinnerte Vagabunden oder Landstreicher ausgelacht wurden.

Von den Utopien dieser Richtung verdient lediglich Heinrich Ströbels Roman *Die erste Milliarde der zweiten Billion. Die Geschichte der Zukunft* (1919) Beachtung. Er stellt dar, wie der nach dem Ersten Weltkrieg gegründete »Bund Neue Menschheit« alle zivilisierten Länder in sozialbetonte Demokratien umstrukturiert. Dabei stützt er sich auf einen allgemeinen Bewußtseinswandel, der auch sozialistische Vorstellungen – wie eine »möglichst gleichmäßige Verteilung der großen Industrien über das ganze Land« und damit eine »Aufhebung der Scheidung in Stadt und Land« – in seine Reformen einzubeziehen sucht. Aufgrund dieser Veränderungen entsteht eine Park-und Gartenlandschaft, in der Arbeiter und Handwerker in friedlicher Harmonie mit Bauern und Gärtnern leben. Durch eine immer intensivere »Verschmelzung von Industrie und Landwirtschaft«, durch die an die Stelle der bisherigen Großstädte weitausgedehnte Streusiedlungen treten, hofft der »Bund«, sowohl die bisherige Konkurrenz der großen Industriestaaten untereinander als auch die Gefahr neuer Weltkriege ein für allemal zu bannen. In dieser Weltzivilisation bekennen sich alle Menschen zu einem Genossenschaftsgeist, der nicht nur auf dem Ideal der Freiheit, sondern ebensosehr auf den Idealen der Gleichheit und Brüderlichkeit beruht. Besonderer Nachdruck liegt auf der Brüderlichkeit mit der bisher lediglich ausgenutzten und ausgebeuteten Natur. So fordert der »Bund Neue Menschheit« neben dem Schutz der älteren »Naturdenkmäler«, für den sich bereits »Bölsche und Löns« eingesetzt hätten, zugleich den Schutz der Tiere, denen noch immer keine »Seele« zugebilligt werde und die deshalb weiterhin der Brutalität der Vivisektion, der Jagd und des Schlachtens ausgesetzt seien. Demzufolge strich Ströbel den Vegetarismus als eins der vordringlichsten »humanitären Ideale« heraus.[16]

Doch nicht nur vereinzelte Linke, sondern auch konservativ-monarchistisch, alldeutsch oder protofaschistisch gesinnte Gruppen wandten sich in den ersten Jahren der Weimarer Republik entschieden gegen die immer hektischer angekurbelte Industrialisierung, in der diese Gruppen etwas Undeutsches, Westliches und Amerikanisches sahen, dem sie mit hochideologisierten Konzepten des Deutsch-Bäuerlichen oder Deutsch-Naturbetonten entgegenzutreten suchten. Hierbei stützten sie sich unter anderem auf einen »Verbauerungs«-Theoretiker wie Julius Langbehn, der in seinem Manifest *Rembrandt als Erzieher* (1890) – mit massiven antikapitalistischen Ausfällen gegen »Börsentreiberei« und »Fabrikarbeit« – die These aufgestellt hatte, daß alles Große des Deutschtums aus dem »Bäuerlichen« stamme,[17] sowie einen ariosophischen Rassefanatiker wie Willibald Hentschel, der in seinem Buch *Varuna. Eine Welt- und Geschichtsbetrachtung vom Standpunkt des Ariers* (1901) von dem Argument ausgegangen war, daß der Kapitalismus ein beklagenswertes Produkt des »römischen Rechts« sei, das die deutschen Bauern von ihren angestammten Heimstätten vertreibe und dafür den »Semiten die Pforten der Herrschaft« eröffne.[18] An solche Vorstellungen knüpften zu Anfang der Weimarer Republik vor allem rassistisch-alldeutsche Bauernutopien wie *Das arische Manifest* (1922) von Ernest Klee, *Der Erlöser-Kaiser* (1923) von Adolf Reinecke und *Fernstenliebe* (1923) von Kurt Gerlach an.

Ähnliche Utopieentwürfe, in denen entweder der Gedanke der bäuerlichen Neuansiedlung oder der rassischen Neuzüchtung der »nordisch« gebliebenen Teile der deutschen Bevölkerung im Vordergrund steht, erschienen in der zweiten Hälfte der zwanziger Jahre. Bei den bäuerlichen Siedlungsromanen lassen sich dabei folgende Tendenzen beobachten. Wie schon die Heimat- und Bauernromane um 1900 wandten sich diese Werke gegen die zunehmende Verstädterung, durch die Deutschland immer stärker von seiner ursprünglichen Wesensart entfremdet werde und den durch die Führungsschichten der Weimarer Republik beschleunigten Tendenzen ins Technische, Industrielle, Kommerzielle und Amerikanisierte zum Opfer falle. In ihnen wurde demnach der zunehmenden »Landflucht« nochmals die These vom »Volkstod in den großen Städten« entgegengesetzt und eine konsequente Rücksiedlung aufs Land propagiert. Das zeigt beispielsweise ein Roman wie *Volk ohne Raum* (1926) von Hans Grimm, der selbst in diesen Jahren die Hoffnung nicht aufgab, daß die Deutschen eines Tages wieder als Siedler nach »Südwest« zurückkehren könnten, sowie ein Zukunftsroman wie Heinrich Mantels *Die sieben Töchter des Herrn von Malow* (1931), in dem – unter ebenso nationalistischer Perspektive – zu einer bäuerlichen Besiedlung der von den Slawen »unterwanderten« Ostgebiete aufgerufen wird.

In der Praxis entsprachen diesen Programmen Bauernsiedlungen wie »Schwarzenerde«, »Donnershag«, »Hellauf«, »Deutschordensland«, »Wisseloh« und »Artam«, deren Mitglieder zwar auch Vorstellungen der älteren Lebensreform huldigten, also weder Alkohol noch Nikotin duldeten und auf vegetarische Ernährungsweisen zurückgriffen, aber sonst für ökologische Konzepte nur wenig übrig hatten. Obwohl man auch in diesen Gruppen viel von der »heiligen Mutter Erde« sprach oder sich als »Hüter der Scholle« aufspielte, blieb letztlich immer die völkische Zielsetzung ausschlaggebend. Im Gegensatz zu Paul Robien und anderen Anarcho-Sozialisten findet sich deshalb bei diesen Gruppen keine wirkliche Ehrfurcht vor der Natur. Diese Bewegung hatte von Anfang an einen deutlichen Zug ins Kämpferische, der auch vor der Natur nicht Halt machte, wie sich in der Zeit des Nationalsozialismus herausstellen sollte.

Doch wie verhielten sich in diesem Zeitraum die bürgerlichen Liberalen gegenüber der Natur? Falls sie in den Jahren zwischen 1923 und 1929, also der sogenannten Stabilisierungsphase der Weimarer Republik, derartigen Problemen überhaupt Beachtung schenkten, dann nur solchen, die nicht gegen die Vorherrschaft der Industrie verstießen. Selbst die älteren Heimatschützer setzten jetzt an die Stelle eines als obsolet empfundenen romantischen Antikapitalismus das als wesentlich »moderner« empfundene Konzept einer besseren Integration von Technik und Natur. Das hatte zur Folge, daß zwar der Landschaftsschutz im Artikel 150 der Weimarer Republik erstmals juristisch geregelt wurde, die Verabschiedung eines durchgreifenden »Reichsnaturschutzgesetzes« jedoch immer wieder verschoben wurde. Im Zuge der mehrheitlich begrüßten wirtschaftlichen Expansion schlossen die Liberalen in diesen Jahren einen Kompromiß nach dem anderen und bestanden darauf, Ökonomie und Natur nicht mehr als »einander ausschließende Gegensätze« zu betrachten. Statt hartnäckig darauf zu beharren, die »alten Schönheiten von Natur und Kunst« zu erhalten, schrieb jetzt selbst der frühere Heimatschützer Carl Johannes Fuchs, es sei an der Zeit, in der »organischen, das heißt harmonischen Einfügung« der Industrie in die Natur die höchste Aufgabe aller »vernünftig« denkenden Menschen zu sehen.[19] Deshalb wurde 1928, auf einer Tagung des Bundes Heimatschutz in München, die kompromißbetonte »Verbindung von fortschritts-optimistischer Technikbejahung und die Rückkehr zu den handwerklich-völkischen Wurzeln des Kulturschaffens« als das Ziel der neuen Naturkonzepte ausgegeben.[20] Diesen Richtungswechsel unterstützten sowohl Walter Schoenichen, der seit 1924 Leiter der Staatlichen Stelle für Naturdenkmalpflege war, als auch Werner Lindner, der seit 1914 dem Bund Heimatschutz vorstand und sich 1926 in seinem Büchlein *Ingenieurswerk und Naturschutz* für einen ästhetisch befriedigenderen Ausgleich zwischen Technik und Landschaft eingesetzt hatte.

Auch die liberalen Zukunftsromane dieser Jahre folgten der Tendenz, Industrie und Natur möglichst nahtlos ineinander übergehen zu lassen. Daß es dabei zu Entgleisungen ins Unkonkrete, wenn auch Wohlgemeinte kam, war kaum zu vermeiden. Beispielhaft hierfür ist der Roman *Die Sonnenstadt* (1925) von Jakob Vetsch, der sich als Autor »Mundus« nannte und seine Weltanschauung als »Mundismus« ausgab. Im Sinne eines vernünftigen Ausgleichs zwischen kapitalistischen und sozialistischen Anschauungen propagierte er eine liberale Humanisierung der Welt durch lebensreformerische Handwerkerkolonien, in denen durch eine als »sauber« geltende Elektrizität an die Stelle der bisherigen Industrieverschmutzung wieder das frische Grün der Natur tritt. Anstatt weiterhin willig allen Moden der kapitalistischen Bedürfnissteigerung zu folgen, entschließen sich die Bewohner dieser Kolonien freiwillig zu einer wesentlich bescheideneren, naturgemäßeren Lebensweise, in deren Zentrum ausgiebige »Luft- und Sonnenbäder« stehen.[21]

Die in diesem Buch noch relativ gemäßigte Kritik an den Folgen der Industrialisierung nahm in den Jahren nach 1929, als der Ausbruch der Weltwirtschaftskrise die liberalen Hoffnungen auf eine weitere Akzelerierung der wirtschaftlichen Expansion mit einem Schlag zunichte machte, von Monat zu Monat immer schärfere Formen an. Konsequenterweise wurden die technologischen oder integrationistischen Utopien zusehends durch antitechnologische Dystopien verdrängt. Auf internationaler Ebene war dafür das berühmteste Beispiel der Roman *Brave New World* (1932) von Aldous Huxley, der beschreibt, wie der industrielle Fortschrittswahn dazu führt, das Wort

»Lord« (Gott) durch »Ford« zu ersetzen. Daß dies sowohl ein Angriff auf den Kapitalismus als auch auf den ebenso industriegläubigen Sozialismus war, zeigt sich schon darin, daß die Hauptfiguren nicht nur Namen wie Diesel, Edsel und Hoover tragen, sondern auch solche wie Marx, Engels, Trotzki und Bakunin. Positiv wird hier nur das Leben der Naturmenschen auf Samoa und Neu-Guinea geschildert, während die Menschen in der von Huxley beschriebenen Dystopie dem Zustand der völligen Naturentfremdung anheimfallen, die bis zur künstlichen Befruchtung, Brutmaschinenaufzucht und Psychokonditionierung geht.

Eine solche Eindringlichkeit der Schilderung sucht man in den deutschen Dystopien dieser Jahre vergeblich. Und doch bemühten sich manche Autoren auch in Deutschland, ihrem Zorn auf die hektisch angekurbelte Industrialisierung, die ihnen weitgehend als fortschreitende Amerikanisierung erschien, so scharf wie möglich Ausdruck zu geben. So wandte sich der Monist Bruno Wille in seinem Buch *Der Maschinenmensch und seine Erlösung* (1930) nachdrücklich gegen das entseelte, materialistische Industriezeitalter, in dem der Mensch die Natur nur noch ausschlachte, statt ihren Geheimnissen zu lauschen oder aus ihren Gesetzmäßigkeiten zu lernen. Um der verhängnisvollen »Amerikanisierung« Einhalt zu gebieten, die alles Natürliche zu verschlingen drohe, erklärte er, müsse sich der Mensch vom Sklaven der Maschine endlich zum Herrn der Maschine aufschwingen.[22] Noch schärfer kritisierte Friedrich Reck-Malleczewen die kapitalistische Raubgier in seinem Buch *Des Tieres Fall. Das Schicksal einer Maschinerie* (1931), das Edwin Erich Dwinger in seinem Vorwort als die »erste deutsche Kampfansage« an »amerikanisches Utilitaritätsgeschrei und neudeutschen Mammonismus« bezeichnete.[23] Hier plündert ein amerikanischer Großkonzern, der »Unitrust«, erst den eigenen Kontinent und dann alle anderen aus. Ohne die geringste Rücksicht auf die Natur stampft er überall Fabriken, Bergwerke, Wolkenkratzer, ja komplette Unitrust-Städte aus der Erde und erzeugt dabei so große Schutthalden und giftige Rauchwolken, daß eines Tages das gesamte System in sich zusammenbricht. In die gleiche Kerbe haute kurz darauf Richard Katz mit seinem Buch *Drei Gesichter Luzifers. Lärm – Maschine – Geschäft* (1934), in dem für die skrupellose Gewinnsucht der US-Amerikaner und ihrer naturzerstörerischen Tendenzen ein saekularisierter, von Gott abgefallener Puritanismus verantwortlich gemacht wird.

Der »grüne Flügel« der NSDAP

Ähnliche Affekte gegen den Kapitalismus hegten viele der frühen Nationalsozialisten, wobei sie sich weitgehend auf die Programme der älteren Heimatschützer, Lebensreformer und Siedlungsaktivisten stützten. Dies belegt am eindringlichsten die Artamanenbewegung, die eine der wenigen unter den völkischen Siedlergruppen der Weimarer Republik war, welche von Anfang an in aller Entschiedenheit für einen unmittelbaren Praxisbezug eintrat. Wie die Wandervögel oder Landanarchisten verachteten ihre Anhänger den Mammon der großen Städte, verschmähten Nikotin und Alkohol und sahen ein menschenwürdiges Leben nur in einer naturverbundenen, bäuerlichen Existenz gewährleistet. In ihrem Nationalismus orientierten sie sich vor allem an Willibald Hentschel und Bruno Tanzmann, die seit 1923 auf eine aggressive Ostkolonisation drängten. Während zu Anfang unter den Artamanen noch die völkische Gesinnung ehemaliger Wandervögel vorherrschte, setzten sich später immer stärker Nationalsozialisten wie Heinrich Himmler, Rudolf Höß, H. F. K. Günther und Richard Walther Darré durch, denen es gelang, auch viele Vertreter der Bündischen Jugend für die Sache der NSDAP zu gewinnen. Schon 1927 waren daher 80 Prozent der Artamanen zugleich Mitglieder der Nazi-Partei.

Nach 1929, als Himmler zum Führer der SS aufstieg, für die er das »Bauernschwarz« der Artamanen beibehielt, wurde Darré mit Büchern wie *Das Bauerntum als Lebensquell der nordischen Rasse* (1929) und *Neuadel aus Blut und Boden* (1930) zum wichtigsten Theoretiker dieser Bewegung, die sich vom kommenden »Dritten Reich« den Wandel von einer dekadent-städtischen zu einer gesund-ländlichen Lebensweise versprach. Darré war von Anfang an überzeugt, daß sich ein solches Ziel – angesichts der ökonomischen Machtposition des Kapitalismus – weder mit idealistischen Apellen noch mit wohlgemeinten Reformen erreichen lasse, sondern daß dazu ein Regimewechsel nötig sei. So erklärte er 1931, daß man die Probleme endlich »an der Wurzel« fassen müsse, statt wie »gewisse verstädterte« Intellektuelle weiterhin an irgendwelchen »Symptomen« herumzukurieren. »Mit Schrebergärten und Eigenheimen«, schrieb er im Hinblick auf die älteren Heimatschützer und Lebensreformer, »mit Kleinsiedlungen und Bauernromantik, mit Vegetarismus und Nacktkultur, mit Zupfgeige und Strumpflosigkeit glaubte man das Übel bannen zu können, ohne das diabolische Grinsen des Kapitalismus zu bemerken, dem es schließlich nur recht ist, wenn man sich in seinem System mit Schrebergärten und Eigenheimen, mit Gartenstädten und Kleinsiedlungen gesund und häuslich einrichtet.»[24]

Als am 30. Januar 1933 die staatliche Macht der NSDAP übergeben wurde, hofften diese Gruppen, daß es jetzt zu einem Umschwung ins Bäuerliche und Naturbetonte kommen würde. Doch nichts oder wenig dergleichen geschah. Auf diesem wie auf vielen anderen Gebieten entpuppte sich der Nationalsozialismus als ein System ohne kohärente Ideologie, in dem fast alles dem Diktat einer auf Machtgewinnung und Machterhaltung bedachten Realpolitik unterstellt wurde. Und so mußte das »Dritte Reich« seine idealistischen Befürworter enttäuschen. Besonders schockiert waren die naiven Schollefanatiker über die Tatsache, daß Adolf Hitler, von dem sie wußten, daß er ein Tierfreund, Vegetarier und Gegner der Vivisektion war, zum Zwecke der Arbeitsbeschaffung und Aufrüstung von Anfang an eine industrielle Expansion größten Ausmaßes befürwortete, die in den folgenden Jahren – entgegen der Propagierung eines auf der bäuerlichen Substanz aufgebauten Deutschen Reichs – zu einer Landflucht ohne Beispiel führte. Während Männer wie Darré auf eine durchgreifende Reagrarisierung gehofft hatten, kam es abermals zu einem ungehemmten Modernisierungsschub durch den Bau neuer Autobahnen, Flugzeuge und Waffensysteme. Als aus den Reihen ehemaliger Wandervögel, Artamanen und Germanenschwärmer Kritik an dieser Entwicklung laut wurde, erklärte F. Nonnenbruch am 5. Oktober 1934 unter dem Titel »Deutscher Sozialismus« im *Völkischen Beobachter,* daß sich für die NSDAP die »Geburt des nordischen Geistes« vor allem in der »modernen Technik« manifestiere, in der die neue »Gewalt unseres Menschentums« am nachdrücklichsten zum Ausdruck komme.

Die einzigen Teilerfolge, welche die völkischen Heimatschützer in den Anfangsjahren des Dritten Reichs für sich verbuchen konnten, waren das »Gesetz zum Schutz von Kunst-, Kultur- und Naturdenkmalen« vom Januar 1934 sowie die im Juni 1935 und März 1936 erlassenen »Reichsnaturschutzgesetze«. Daß auch diese Gesetze größtenteils propagandistischen Charakter hatten, da durch den Einsatz des Reichsarbeitsdienstes und den Aufbau der Rüstungsindustrie immer weitere Gebiete der deutschen Landschaft planmäßig zerstört wurden, wollten diese Gruppen entweder nicht sehen, oder sie verdrängten es. Das gilt vor allem für die Integrationstheoretiker des Bundes Heimatschutz, die nach 1933 fast ausnahmslos in die NSDAP eintraten. So schrieb Walther Schoenichen 1934 in seinem Buch *Naturschutz im Dritten Reich,* daß sich unterm Nationalsozialismus sicher jenes »Recht auf Wildnis« durchsetzen würde, von dem schon Wilhelm Heinrich Riehl geträumt habe.[25] Noch 1942 behauptete er in seiner Studie *Naturschutz als völkische und internationale Aufgabe,* daß die Ausführungsbestimmungen des »Reichsnaturschutzgesetzes« die »endgültige Erfüllung der völkisch-romantischen Sehnsüchte« gebracht hätten.[26] Auch Werner Lindner erklärte 1934, die nationalsozialistische Wirtschaft werde – im Gegensatz zur rein am kapitalistischen »Nutzungsbegriff« orientierten Wirtschaft der Weimarer Republik – sicher dafür sorgen, »daß die Gesetze im Haushalt der Natur, die man oft leichtfertig und raubgierig verletzt habe, von nun ab unweigerlich geachtet« würden.[27]

Während Heimatschützer wie Schoenichen und Lindner weiter auf eine »organische« Verbindung von Natur und Technik hofften, um nicht als »fortschrittsfeindlich« zu gelten,[28] drang der »grüne Flügel« der NSDAP um Walther Darré in den gleichen Jahren auf eine konsequente Verbauerung des deutschen Volks. Er wandte sich scharf gegen ein Buch wie *Zurück zum Agrarstaat? Stadt und Land in volksbiologischer Hinsicht* (1933) von Friedrich Burgdörfer, in dem das Bauerntum lediglich als rassenpolitischer Lebensborn des deutschen Volks hingestellt wird, und unterstützte statt dessen den Autor Edmund Schmid, der in seinem Manifest *Deutsche Siedlung im I., II. und III. Reich* (1932) das Bild eines sich an der Artamanenbewegung orientierenden germanischen Stammesreichs auf bäuerlicher Grundlage ausgemalt hatte. Diese Gruppen hielten selbst nach 1933 an bestimmten Vorstellungen der älteren Lebensreformer und Heimatschützer, zum Teil sogar am anthroposophischen Prinzip der »biologisch-dynamischen Landbauweise« fest. Allerdings mußte sich der »Verband anthroposophischer Bauern« nach 1933 mit der »Deutschen Gesellschaft für Lebensreform« zusammenschließen. Der von diesen Organisationen propagierte »schonende Umgang« mit der Natur, der im Sinne des Natürlichkeitsprinzips auf jede chemische Düngung verzichtet, wurde nicht nur von Walther Darré, sondern auch von einem Lebensreformer wie Rudolf Heß unterstützt.[29] Trotz der Einsprüche Alfred Bormanns und Hermann Görings, die auf einer robusteren und vor allem produktiveren Landbauweise bestanden, unterstützte Darré die biologisch-dynamischen Anbaumethoden so lange, bis er 1942 abgesetzt wurde. Das gleiche tat Himmler, der sich außerdem auf buddhistischer Grundlage gegen die Vivisektion aussprach und – mit Unterstützung Hitlers – in den Führungsstäben der SS vegetarische Eßgewohnheiten einführte.

Im Großen und Ganzen waren jedoch all das nur Tropfen auf den heißen Stein, wenn nicht gar bloße Propagandamanöver. Auch die vielen Bauern-, Siedler- und Heimatromane, die zu dieser Zeit erschienen, änderten daran nicht viel. Sie sangen zwar unentwegt das Hohelied einer blühenden Natur und eines gesunden Landlebens, aber praktische Konsequenzen hatten sie kaum. Dasselbe gilt für Siedlerromane wie *Achtsiedel* (1930) von Josef Martin Bauer, *Das neue Land* (1932) von Anton Schnack, *Die Siedler vom Heidebrinkhof* (1932) von Rolf Schroers, *Einsaat* (1933) von Erich Brautlacht und *Kompost* (1934) von Ulrich Sander, in denen ständig gegen den kapitalistischen Geschäftsgeist des Großstadtlebens gewettert und dafür – wie später in Ernst Wiecherts Roman *Das einfache Leben* (1940) – die vorbildliche Qualität des ländlichen Lebens herausgestrichen wird. Trotz der Anstrengungen Darrés, der hochgespannten Forderungen einer bäuerlich-genossenschaftlich ausgerichteten Zeitschrift wie *Odal* sowie der vom Regime unterstützten Heimatromane blieb deshalb der NS-Staat in seiner Politik, seiner Mentalität und seinem Lebensstil letztlich ebenso großstädtisch orientiert wie die von ihm abgelehnte Weimarer »Systemzeit«.

Noch weniger bewirkten die literarischen Utopien des »Dritten Reiches«. Obwohl sie in manchem durchaus zum Naturverbundenen und Bäuerlichen tendieren, laufen fast alle diese Werke auf eine Verklärung des Heroischen und Eroberungssüchtigen hinaus. Dafür sprechen sowohl die Science-Fiction-Romane von Hans Dominik und Paul Alfred Müller mit ihren technischen Sensationen und übermenschlichen Heldentaten als auch jene Utopien, in denen es um Siege über minderwertige Rassen oder Akte germanischer Landnahmen geht.

Eins der wenigen Werke in diesem Kontext, das sich etwas höhere Ziele steckt, ist der Roman *Verschollen im Weltall* (1938) von Dietrich Kärrner, hinter dem sich Artur Mahraun, der frühere Vorsitzende des Jungdeutschen Ordens, verbirgt. Dieses Werk beginnt mit einem Sieg nordischer Übermenschen über aufmüpfige Mongolenhorden, die mit Hilfe von Raumschiffen und Strahlenkanonen vernichtet werden. Selbst die US-amerikanischen »Trustgewaltigen und Treibstoffmagnaten« sind davon so beeindruckt, daß sie Gösta Ring, den Kommandeur der nordischen Raumschifflotte, als ihren künftigen Führer anerkennen. Doch dann folgt ein überraschender Umschwung. Alle geistig höherstehenden Menschen sehen ein, wie häßlich und mörderisch die alte Welt der Technik war, und verlassen die großen Städte. Daher gibt es am Schluß keine durch Abgase »verpesteten« Straßenschluchten, keine »Fabrikschlote«, keine »Asphaltstraßen« mehr. Wo noch Städte stehenbleiben, werden sie in Park- oder Gartenstädte verwandelt. Fast alle »Nomaden« des Industriezeitalters werden wieder »seßhaft«, greifen zum Pflug und erfreuen sich an der Stille der Natur, wobei selbstverständlich die nordischen Wälder, Berge und Seen am anziehendsten geschildert werden. Wenn der vielstrapazierte Begriff des »Arisch-Grünen« überhaupt einen Sinn hat, dann im Hinblick auf solche Werke. Hier wird eine Zukunftswelt beschworen, wie sie sich grüner kaum vorstellen läßt. Allerdings ist es eine Welt, die ihre Existenz lediglich dem *einen* blonden Supermann verdankt, der mit seinen Weltraumschiffen alle anderen Rassen der Erde der Herrschaft der strahlenden Nordmenschen unterworfen hat. Sein Weltreich ist zwar mit einem ideologisch hauchdünnen Firnis an »Schönheit« überzogen, bleibt aber letztlich ein Staat, der auf einer unbarmherzigen Scheidung in Helle und Dunkle, Herren und Knechte beruht.[30]

Daß dieses Werk zum Teil kritisch gemeint war, merkten weder die NS-Behörden noch seine mit dem Nationalsozialismus sympathisierenden Leser und Leserinnen. Das gleiche gilt für einige eindeutig apokalyptische Romane, die sich noch klarer gegen die Technik wandten. Auch sie wurden von den damaligen Zensoren wegen ihres mythisch-irrationalen Charakters, von dem sie sich offenbar eine Stärkung der archaischen Ursubstanzen der nordischen Rasse versprachen, nur in Ausnahmefällen zurückgewiesen.

So erschien 1935 der Roman *Tuzub 37. Der Mythos von der grauen Menschheit oder von der Zahl 1* von Paul Gurk, in dem sich die Vertreter der technischen Zivilisation, die »Metaller«, wie sie hier heißen, erst über die ganze Erde ausbreiten, dann alles naturverbundene Leben zerstören und sich am Schluß in gräßlichen Diadochenkämpfen gegenseitig ausrotten. Was übrigbleibt, ist eine völlig verwüstete Erdoberfläche, die sich erst nach Jahrhunderten wieder erholen und neu begrünen wird. Ähnlich warnutopische Züge zeichnen den Roman *Der Flug in die Zukunft* (1937) von Hans Fuschlberger aus, der ebenfalls von einem technisch-perfektionierten Weltstaat handelt. In diesem Reich, in dem alles Natürliche verschwunden ist, bekennt sich schließlich nur noch *ein* Mensch zu »Natur, Leidenschaft und völkischer Kraft«, doch seine Stimme wirkt so überzeugend, daß sich gegen Ende auch andere finden, die bereit sind, seinem Rufe zu folgen.[31] Auch in Wilfried Bades Roman *Gloria über der Welt* (1937) wird durch eine innerplanetarische Katastrophe ein solcher Umkehrprozeß à la Hanns Hörbiger ausgelöst. Hier gründen die Besten unter den

Überlebenden in einem entlegenen Bergtal eine Bauernkommune, in der sie zu der Erkenntnis gelangen, daß die Welt der Industrie und der großen Städte falsch und künstlich war. Froh, daß alles Zivilisatorische von ihnen abfällt, verwachsen sie darauf als Neubauern wieder mit der Scholle als dem Urgrund jedes naturbezogenen Lebens.

All das läßt aufhorchen. Aber war es wirklich das ideologische Ziel dieser Autoren, eine Welt ohne Maschinen, eine Welt der härtesten bäuerlichen Lebensbedingungen zu schaffen, die wieder im Zeichen eines ökologischen Gleichgewichts steht? Wohl kaum. Denn schließlich klingt in diesen Romanen nichts wirklich besorgt, nichts scheint wirklich auf Schonung der Natur bedacht zu sein. Letztlich geht es selbst diesen Autoren, so warnend ihre Stimme auch klingt, vor allem um Kampf, Sieg oder Untergang. Doch eine grundsätzliche Kritik am Wesen der Technik war offenbar in diesen Jahren kaum möglich. Selbst Martin Heidegger und Ludwig Klages, die es sich noch am ehesten leisten konnten, ihre Stimme zum Schutze der Natur zu erheben, taten dies lediglich in Metaphern oder mit seltsam verstellter Stimme.[32]

Um so rühmenswerter sind Biologen und Physiker, die im Laufe des Zweiten Weltkriegs, als die verhängnisvollen Wirkungen der Kriegsmaschinerie immer augenfälliger wurden, den Mut aufbrachten, ein Plädoyer für die bedrohte Natur vorzubringen. Auf dem Gebiet der Biologie sei hierfür auf Ehrenfried Pfeiffer verwiesen, der 1942 in seinem Buch *Gesunde und kranke Landschaft* erklärte, daß das »heutige Leben« in erster Linie im Zeichen von »Wirtschaftlichkeit, Profit und Rentabilität« stehe, worin sich eine »Raubgesinnung« manifestiere, der man endlich mit neuen »Bewaldungs«-Konzepten, »bodenschonenden Fruchtfolgen«, »Kompostpflegemethoden« und »dezentralisierten« Industriebetrieben, kurz: der »Erziehung zu landschaftlicher Bewußtheit« entgegentreten müsse.[33] In der Physik war es Werner Heisenberg, der 1941 in einem Aufsatz unter dem relativ unverfänglichen Titel *Die Goethesche und die Newtonsche Farbenlehre im Lichte der modernen Physik* schrieb, daß Goethe, da er die Natur nie beherrschen wollte, auch heute noch ein Vorbild im Kampf gegen den bloßen Utilitarismus sein könne. Heisenberg äußerte hier bereits Zweifel, ob die Entwicklung der modernen Technik für die Menschheit wirklich nur Segen gebracht habe und sie vielleicht nicht besser beraten wäre, die »Grenzen ihres aktiven Verhaltens zur Natur« zu erkennen. Schließlich seien die »ausnutzbaren Kräfte« der Natur begrenzt, das heißt »endlich«. Mit manchen Experimenten begäben sich die Naturwissenschaftler zusehends auf Gebiete, wo man nur »noch unter großen Schwierigkeiten atmen« könne, ja wo »alles Leben zu ersterben« drohe.[34] Diese Äußerungen erschienen mitten in der Euphorie über die faschistischen Blitzsiege, als noch niemand daran dachte, daß einige Jahre später die ersten Atombombenabwürfe Zehntausenden von Menschen das Leben kosten und eine Ära einleiten würde, in der nicht nur die weitere Existenz des Menschen, sondern auch die der Natur erstmals grundsätzlich in Frage gestellt wurde.

Ökologische Warnungen in der Nachkriegszeit

In den ersten Jahren nach dem Zweiten Weltkrieg, als in dem von den Alliierten besetzten Deutschland Hunger, Arbeitslosigkeit, Flüchtlingselend und Wohnungsnot herrschten und vielen der Schock über den verlorenen Krieg, die Auschwitz-Greuel und die Schreckensmeldung über Hiroshima tief in den Knochen saß, hatten ein liberaler Fortschrittsoptimismus oder gar Technikkult keine Chance. Die meisten dachten erst einmal ans nackte Überleben. Bücher wie *Die Zukunft des Abendlandes. Europa in der Welt von Morgen* (1946) von Louis Emrich oder *Grenzenloser Utopismus oder Utopologie* (1947) von Arnold Hahn, die in der neutralen, unzerstörten und wirtschaftlich florierenden Schweiz geschrieben wurden und aufgrund der »ins Grandiose gesteigerten Technik« eine »Epoche der unbegrenzten Möglichkeiten« voraussahen,[35] fanden daher in den westlichen Besatzungszonen, obwohl sie auch dort auf den Markt kamen, nur wenige Leser. Bis zur Mitte der fünfziger Jahre herrschte hier eine niedergedrückte Stimmung, die sich unter Intellektuellen immer wieder in vehementen Affekten gegen jene Technikbegeisterung entlud, deren mörderische Konsequenzen sie im Zweiten Weltkrieg nur zu deutlich am eigenen Leibe erfahren hatten. Viele kulturpolitisch denkende Autoren neigten daher dazu, den Siegeslauf der Technik – aufgrund echter Besorgtheit oder unterschiedlicher Schuld- und Entlastungskonzepte – mit irgendwelchen faustischen, dämonischen, widergöttlichen, satanischen Fehlentwicklungen gleichzusetzen.

Christliche Warnungen vor weiteren Konsequenzen der Industrialisierung machten für die Übel der »Moderne« vor allem den in der Aufklärung erfolgten »Abfall von Gott« verantwortlich. Am meisten Aufsehen erregte dabei das Buch *Verlust der Mitte* (1948) von Hans Sedlmayr mit seiner These, daß seit dem Verlust des religiösen Zentrums, also seit den Befreiungsparolen der Französischen Revolution, der Mensch jedweden Respekt vor »Gottes Schöpfung« verloren habe und die gesamte Natur bloß noch als Objekt seines maßlos gesteigerten Besitz- und Ausbeutungsdranges betrachte. Das Ergebnis dieses Autonomieverlangens und aller damit verbundenen Tendenzen ins Unorganische, Technische und Puristische, die zu einer Naturzerstörung größten Ausmaßes geführt hätten, sei ein »mechanistischer« Ungeist, der auf die ewigen Gesetze der Natur keinerlei Rücksicht nehme. Als Beleg dafür verwies Sedlmayr auf die verbreiteten Bodenerosionen in den USA, die in den dreißiger Jahren weltweit Aufmerksamkeit erregt hatten. Um diese Verfehlungen wieder wettzumachen, müsse sich der Mensch – nach den vielfältigen Leiderfahrungen der unmittelbaren Vergangenheit – erneut Gott zuwenden.[36]

Ähnliche Thesen stellte Anton Böhm in seinem Buch *Epoche des Teufels* (1955) auf. Wie Sedlmayr war Böhm der Überzeugung, daß für die fortschreitende »Naturvernichtung« vor allem das satanische Autonomiestreben des Menschen verantwortlich sei. Allerdings kam er zu wesentlich konkreteren ökologischen Einsichten und erklärte unter anderem: »Der Raubbau an den Vorräten der Erde ist trotz aller Warnungen nicht mehr aufzuhalten; eine schonungslose Technik wütet gegen die Landschaft, zerfrißt mit ihren Abraumhalden und Werksgeländen die Haut der Erde, legt in wachsenden Flächen das Steinige, Sterile bloß, das ewig Unfruchtbare, verelendet unsere Flüsse zu strömenden Kloaken und verschmutzten ›Wasserstraßen‹, verpestet die Luft durch Rußwolken und Abgase ihrer Fabriken, wölbt über den Städten eine Dunstwolke, die das Heilsamste des Sonnenlichts nicht mehr durchläßt.« Böhm sah bereits, wie gleichgültig die meisten Menschen diesen Prozessen gegenüberstanden oder wie sie zu falschen Mitteln griffen, um sie wieder rückgängig zu machen. »Die Warnungszeichen«, schrieb er, »werden zu spät beachtet oder bagatellisiert; wenn der Haushalt und der rhythmische Ausgleich der Natur infolge der menschlichen Eingriffe versagt, etwa Schädlinge und Pflanzenkrankheiten überhandnehmen, geht man mit Giften vor, sogenannten Pflanzenschutzmitteln und chemischer Schädlingsbekämpfung, Maßnahmen, die im gegebenen Zustand unvermeidlich sind, aber die gestörten Naturverhältnisse noch mehr und immer hoffnungsloser in Unordnung bringen.« Um dieser gnadenlosen »Entfesselung der Maschinenwelt«, diesem »Satansreich« wirkungsvoll entgegentreten zu können, setzte auch Böhm seine einzige Hoffnung auf eine Rückkehr zu Gott.[37] Das gleiche tat Alois Guggenberger in seinem Buch *Die Utopie vom Paradies* (1957), das sich bereits gegen den neuen Technikkult der sogenannten Wirtschaftswunder-Ära wandte und unter christlicher Perspektive den industriellen Fortschritt mit dem »Auslöschen des Menschlichen« gleichsetzte.[38]

Nicht ganz so radikal äußerten sich in diesem Zeitraum jene Autoren über die Gefahren der fortschreitenden Industrialisierung für die Natur, die aus dem liberalen oder abendländisch-humanistischen Lager kamen. Sie beriefen sich meist auf Goethe, dessen 200. Geburtstag 1949 landauf-landab in zahlreichen Festakten, Reden, Broschüren und Büchern gefeiert wurde. Besonders interessant sind in diesem Zusammenhang die vielen Äußerungen zu Goethes *Faust,* in denen dieses Drama – im Gegensatz zu bisherigen Glorifizierungen seines angeblich positiven Tataktivismus – erstmals im Sinne Albert Schweitzers als ein Werk der Lebensehrfurcht und des Respekts vor der Natur aufgefaßt wird. Am weitesten ging dabei Karl Jaspers, der 1949 in seiner Broschüre *Unsere Zukunft und Goethe* erklärte, daß der Autor des *Faust* die künftigen Generationen vor allem »vor der heraufkommenden Welt der technischen Naturbeherrschung« warnen wollte. Schon Goethe habe klar erkannt, welche Gefahren in der »Grenzenlosigkeit« des menschlichen Tätigkeitsdranges steckten. Daraus folgerte Jaspers, daß man heute aus dem »Unnatürlichen« eines linear gedachten Fortschritts wieder zur »Daseinsgeschlossenheit« zurückkehren müsse.[39]

Ebenso verantwortungsbewußt verhielten sich damals einige bundesdeutsche Naturwissenschaftler. Ihre Hauptsorge galt den Konsequenzen der von ihnen mitentdeckten und mitentwickelten Atomenergie, durch welche die Menschheit plötzlich ein Mittel zur Verfügung habe, alles Leben auf Erden mit einem Schlag vernichten zu können. Erstmals äußerten sie diese Befürchtungen im Juli 1955 bei einem Treffen der Nobelpreisträger auf der Mainau im Bodensee, an dem unter anderem Otto Hahn, Max von Laue und Werner Heisenberg teilnahmen, und zwei Jahre später in ihrem Protest gegen die von Konrad Adenauer befürwortete atomare Bewaffnung der Bundeswehr. Ähnliche Bedenken meldete 1957 Max Born in seinem Buch *Physik im Wandel meiner Zeit* an, die er 1965 in seiner Schrift *Von der Verantwortung des Naturwissenschaftlers* noch verschärfte. Auf Goethes naturwissenschaftliche Schriften beriefen sich bei solchen Protesten vor allem Carl Friedrich von Weizsäcker und Werner Heisenberg. So verfaßte Weizsäcker 1959 im Rahmen der *Hamburger Goethe-Ausgabe* das Nachwort zu Goethes naturwissenschaftlichen Schriften, in dem er in Anlehnung an Goethe davor warnte, die Natur lediglich als ein wertfreies Forschungsobjekt zu betrachten. Nicht minder entschieden bekannte sich Werner Heisenberg in Aufsätzen wie *Das Naturbild der heutigen Physik* (1953), *Naturwissenschaft und Technik im politischen Geschehen unserer Zeit* (1960) sowie *Das Naturbild Goethes und die technisch-naturwissenschaftliche Welt* (1967) zu einer Wissenschaft, die nicht danach trachte, »die materielle Macht des Menschen« mit Hilfe der Technik bis ins Grenzenlose zu erweitern, sondern von der ökologischen Einsicht ausgehe, »daß das Leben auf der Erde eine Einheit darstellt, daß ein Schaden an einer Stelle sich an allen anderen Stellen auswirken kann und daß wir für die Ordnung des Lebens auf dieser unserer Erde mitverantwortlich sind«. Als besonders bedenkenswert empfand er Goethes Beharren auf dem »unmittelbaren sinnlichen Eindruck«, dem die Skepsis zugrunde liege, daß »mit Apparaturen ausgefilterten, der Natur gewissermaßen abgezwungenen Abstraktionen« dem Natürlich-Konkreten notwendig Gewalt angetan werde. Heisenberg bedauerte daher ausdrücklich den »Verlust jener Mitte, um deren Erhaltung Goethe sein ganzes Leben hindurch gerungen« habe, und bekannte sich zu einer Weltsicht, welche vornehmlich die in der Natur vorgegebenen Strukturen, Urphänomene und kosmisch-göttlichen Grundprinzipien zu erkennen suche.[40]

Noch größer war der Chor warnender Stimmen, der nach 1945 auf Seiten der Zoologen, Botaniker, Landschaftsgeographen, Bodenkundler und anderer Naturforscher laut wurde. Den Auftakt dazu gab Friedrich Georg Jünger, der 1946 in seinem Buch *Die Perfektion der Technik* eine der schärfsten Anklagen gegen den naturvernichtenden Charakter der industriellen Umwälzungen erhob: »Es ist ein beständiger, stets wachsender, immer gewaltigerer Verzehr, der in der Welt der Technik stattfindet. Es ist ein Raubbau, wie ihn die Welt noch nicht gesehen hat. Und wo der Raubbau einsetzt, dort beginnt die Verwüstung.«[41] Ein Jahr später erklärte A. Metternich in einer Studie *Die Wüste droht,* daß die Technik die gesamte Nahrungsgrundlage der Menschheit gefährde.Die »frisch-fröhliche Bevölkerungsvermehrung«, die »Jagd nach Rohstoffen«, der »Wettlauf um den wirtschaftlichen Vorrang«, die »Raubbautendenzen in der Landwirtschaft«, schrieb er, durch all diese Vorgänge werde die »Erdoberfläche biologisch, physiognomisch und physiologisch auf den Zustand der Oberfläche wasserloser Sterne erniedrigt«, auf welcher der »Herr der Wüste« sein Reich »der Öde, der Leere, des Entsetzens und der Lebensfeindlichkeit« errichten könne.[42] Ebenso deutlich, wenn auch weniger bildreich, äußerten sich Landschaftsökologen und Vegetationsgeographen wie Josef Schmithüsen, Carl Troll und Gerhard Olschowy über den Zustand der Natur, indem sie in den Jahren 1949 und

1950 differenzierte Untersuchungen über die Funktion der verschiedenen »Ökotope« anstellten und angesichts der rasch umsichgreifenden Schäden zu dringenden »Ökosystemreparaturen« rieten.[43] Erich Hornsmann ging 1951 in seinem Buch *...sonst Untergang. Die Antwort der Erde auf die Mißachtung ihrer Gesetze* sogar schon soweit, ein umfassendes Grundsatzprogramm gegen die fortschreitende »Landschaftsvernichtung« aufzustellen, für die er vor allem den »Raubbau am Wald«, die »verfehlte Ackerwirtschaft« und das »Übermaß an Meliorationen« verantwortlich machte. Weder der Kommunismus noch die Atombombe sei heute der »Weltfeind Nr. 1«, sondern die »Vernichtung der Muttererde«.[44]

Im Laufe der fünfziger Jahre, in denen das sogenannte Wirtschaftswunder und der damit verbundene neue Technikkult ihren Ausgang nahmen, wurden solche Stimmen allmählich leiser, verstummten aber nie ganz. So beschrieb Robert Jungk 1952 in seinem Buch *Die Zukunft hat begonnen* höchst drastisch, wie in den USA durch die Industrialisierung der Landwirtschaft, also die Automation der Gemüse- und Obstproduktion, die künstliche Befruchtung riesiger Rinderherden, die konstante Berieselung und chemische Düngung früherer Wüstengebiete sowie die mit Fließbändern operierenden Hühnerfarmen zwar eine beachtliche Akzelerierung der Produktion und damit eine kurzfristige Gewinnsteigerung erreicht worden sei, die Natur aber dabei zusehends verkomme. Bei *Luzifers Griff nach dem Lebendigen* (1953) von Erwin Gamber handelt es sich dagegen – trotz des zeittypischen Titels, welcher der »Abfall von Gott«-These verpflichtet ist – um eine vorwiegend medizinische Warnung vor den Folgen des rapiden Verfalls aller natürlichen Lebensvoraussetzungen, der nicht nur die Existenz der Tiere, sondern auch die der Menschen in Frage stelle. Ähnliche Klagen erhob 1954 Reinhard Demoll in seinem Manifest *Ketten für Prometheus. Gegen die Natur oder mit ihr?*, in dem er – mit Zitaten aus dem 1950 erschienenen Buch *Road to Survival* von William Vogt – auf den schädigenden Einfluß der Monokulturen, Pestizide, Waldrodungen und Landschaftszerstörungen hinwies, die durch neue Industriegebiete entstünden und eine Verschmutzung der Flüsse, zunehmende Bodenerosion und sich unaufhaltsam ausbreitende Wüsten zur Folge hätten. Noch weiter ging 1955 Ernst Hass in seiner Bekenntnisschrift *Des Menschen Thron wankt. Eine naturwissenschaftliche Kritik des modernen Lebens,* die sich unter Berufung auf religiöse Vorbilder, aber auch auf Giordano Bruno und Goethe für eine Lösung der anstehenden ökologischen Probleme auf sozialanthropologischer Ebene einsetzte, ohne dabei die Sorge um die

Natur aus dem Auge zu verlieren. Die Schuld an der katastrophalen Entwicklung der sogenannten Moderne gab Hass – wie viele religiöse Denker dieser Ära – vor allem der Intensivierung der »kapitalistischen Wirtschaft«, die zugunsten eines »augenblicklichen Vorteils« die Zukunft der Natur ignoriere. Das Ergebnis dieses Primats des Ökonomischen über das Menschliche sei eine »Diktatur der Technik«, die von Jahr zu Jahr immer eingehender, zwanghafter und unnatürlicher werde. Seine Hoffnung setzte Hass dementsprechend allein auf eine neue Ehrfurcht vor der Natur im Sinne Adalbert Stifters, Hans Sedlmayrs oder Albert Schweitzers, die noch ein Gefühl für das wahre »Maß« des Lebens in »der Erscheinungen Flucht« besessen hätten, welches heute hinter dem Kult des Einseitigen, Unnatürlichen und damit »Zerwirrenden« zusehends zu verschwinden drohe.[45] Auch Peter Härlin griff 1956 in seinem Büchlein *Bericht für morgen. Von der Gefahr, in der wir leben* noch einmal die allgemeine »Verwirtschaftlichung« der Natur an, die immer bedrohlichere Ausmaße annehme: »In den letzten drei oder vier Jahrzehnten ist auf dieser Erde mehr an nicht zu erneuernden Stoffen, an Metallen, Öl und Kohle zum Beispiel, verbraucht worden, als die Menschheit in den ganzen vorangegangenen Jahrtausenden verbraucht hat.« Und doch wirtschafte man einfach weiter, ohne auf die geringsten »Schranken« oder »Gesetze des Wachstums« Rücksicht zu nehmen. Besonders schlimm wirke sich die zunehmende »Verstädterung« aus, die einen Menschentyp geschaffen habe, für den die Natur mit all ihren Wundern nur noch »etwas Grünes« sei und der deshalb eher Automarken als Weizen und Hafer auseinanderhalten könne.[46]

Fast das gleiche ideologische Spektrum bestimmt die utopisch-dystopische Literatur dieses Zeitraums, in dem zu Anfang eindeutig die Untergangsvisionen und Rückzüge ins Private im Vordergrund standen, während es im Laufe der fünfziger Jahre zu einer kaum zu überbrückenden Spaltung in technikbejahende Science-Fiction-Romane und christliche oder humanistische Warnutopien kam, die dem vordergründigen Fortschrittsoptimismus und Technikkult der sogenannten Wirtschaftswunder-Ära mit apokalyptischen Bildern drohender ökologischer Katastrophen entgegenzutreten versuchten.

In den dystopischen Werken wurde – wenn man von Franz Werfels Roman *Stern der Ungeborenen* (1946) einmal absieht, der noch auf dem »Abfall von Gott«-Schema beruht – anfangs vor allem der Schock von Hiroshima und Nagasaki verarbeitet. So bricht in der Erzählung *Wir fanden Menschen* (1948) von Hans Wörner nach einem atomaren Vernichtungskrieg ein kleiner Suchtrupp in die radioaktiv verseuchten Gebiete auf, findet dort jedoch lediglich verweste Leichen und gespenstische Kellermenschen, mit denen er sich nicht verständigen kann. In dem Roman *Blumen wachsen in den Himmel* (1948) von Helmuth Lange erlischt plötzlich die Sonne, so daß die Menschen in Eiswüsten leben müssen und selbst, als einer der Wissenschaftler kleine »grüne« Enklaven schafft, niemand neue Hoffnung schöpft. Arno Schmidt schildert in einem Kurzroman *Schwarze Spiegel* (1950), wie nach einer durch Atombomben ausgelösten Weltkatastrophe der einzige männliche Überlebende den Rest seines sinnlos gewordenen Lebens mit Bücherlesen verbringt. Der Roman *Das Los unserer Stadt* (1958) von Wolfdietrich Schnurre beginnt mit einer verheerenden Brandkatastrophe, einer Art Atomunglück, dem ein Großteil der Zivilisation zum Opfer fällt, worauf sich die wenigen übriggebliebenen Intellektuellen entschließen, der Welt entsagende Eremiten zu werden. Der Roman *Die Kinder des Saturn* (1959) von Jens Rehn handelt von drei Menschen, die nach einer Atomkatastrophe in einem Bergstollen auf das Nachlassen der Radioaktivität warten und von denen nur einer den Mut aufbringt, auf der verbrannten Erde nach anderen Überlebenden zu suchen.

Für die Werke, die kurz nach dem Zweiten Weltkrieg die Rückkehr zum Einfachen, Natürlichen, Bäuerlichen propagierten, ist die Erzählung *In Utöpchen* (1947) von Ernst Wilhelm Schmidt, in der eine bescheidene Laubenpieperexistenz beschrieben wird, wohl das beste Beispiel. Hier besteht das einzige Glück im Besitz eines kleinen Stückchens Erde und in der idyllischen Gemeinschaft mit Pflanze und Tier. Der Held dieser Geschichte führt das eremitische Leben eines »Weisen«. Weder »Kleid« noch »Titel« interessieren ihn, sondern nur der »reine Geist der Menschlichkeit«. Und der besteht darin, wieder den Wert einer Kartoffel schätzen zu lernen, eine Bank zu schreinern oder Obstbäume auszuschneiden. Statt sich mit den großen Fragen der Menschheit zu beschäftigen, zählt für diesen Aussteiger nur das »Einfachste«, »Natürlichste« und »Anspruchsloseste«.[47]

Während in dieser Geschichte die Rückkehr zum Bäuerlich-Einfachen auf der freien Willensentscheidung eines einzelnen beruht, wird sie in anderen Werken dieser Art meist durch Katastrophen herbeigeführt. So schildert Paul Coelestin Ettighofer in seinem Roman *Atomstadt* (1949), wie ein Ingenieur in Nordfinnland riesige Uranerzlager entdeckt, was zu einer tödlichen Bedrohung der gesamten lappländischen Bauern- und Rentierkultur führt. Der Bauer Matti Lassila sprengt daher am Schluß – in einem Akt der Verzweiflung – die hektisch aufgebaute Atomstadt kurzentschlossen in die Luft, wodurch zwar große Verwüstungen entstehen, aber eine allgemeine Umkehr zu den alten, auf Gott und Natur beruhenden Gesetzen der vorindustriellen Weltordnung einsetzt. Ähnliches ereignet sich in der Erzählung *Der Webstuhl* (1949) von Hermann Kasack, die am Beispiel der maschinellen Teppichherstellung den allgemeinen Verfall der älteren handwerklich orientierten Kulturen darstellt. Statt auch Dinge wie Schönheit und Gediegenheit zu berücksichtigen, haben Kasacks Teppichfabrikanten nur die steigende Profitrate im Auge, was zu einer solchen Überproduktion führt, daß man sogar die Natur mit Teppichen auszulegen beginnt. Erst als die gigantische Teppichfabrik von einem großen Feuer vernichtet wird, kehren alle zu natürlichen, organischen, vorindustriellen Verhältnissen zurück. Frank Sino schildert dagegen in seiner Utopie *Arche 2000,* wie eine allgemeine Weltkatastrophe zwar zu einer Rückbesinnung auf die Grundwerte der menschlichen Existenz führt, seine Utopiker jedoch, die nach alter Tradition auf eine Insel flüchten, dennoch auf die »hochentwickelte Industrie« der Vergangenheit nicht verzichten wollen.[48]

Sinos Roman, den er bereits in den späten fünfziger Jahren niederschrieb, für den er aber damals keinen Verleger fand, so daß er erst 1977 erscheinen konnte, ist ein Symptom dafür, wie wenig aufnahmebereit der westdeutsche Buchmarkt auf dem ersten Höhepunkt der »Wirtschaftswunder«-Ära für Warnutopien war. Auch die erwähnten Romane von Wolfdietrich Schnurre und Jens Rehn wurden kaum beachtet. Wie optimistisch damals weite Bevölkerungsschichten die Entwicklung der Technik beurteilten, läßt sich neben fortschrittsbetonten Schriften wie *Den Göttern gleich. Unser Leben von morgen* (1959) von Diether Stolze auch an der schnell aufblühenden Science-Fiction-Literatur dieser Jahre ablesen, in der die totale Beherrschung der Natur die Menschen zu immer neuen Hoffnungen auf ein besseres Leben beflügelt. Um dafür wenigstens ein Beispiel anzuführen, sei auf den Roman *Erde ohne Nacht. Technische Zukunftsvision* (1958) von H. L. Fahlberg verwiesen, in dem es einer Ingenieursgruppe gelingt, den Mond durch ferngesteuerte Atombrände in eine zweite Sonne umzufunktionieren, wodurch sich die gesamte Erde in ein ständig lichtüberglänztes subtropisches Paradies verwandelt. »Die Gletscher schmolzen ab«, heißt es hier ohne jedes ökologische Bewußtsein, »und das unter ihnen begrabene Land kam hervor und begann zu grünen. Die Zonen des gemäßigten Klimas schoben sich weit nach Norden und Süden vor; gewaltige Gebiete Asiens und Amerikas wurden zu Acker- und Weideland und boten vielen Menschen neuen Lebensraum. Die reichen Naturschätze dieser Länder konnten jetzt nutzbar gemacht werden und gewaltige Industriezentren entstanden dort, wo ehemals Eis und tödliche Kälte und die ein halbes Jahr dauernde Polarnacht geherrscht hatten. Das Packeis der Polarmeere verschwand, die Seefahrt erhielt neue Möglichkeiten. In den gemäßigten Breiten Europas, Asiens und Amerikas war der Schrecken des Winters gebrochen. Im November und Dezember grünte und blühte es noch; das Klima der ganzen Erde hatte sich verändert.«[49]

Angesichts einer solchen Situation, in der einerseits ein grenzenloser Defätismus, andererseits ein blinder Fortschrittswahn herrschten, war es sehr schwer, überhaupt noch grüne Utopien zu schreiben. Dennoch entstanden zu dieser Zeit zumindest zwei Werke, die eine genauere Würdigung verdienen. In dem Roman *Vineta. Ein Gegenwartsroman aus künftiger Sicht* (1955) beschreibt der Schweizer Hans Albrecht Moser aus der Perspektive des dritten Jahrtausends die technikbesessenen »Vineter« des 20. Jahrhunderts, an deren Stelle inzwischen die zur Natur zurückgekehrten »Utopier« getreten sind. Die Vineter, heißt es in einem Glossar am Schluß des Romans, hätten keinen »Respekt vor der Natur« gehabt, von allen Dingen »immer mehr haben« wollen, im Zustand ständiger »Konkurrenz« gelebt, immer mehr Kinder in die Welt gesetzt, Unmengen von Tieren geschlachtet oder den qualvollen Prozeduren der Vivisektion unterworfen, die Naturdenkmäler zu touristischen Attraktionen degradiert, nichts von »Liebe, Freundschaft, Herzlichkeit, Verehrung, Hochachtung« gehalten und sich schließlich durch ihre Atomwaffen, die ohne ihr Zutun »losgegangen« seien, gegenseitig ausgerottet. Im Gegensatz dazu werden die »Utopier« als die Vertreter einer Lebensweise dargestellt, welche die Natur verehren, sich um Bescheidenheit bemühen, fleischlose Kost bevorzugen und der Gesamtheit aller lebenden Wesen mit Verständnis und Schonung gegenübertreten.[50]

Noch anspruchsvoller und zugleich ökologiebewußter ist der Roman *Der Tanz mit dem Teufel* (1958) des Österreichers Günther Schwab, der nach einem beachtlichen Anfangserfolg erst durch die grüne Bewegung der letzten fünfzehn Jahre wieder bekannter geworden ist. Hier geht es um vier Menschen, einen US-amerikanischen Journalisten, einen deutschen Techniker, einer französischen Ärztin und einen schwedischen Schriftsteller, die über die Frage »Ist die Welt Gottes oder des Teufels?« debattieren. Da sie Gott nirgends finden können, interviewen sie schließlich den Teufel, der ihnen im 82. Stockwerk eines Wolkenkratzers als der Boß eines weltweiten »Vernichtungsinstituts« entgegentritt. Dieser Teufel belehrt sie, daß alle Errungenschaften der Industriellen Revolution, die den Menschen als segensreiche Etappen auf dem Weg zu einer immer gesünderen, glücklicheren, befreiteren Zukunft erschienen, in Wirklichkeit das Werk seiner vielen Unterteufel seien. Ganz gleich, was der Journalist, der Techniker, die Ärztin oder der Schriftsteller zur Verteidigung der Technik, der Medizin, der Hygiene, der Chemie oder der Ernährungswissenschaft auch vorbringen, alle ihre Argumente widerlegt der Teufel mit einer Fülle harter Fakten und Statistiken, aus denen deutlich hervorgeht, daß das, was sie unter technischem Fortschritt verstehen, trotz kurzfristiger Verbesserungen nicht nur zur fortschreitenden Vergiftung von Erde, Luft und Wasser führt, sondern daß diese Art von Fortschritt auch zur Vergiftung der menschlichen Seelen beiträgt.

Daß er ein so leichtes Spiel habe, führt der Teufel vor allem auf die steigende Profit- und Besitzgier, den Machtwahn und die Überheblichkeit der vom Fortschrittswahn geblendeten Menschen zurück. Die meisten, erklärt er grinsend, wollten immer mehr Maschinen, Autos und Konsumgüter und hielten daher nur das für gut, was der Akzelerierung der industriellen Expansionsrate diene. »Ich propagiere das heulende Elend als Wohlstand«, behauptet er siegessicher, »und die Menschen merken es nicht«. Fast alle seien zu vereinsamten und haltlosen »Egozentrikern« geworden. Wie die »Sklaven« erfüllten sie im Rahmen des heutigen »Wirtschaftswunders« ihre »Konsumpflichten« und brandmarkten jeden, der sich ihnen in den Weg stelle, als »Fortschrittsfeind«. Nicht mehr ans Wohl der Natur dächten sie, sondern nur noch ans »Wohl der Wirtschaft«. Und dies geschehe meist im Zeichen einer »Freiheit«, die weitgehend als Rücksichtslosigkeit ausgelegt werde und sich daher als das effektivste der zum Untergang führenden Konzepte erweise.[51]

Im Hinblick auf die Natur habe dieser »Privategoismus« zu einer fortschreitenden »Zersiedlung«, zu »Raubbau und Monokulturen«, zur Ausrottung vieler Pflanzen und Tiere sowie zu einem unheilvollen Tourismus geführt. Das Ergebnis dieser Entwicklung sei eine Welt ohne »biologisches Gleichgewicht«, eine »Welt ohne Mitte«. Niemand denke mehr an »Maßhalten, Bescheidung, Rückführung des Lebens auf das natürliche und sittliche Maß«, da dies nur »dem Geschäft schaden« würde. Anstatt auf dem Land zu arbeiten, wolle jeder in der Welt der großstädtischen Entfremdung leben und sich in Fabriken oder Büros mit »toten Dingen« beschäftigen. Dies gestörte Verhältnis wirke auf »psychohygienische« Weise auf die Menschen zurück, weshalb die Welt, wie der Teufel triumphierend behauptet, »mit Vollgas zur Hölle« fahre. Während die Naturwissenschaftler ausgerechnet hätten, daß die Erde beim heutigem Tempo der Rohstoffplünderung und Naturzerstörung noch bis zum Jahr 2400 weiterexistieren könne, prophezeit er, daß die »große vernichtende Endkatastrophe« bereits unmittelbar bevorstehe, da sich nirgends eine neue »Bescheidung oder Ehrfurcht« abzeichne. Folgerichtig schließt dieser Roman nicht mit einem offenen Ende, sondern mit einem »betäubenden Donnerschlag«. Doch dann tritt plötzlich ein kleines grünes Wunder ein. In der allgemeinen Trümmerlandschaft, heißt es, sei ein Apfelbäumchen stehengeblieben, unter dem die französische Ärztin und der schwedische Schriftsteller säßen, sich wie Adam und Eva anlächelten und als die »Saat eines neuen Weltalters« einige Körner in die Erde senkten.[52]

Vom »Wohlstand für alle« zum »Bericht des Club of Rome«

In der Zeit zwischen 1955 und 1965, in der die ökonomische Hochkonjunktur in der Bundesrepublik geradezu spektakuläre Züge annahm und einem wahren »Wirtschaftswunder« gleichkam, wurden die warnutopischen Schriften allmählich weniger. Die Unterstützung des innenpolitischen Kurses der Adenauer-Regierung war in diesen Jahren so groß, daß die CDU/CSU bei den Bundestagswahlen im September 1957 das einzige Mal in der Geschichte der Bundesrepublik die absolute Mehrheit erringen konnte – und das, obwohl sie sich für eine verstärkte Aufrüstung und sogar für eine atomare Bewaffnung der Bundeswehr einsetzte, die von weiten Schichten der Bevölkerung abgelehnt wurden. Doch ihr wirtschaftlicher Erfolg, den Erhard in die griffige Formel »Wohlstand für alle« kleidete, war so eklatant, daß selbst die SPD ihren bisherigen Konfrontationskurs aufgab und sich 1959 im Bad Godesberger Programm ebenfalls der herrschenden Konjunkturgesinnung und den mit ihr verbundenen Konsumparolen anschloß.

Die bundesdeutsche Intelligenz reagierte auf die dadurch entstehende »Wirtschaftswunder«-Mentalität mit einem konformistischen Nonkonformismus. Sie übte zwar weiterhin Kritik an einzelnen Maßnahmen der CDU/CSU-Regierung, verzichtete aber auf politische oder literarische Szenarien, die sich zu einer anderen Gesellschafts- oder Wirtschaftsordnung bekannt hätten. Einer der wenigen, der sich damals überhaupt Gedanken über die ungehemmte ökonomische

Akzeleration machten, weil er am besten sah, wohin diese Entwicklung führen könnte, war paradoxer- oder sinnvoller Weise Ludwig Erhard, der »Vater des Wirtschaftswunders«, wie man ihn bereits in den späten fünfziger Jahren nannte. Doch seine »Maßhalteappelle« sowie seine Warnungen vor einer zu »starken Ballung der Produktionsmittel in den Händen weniger«, die zu einem gefährlichen »Gruppenegoismus« führen könne,[53] wurden selbst von seinen Parteifreunden als unnötig belächelt, so fortschrittsoptimistisch waren die marktwirtschaftlich orientierten Christ- und Freidemokraten bereits.

Noch weniger beachtet wurden Stimmen, die sich inmitten des allgemeinen Raubbaus und Expansionswahns für die Erhaltung der Natur einzusetzen versuchten. Vor allem die *Grüne Charta der Mainau,* die 1960 auf Anregung des Grafen Lennart Bernadotte, des Präsidenten der westdeutschen Gartenbaugesellschaft, von Fachleuten wie Konrad Buchwald, Gerhard Olschowy und Alfred Toepfer ausgearbeitet wurde und sich auf die Artikel 1, 2 und 14 des Grundgesetzes berief, stieß weitgehend auf taube Ohren. Schließlich hieß es hier in aller Deutlichkeit und Schärfe, daß 1. die »Grundlagen unseres Lebens in Gefahr geraten« seien, »weil lebenswichtige Elemente der Natur verschmutzt, vergiftet und vernichtet werden und weil der Lärm uns unerträglich bedrängt«, 2. daß fast alle Rohstoffe »übermäßig und naturwidrig beansprucht« würden, und 3. selbst die noch »gesunde Landschaft« »in einem alarmierenden Ausmaß verbraucht« werde. Als unbedingt erforderlich wurden deshalb in dieser *Charta* folgende Gegenmaßnahmen eingeklagt: die »Aufstellung von Landschaftsplänen«, die »Sicherung und der Ausbau eines nachhaltig fruchtbaren Landbaus«, die »Verhinderung vermeidbarer, landschaftsschädigender Eingriffe«, die »Wiederbegrünung von Unland« sowie eine »Umstellung im Denken der gesamten Bevölkerung durch verstärkte Unterrichtung der Öffentlichkeit über die Bedeutung der Landschaft in Stadt und Land und die ihr drohenden Gefahren«.[54]

Ebenso ungehört verhallte die warnende Stimme Wilhelm Röpkes, der im Herbst 1964 in der *Welt am Sonntag* sein deutliches Unbehagen an der »rapide fortschreitenden Zerstörung natürlicher und naturhafter Landschaft« ausdrückte, die überall durch eine »künstliche Ersatzwelt« verdrängt werde, in der die Menschen notwendig «verkümmerten«.[55] Das gleiche Schicksal hatte das Buch *Die Zukunft des Menschen in der industriellen Gesellschaft und Landschaft* (1965) von Konrad Buchwald, der erklärte, daß es heute nicht mehr darum gehe, der »vorindustriellen Periode« nachzutrauern, sondern daß man staatlicherseits der zunehmenden »Zersiedlung« und dem »Ausverkauf schönster Landschaftsteile zugunsten Weniger auf Kosten der Allgemeinheit« entgegenwirken müsse. Allerdings ging Buchwald – wie Röpke und die Autoren der *Grünen Charta* – bei seinen Forderungen noch von einer Naturvorstellung aus, die in der zu erhaltenden Landschaft vornehmlich ein Nutz- und Erholungsgebiet für den Menschen sah, statt der Natur auch ein Eigenrecht zuzugestehen.[56]

Etwas zahlreicher und dringlicher wurden solche Appelle erst gegen Ende der sechziger und zu Beginn der siebziger Jahre, als der Optimismus der »Wirtschaftswunder«-Periode – nach der Rezession von 1966/67 – allmählich einem Krisenbewußtsein zu weichen begann, in dem sich auch ökologische Ängste manifestierten. So setzte sich beispielsweise Georg Picht 1970 in seinem Buch *Mut zur Utopie* in aller Entschiedenheit für eine sofortige »systematische Geburtenkontrolle« ein, um so dem verheerenden Zuwachs der Erdbevölkerung Einhalt zu gebieten.[57] 1971 erklärte Daniel Sarowski in *Das biologische Manifest,* daß man die Großstadtmenschen auf dem Lande ansiedeln solle, um ihnen wieder ein Gefühl für Natur und Heimat zu geben. Im gleichen Jahr brachte Hans Reimer sein Buch *Müllplanet Erde* heraus, in dem im Hinblick auf die verpestete Luft, das tote Wasser, die Vergiftung des Bodens wie überhaupt die allgemeine Landschaftszerstörung, die durch den Massenwohlstand der Wegwerfgesellschaft entstanden sei, bereits eine deutliche Doomsday-Stimmung herrscht. Das gleiche gilt für die Untersuchung *Die totale Autogesellschaft* (1972) von Hans Dollinger, in der höchst detailliert nachgewiesen wird, wie stark die Zunahme von Krankheiten wie Bleivergiftungen und Krebs mit der Umweltzerstörung durch Smog, fortschreitenden Straßenbau, rücksichtslose Bodenspekulation und steigenden Energieverbrauch, also der Autoflut, zusammenhänge und in letzter Konsequenz zu einem Selbstmord durch Fortschritt führe. Christian Schütze schrieb demnach 1971 unter dem Titel *Schon möglich, daß die Erde sterben muß,* daß man in der Bundesrepublik diesem Selbstmordkurs nicht länger tatenlos zusehen dürfe, sondern endlich zu Gegenmaßnahmen greifen müsse.[58]

Während in Westdeutschland bis 1970 der futorologische Optimismus, wie er sich in Büchern wie *The Year 2000* (1967) von Herman Kahn und Anthony Wiener sowie *Toward the Year 2000: World in Progress* (1968) von Daniel Bell zeigt, als spezifisch »amerikanisch« gegolten hatte, wurden nach diesem Zeitpunkt – sensibilisiert durch das eigene Krisenbewußtsein – plötzlich auch jene US-amerikanischen, britischen und kanadischen Autoren wahrgenommen, die bereits seit den frühen sechziger Jahren versucht hatten, dem herrschenden Technikkult und Fortschrittswahn mit immer dringlicheren Appellen entgegenzutreten. Das erste Werk dieser Art, das in den Vereinigten Staaten ein gewaltiges Aufsehen erregte und 31 Wochen auf der Bestsellerliste der *New York Times* stand, war das Buch *Silent Spring* (1962) von Rachel Carson. Es zeigte in unbeschönigter Form, wie durch den gnadenlosen Einsatz von Pestiziden, Insektiziden, Aerosolen und Unkrautbekämpfungsmitteln die Erdoberfläche einem »Sperrfeuer von Giften« und damit einer chemischen Verseuchung ausgesetzt werde, die bereits ein »beängstigend großes Ausmaß« angenommen habe und nicht nur das Überleben der Tiere, sondern auch das der Menschen in Frage stelle.[59] Ähnlich besorgt äußerte sich R. Buckminster Fuller in seiner Schrift *Utopia or Oblivion* (1964), in der er schrieb, daß die Menschheit nur noch durch ein bisher als »unrealistisch« verschrieenes, das heißt utopisches Denken vor dem ökologischen Untergang bewahrt werden könne.

Eine breitere Wirkung zeitigten diese Warnungen jedoch erst, als die Massenmedien erstmals auf große Umweltkatastrophen wie die 1967 durch den Supertanker *Torrey Canyon* erzeugte Ölpest hinwiesen, als sich die Meldungen über den Einsatz chemischer Mittel im Vietnamkrieg verbreiteten und als auch die Hippies dazu übergingen, ökologische Ideen zu verbreiten. All dies führte dazu, daß der Senator Gaylord Nelson aus Wisconsin 1970 im US-amerikanischen Senat die erste größere Kampagne zum Schutze der »Umwelt« einleitete, der Kongreß daraufhin den »Earth Day« zum halboffiziellen Feiertag erklärte und Präsident Nixon für das folgende Jahr 10 Milliarden Dollar zur Bekämpfung von Umweltschäden bereitstellte.

Von den Büchern, die bei diesem Prozeß eine wichtige Rolle spielten und ihn zum Teil mit in Gang setzten, seien hier lediglich jene erwähnt, die auch in der Bundesrepublik größeres Aufsehen erregten. Den ersten Erfolg dieser Art hatte Paul R. Ehrlich 1968 mit seinem Buch *The Population Bomb,* von dem sich schnell über drei Millionen Exemplare verkauften. Obwohl bereits der Sierra Club, die Wilderness Society und William Vogt seit den fünfziger Jahren auf das Problem der drohenden Überbevölkerung der Erde hingewiesen hatten, löste erst dieses Buch durch seine neo-malthusianische These, daß selbst die beste Technologie die Menschheit nicht vor dem drohenden Untergang bewahren könne, falls es nicht zu einer sofortigen Bevölkerungskontrolle komme, einen beachtlichen Schock im allgemeinen Bewußtsein aus. Aufgrund der von Ehrlich geäußerten Befürchtungen über eine kaum noch aufzuhaltende Bevölkerungslawine, durch die die Zahl der Menschen schnell auf vier, fünf, zehn, ja zwanzig Milliarden anwachsen könne, was nicht nur die Naturzerstörung beschleunigen, sondern auch den menschlichen Aggressionsdrang erhöhen werde, kamen kurz darauf Bücher wie *The Future Shock* von Alvin Toffler und *Doomsdaybook* von Gordon R. Taylor (beide 1970) heraus, in denen immer bedrohlichere Szenarien einer apokalyptischen Zukunft ausgemalt wurden.

Wohl die wichtigste Studie in diesem Zusammenhang war das Buch *The Closing Circle: Nature, Man, and Technology* (1970) von Barry Commoner, das schon ein Jahr später unter dem Titel *Wachstumswahn und Umweltkrise* auch in der Bundesrepublik erschien. Wie in den Schriften Gregory Batesons, der schon seit den frühen sechziger Jahren auf die Bedeutsamkeit eines in »kybernetischen Regelkreisen« denkenden Umweltbewußtseins hingewiesen hatte, wird auch bei Commoner jedes Denken, das die »unendlich komplexe Zirkulationsprozesse der Natur zu linearen Abläufen« verformt, grundsätzlich verworfen. In der Natur stehe, wie in dem Regelkreis »Fische – Kot – zersetzende Bakterien – anorganische Produkte – Algen – Fische«, »jedes Ding mit jedem anderen in Beziehung«. Die ökologische Balance solcher Regelkreise werde erst gestört, wenn es zu »Überbevölkerung«, der Zunahme sogenannter Einwegprodukte, dem immer größeren Einsatz von Chemie und einem steigenden Energieverbrauch komme. Die »Umweltkrise«, die sich dadurch ergebe, sei »der düstere Beweis für den heimtückischen Betrug«, den durch technologische Raub- und Überflußproduktion erzeugten gesellschaftlichen »Reichtum« nur positiv zu sehen. Schließlich werde dieser »Reichtum« durch eine »rasche und kurzfristige Ausbeutung des Umweltsystems geschaffen« und damit eine »ungeheure Schuld der Natur gegenüber angehäuft«. Um dem sich abzeichnenden »Bankrott« zu entgehen, erklärte er, müsse man in Zukunft die vielen »Alarmzeichen« in der Natur wesentlich ernster nehmen als bisher.[60]

Das größte weltweite Aufsehen löste jedoch erst der 1971 vom »Club of Rome«, einem europäischen Konsortium von Industriemanagern und Wissenschaftlern, angeregte *Bericht zur Lage der Menschheit* aus, den ein Forscherteam unter der Leitung von Dennis L. und Donella H. Meadows am Massachusetts Institute of Technology erarbeitete. Dieser Bericht mit dem Titel *Limits of Growth* kam ein Jahr später in der Bundesrepublik als *Grenzen des Wachstums* heraus. In höchst differenzierten Analysen hatte diese Forschergruppe zu errechnen versucht, wann bei steigendem Verbrauch der natürlichen Ressourcen und zunehmenden Weltbevölkerung das gegenwärtige Wirtschaftssystem zusammenbrechen würde. Diesem Doomsday-Szenario hatte das gleiche

Team anschließend Modelle einer möglichen »Gleichgewichtsgesellschaft« entgegengestellt, dabei jedoch zu bedenken gegeben, daß das drohende ökologische Desaster nur durch eine radikale Bevölkerungsbeschränkung, einen wesentlich sparsameren Umgang mit den übriggebliebenen Rohstoffen und zugleich eine Reduzierung des materiellen Wohlstands aufzuhalten sei. Genau besehen, wurde mit diesem Bericht das Ende aller technikorientierten Fortschrittsutopien eingeläutet und die Menschheit nur mit einer wenig angenehmen Alternative konfrontiert: dem Untergang oder der drastischen Reduzierung der bisherigen Wohlstandserwartungen.

Nach dem Doomsday-Schock von 1972

Die Theoretiker des ökologischen Humanismus in den siebziger Jahren

Der durch den Club of Rome angeregte Bericht über die *Grenzen des Wachstums* und die Ölkrise von 1973/74 lösten in vielen hochindustrialisierten Ländern, darunter der Bundesrepublik, einen Schock aus, durch den im Hinblick auf den Naturschutz ein völlig neuer Diskussionsrahmen entstand. Selbst die Massenmedien, die solchen Fragen bisher weitgehend aus dem Wege gegangen waren, sorgten plötzlich dafür, daß Begriffe wie Biotop, Ökologie, Bodenerosion, Smog, Ressourcen und Ozonloch schnell die Runde machten. Wenn auch einiges rein aus Sensationslust aufgegriffen wurde und anderes als ideologischer Dämpfer für den utopischen Optimismus der sogenannten Achtundsechziger gedacht war, das heißt eine Stimmung der Hoffnungslosigkeit verbreiten sollte, ließ sich seit den frühen siebziger Jahren die nackte Wahrheit über den ökologischen Verfallscharakter der Welt nicht wieder völlig verdrängen.

Ob nun in der *Frankfurter Allgemeinen* oder in *Bild,* im *Spiegel* oder der *Bunten Illustrierten,* in ARD und ZDF, letztlich wiesen alle Nachrichten, die sich mit ökologischen Problemen beschäftigten, immer wieder auf die harten Fakten der Naturverschmutzung und alle mit ihr zusammenhängenden Bedrohungen hin. Das erzeugte nicht nur Gruseln, sondern auch eine steigende Verunsicherung. Meldungen, daß weniger als 2 Prozent der Weltbevölkerung für 30 Prozent der »Umwelt«-Verschmutzung verantwortlich seien und daß die USA fast die Hälfte aller Rohstoffe der Welt verbrauchten, öffneten manchen sogar die Augen über die ökonomischen und sozialen Hintergründe der immer näher rückenden ökologischen Katastrophe.

Durch diesen Einbruch in die Massenmedien entstand für »Umwelt«-Probleme erstmals eine breitere Öffentlichkeit. Nach diesem Zeitpunkt war es kaum noch möglich, solche Fragen einfach zu ignorieren. Von nun an mußten alle Parteien, ideologischen Gruppen und Gesellschaftsschichten auf sie reagieren – ob aggressiv, verdrängend, abwiegelnd oder engagiert. Die sich als »liberal« verstehenden Theoretiker hatten sich bis 1971 weitgehend einem Fortschritt verbunden gefühlt, der die individuelle Emanzipation förderte, und in der stärker naturverbundenen Lebensweise der Kleinstädter und Dorfbewohner lediglich Relikte einer allmählich anachronistisch werdenden Welt gesehen. Die Liberalen waren daher höchst alarmiert, als sie hörten, daß angesichts der ökologischen Doomsday-Perspektiven nur eine drastische Einschränkung des Wohlstands und der bisherigen Freizügigkeit den drohenden Untergang aufhalten könne. Auf diese Herausforderung, die jeder Form des bürgerlichen Liberalismus widersprach, reagierten sie erst einmal mit wohlmeinenden, aber relativ inhaltslosen Reformvorschlägen, da sie eine tiefergehende Auseinandersetzung mit den anstehenden Problemen zur Modifizierung ihres bisher rein am technischen Fortschritt und der subjektiven Emanzipation orientierten Denkens gezwungen hätte.

Die Frage nach der Schuld an der ökologischen Misere wurde in diesem Umkreis nur in Ausnahmefällen aufgeworfen. Wenn man sie überhaupt stellte, dann vornehmlich auf geistiger, anthropologischer oder religiöser, nicht aber auf ökonomischer oder sozialer Ebene. Statt auch in sich selber Nutznießer der herrschenden Naturausbeutung zu sehen und daraus die nötigen Konsequenzen zu ziehen, gaben die Liberalen die Schuld fast immer den »anderen«. Als eine Möglichkeit bot sich hierfür die Chance an, die ältere Religionskritik zu reaktivieren. So wird in einem Buch wie *Das Ende der Vorsehung. Die gnadenlosen Folgen des Christentums* (1972) von Carl Amery, statt wie in den fünfziger Jahren für die fortschreitende Naturzerstörung den allgemeinen »Abfall von Gott« verantwortlich zu machen, die Umweltverschandelung als das logische Resultat jener »Leitvorstellungen der judäisch-christlichen Tradition« hingestellt, die sich im Punkte »Natur« – im Gegensatz zu den anderen Religionen der Welt – von Anfang an zur totalen Herrschaft des Menschen über den gesamten Erdball und alle auf ihm lebenden Wesen bekannt habe. Nur in diesem Denken sei der Mensch von vornherein der »Auserwählte« gewesen, der sich selbst zu den übelsten Verbrechen gegen die »Biosphäre« moralisch gerechtfertigt fühlte.[1]

Andere Liberale bedienten sich bei solchen Schuldzuweisungen gern biologischer, anthropologischer oder verhaltenspsychologischer Argumente, wobei sie sich zum Teil auf die Schrift *Die acht Todsünden der zivilisierten Welt* (1974) von Konrad Lorenz beriefen, in der neben der »Überbevölkerung der Erde«, dem »genetischen Verfall« und der »Verwüstung des natürlichen Lebensraums« zugleich der »Schwund aller starken Gefühle« und die »Zunahme der Indoktrinierbarkeit der Menschheit« beklagt wird. Auch Heinz Friedrichs Büchlein *Kulturverfall und Umweltkrise* (1979) spielte in diesem Zusammenhang eine Rolle. Doch der eigentlichen Frage nach der konkreten Schuld an den herrschenden Zuständen, die auch das eigene Fehlverhalten mit einbezogen hätte, gingen die Liberalen aus dem Wege. Statt sich tiefer auf die Widersprüche der Industrialisierung einzulassen, traten sie deshalb nach 1971 den Doomsday-Propheten auf zweierlei Weise entgegen: entweder indem sie die aufgeworfenen Probleme geschickt verharmlosten oder indem sie wohlmeinende Reformvorschläge machten, die aufgrund ihres idealistischen Charakters nur selten bis zur Wurzel der beklagten Zustände reichten.

Am liebsten hätten die Liberalen es bei abwiegelnden Beschwichtigungen belassen. Vor allem zu Anfang ironisierten sie die Doomsday-Propheten gern als lächerliche Fanatiker, denen die Bäume wichtiger seien als die Menschen und die anachronistisch gewordene Planungskonzepte wieder in die Wirtschaft einzuführen suchten. Wie in den USA, wo man Autoren wie Carson, Ehrlich, Commoner und Meadows lange Zeit der »Öko-Hysterie« bezichtigte, wurden daher gegen Mitte der siebziger Jahre auch in der Bundesrepublik Stimmen laut, die entweder behaupteten, alles wäre nur halb so schlimm, da die Wälder ja immer noch grün seien, und daß sich manche Schäden sicher von selbst regulierten, um so einen Wachstumsstopp zu vermeiden und den herrschenden Wohlstand und die pluralistische Freizügigkeit aufrechtzuerhalten.

Solche Argumente wurden jedoch schnell fadenscheinig. Mit Witzen und Beschwichtigungen konnte man den ökologischen Gefahren nach 1975, als sich der Katastrophenkurs immer deutlicher abzeichnete, nicht mehr entgegentreten. Auch die Liberalen mußten sich nach diesem Zeitpunkt wenn schon nicht zu einer Umkehr, so doch zu einem größeren Reformwillen bekennen, um nicht als unglaubwürdig zu gelten. Sie taten dieses im Rahmen des bestehenden Systems, also jener Wirtschaftsordnung, die aufgrund ihres Konkurrenz- und Profitstrebens die eigentliche Ursache aller mörderischen Gefahren war. Hierbei setzten sie ihre Hoffnungen vor allem auf bessere Filtersysteme, ein selektives Recyclingverfahren, die Einschränkung von Pestiziden, die Erforschung »sanfterer« Energiequellen und die Verlangsamung des Straßenbaus. Meist gingen sie von der aufklärerischen Überzeugung aus, daß es im Rahmen des bewährten Systems genügen würde, an den guten Willen aller Mitbürger und Mitbürgerinnen zu appellieren. Mit anderen Worten: nach alter liberaler Tradition hofften sie auf eine »Denkwende« oder einen »Bewußtseinswandel«, als werde die Welt allein von Ideen regiert.

Fast alle liberalen Reformvorschläge waren deshalb zwar gut gemeint, aber illusionär. Nur wenige Liberale zeigten sich bereit, wirklich auf den Grund der Dinge – zur Neuregelung der wirtschaftlichen Produktion – vorzustoßen. Die meisten befürchteten, daß ein solcher Eingriff zur Wiederbelebung jener Solidaritäts- und Planungskonzepte führen könnte, die sie aufgrund ihres kollektiven Charakters – nach den Erfahrungen des Faschismus – noch immer als »negativ besetzt« oder »totalitär« empfanden. Relativ konkrete Reformvorschläge, geschweige denn Sozialutopien finden sich deshalb in diesem Umkreis kaum. Wer sich im Rahmen liberaler Weltanschauungskonzepte überhaupt zu ökologischen Reformvorstellungen bekannte, hatte meist einen anderen ideologischen Hintergrund. So verrät etwa das Buch *Die menschenwürdige Gesellschaft* (1974) von Theodor Beltle, das sich auf idealistische Weise für ein freieres Menschentum einsetzte und dem »Machtdruck im Rechtsleben« und dem »Übergewicht der Wirtschaft« mit der Forderung einer größeren Schonung der Natur entgegentrat, eine spezifisch anthroposophische Ausrichtung.[2] Ähnlich konservativ im älteren Sinne wirkt das *Bussauer Manifest zur umweltpolitischen Situation* (1975), hinter dem der Mitarbeiterstab der 1970 von Friedrich Georg Jünger gegründeten Zeitschrift *Scheideweg* steht, das sich zwar ausdrücklich für eine »Einschränkung des Verkehrs«, eine »Regelung des Bevölkerungswachstums« und ein »Verbot industrieller Schadstoffe« aussprach, ohne jedoch konkret auszuführen, wie sich solche Forderungen in die gesellschaftliche Wirklichkeit umsetzen lassen.[3]

Das gleiche gilt für alle idealistischen Reformvorschläge der siebziger Jahre, die sich im Sinne von Meadows *Grenzen des Wachstums* für die Einführung kybernetischer Regelkreise einsetzten. Wohl der bekannteste Vertreter dieses Denkens war Frederic Vester, der bereits 1972 in seinem *Überlebensprogramm* erklärte, daß man den verheerenden Folgen der Naturausbeutung nur dann effektiv entgegenwirken könne, wenn man im Wirtschafts- und Gesellschaftsleben das »vorkybernetische«, das heißt lineare Denken durch ein »kybernetisches«, das heißt ein an Regelkreisen orientiertes Denken ersetzen würde.[4] Dazu gehöre jedoch ein »Bewußtsein«, wie Vester in Büchern wie *Das kybernetische Zeitalter* (1974) und *Neuland des Denkens* (1980) weiter auszuführen versuchte, das sich um eine bessere »Vernetzung« des Menschen mit den ihn umgebenden Biosphären bemühe. Im Gefolge eines solchen futurologischen Denkens, erklärte er zukunftsgewiß, werde die Menschheit in absehbarer Zeit einen »stationären Zustand« erreichen, der keine ökologischen Gefahren mehr in sich berge.[5]

Doch lieber als derartige Reformvorschläge, die ihnen viel zu repressiv erschienen, waren den Liberalen der siebziger Jahre jene theoretischen Forderungen eines sanfteren Umgangs mit der Natur, die überhaupt keine konkreten Konsequenzen nach sich zogen, sondern lediglich »Denkwenden« implizierten. Als zwei Beispiele einer solchen Haltung seien die Schriften von Carl Friedrich von Weizsäcker und Hans Jonas zitiert, die sich aufgrund ihrer liberalen Ausrichtung jeder gesamtgesellschaftlichen Verantwortlichkeit entziehen und im Bereich des Pluralistisch-Subjektiven bleiben. So erklärte Weizsäcker 1976 in seinem Buch *Wege in der Gefahr* gleich zu Anfang, daß die einzige Chance für das Überleben der Menschheit in einer »Reform des kapitalistischen Systems« bestehe. Er wandte sich im Sinne eines »Appells an die Vernunft« gegen alle Hoffnungen, sich von planwirtschaftlichen oder sozialistischen Veränderungsvorschlägen Lösungen der anstehenden ökologischen Probleme zu versprechen, und pries als die einzigen Garanten einer besseren Zukunft den »poltischen Liberalismus«, die »freie Marktwirtschaft«, den »vernünftigen Gebrauch der Technik« und vor allem eine allgemeine »Bewußtseinsveränderung«.[6] Etwas entschiedener ging Hans Jonas 1979 in seinem Buch *Das Prinzip Verantwortung. Versuch einer Ethik für die technologische Zivilisation* vor. Auch er begann mit Ausfällen gegen den Marxismus und das *Prinzip Hoffnung* von Ernst Bloch, besonders wegen der von ihnen befürworteten Akzelerierung der technischen Produktion, von der wenig Gutes zu erhoffen sei, zog dann jedoch auch alle anderen technologisch-orientierten Fortschrittskonzepte in Frage, die in den von ihnen beeinflußten Systemen zu der gleichen schrankenlosen Herrschaft der Vernunft über die Natur geführt hätten. Einen Ausweg aus diesem Dilemma versprach sich Jonas einzig und allein von einer Synthese aus Freiheit und Gleichheit, Kapitalismus und Sozialismus, also einem System, in dem an die Stelle der herrschenden Profit- und Konsumgier eine »Ethik der Verantwortung trete«, die sich an Werten wie Mäßigung, Selbstgenügsamkeit, ja Askese orientiere.[7]

Noch einen Schritt weiter ging Carl Amery, der sich 1976 in seinem Manifest *Natur als Politik. Die ökologische Chance des Menschen* zu einem »ökologischen Materialismus« bekannte, dessen höchstes Ziel nicht mehr die »Expansion« der Wirtschaft, sondern die »Erhaltung der Natur« sei. Während Marx in seiner 11. Feuerbach-These noch gesagt habe, daß man die Welt nicht nur interpretieren, sondern auch verändern müsse, gehe es heutzutage eher darum, die Welt zu erhalten, als sie unentwegt zu verändern. Statt die menschliche Geschichte weiterhin unter dem Primat von Politik und Gesellschaft zu sehen, empfahl er, sie in Zukunft vornehmlich im Hinblick auf ihr Verhältnis zur Natur zu betrachten. Schließlich sei durch die Maßlosigkeit des gegenwärtigen Energieverbrauchs und die skrupellosen Eingriffe in die »ökologischen Kreisläufe« eine Situation entstanden, in der »entweder das Industriesystem vor dem Ökosystem oder das Ökosystem vor dem Industriesystem« zusammenzubrechen drohe. Amery plädierte daher in seiner »6. These zum ökologischen Materialismus«, daß die »Logik des Überlebens der Menschheit die raschestmögliche Zerstörung des Industriesystems, und zwar fast um jeden Preis« erfordere.[8] Als erste Maßnahme in dieser Hinsicht schlug er eine weitgehende Dezentralisierung der gewerblichen Produktion, die Abschaffung des Ferntransportsystems und eine größere Haltbarkeit der hergestellten Güter vor, um so dem selbstmörderischen Kurs der gegenwärtigen Wegwerfgesellschaft in letzter Minute Einhalt zu gebieten.

Angesichts dieser Thesen stellt sich die Frage, ob Amerys Haltung – trotz aller Betonung marktwirtschaftlicher Prinzipien – überhaupt noch als »liberal« bezeichnet werden kann. Die gleiche Frage könnte man auch bei Herbert Gruhls Buch *Ein Planet wird geplündert. Die Schreckensbilanz unserer Politik* (1975) stellen, das die These vertritt, der »totale Sieg« eines nur auf Steigerungsraten bedachten Wirtschaftssystems müsse notwendig zu seiner »totalen Selbstvernichtung« führen. Die Ansichten Gruhls wurden damals sehr ernst genommen. Schließlich hatte er jahrelang den Vorsitz der CDU/CSU-Arbeitsgruppe für Umweltfürsorge innegehabt, bis er plötzlich erkannte, daß in dem von ihm bisher unterstützten System jede »Mehrproduktion« zugleich mehr »Machtentfaltung« bedeute, ja daß sich in der Bundesrepublik eine unübersehbare »Komplizenschaft von Kapital, Arbeit und Staat« anbahne, die lediglich auf die unentwegte Akzelerierung der wirtschaftlichen Expansion dränge und damit – ökologisch gesehen – geradezu selbstmörderisch sei.[9]

Trotz dieser radikalen Kritik am bestehenden Wirtschaftssystem blieben Amery und Gruhl – wie Weizsäcker und Jonas – letztlich Idealisten und setzten ihre Hoffnung anfangs allein auf eine durch die Intelligenz in Gang gesetzte »Bewußtseinsveränderung« oder gar »planetarische Wende«.[10] Bei aller Einsicht in den Wahnwitz der gegenwärtigen Entwicklung konnten sie sich lange Zeit nicht entschließen, ihren ökonomischen und ökologischen Einsichten die politische Einsicht folgen zu lassen, daß sich eine solche »Wende« im Rahmen der bestehenden Parteien überhaupt nicht durchsetzen ließ, sondern daß hierfür eine neue Partei nötig war, die sich weniger für Wohlstand als für das soziale Gewissen und damit eine kollektive Rücksicht auf die Natur einsetzte. So versuchte Carl Amery in seinem dystopischen Roman *Der Untergang der Stadt Passau* (1975) lediglich zu zeigen, welche freiheitsbeschränkenden Folgen ein solcher Rückfall ins Kollektive – dessen katastrophale Ursachen weitgehend ungeklärt bleiben – haben könne. In diesem Punkt blieben fast alle liberalen Kritiker eines ungehemmten Wachstums bis 1980 einer Antitotalitarismus-Ideologie verhaftet, die ihnen jede Wendung ins parteilich Organisierte als bedrohliches Schreckgespenst erscheinen ließ.

Antworten der Sozialisten und Sozialdemokraten

Nicht viel anders verhielten sich die meisten sozialistischen oder sozialdemokratischen Theoretiker gegenüber dem ökologischen Doomsday-Schock von 1972. Schließlich ging auch ihre Ideologie – wie die der Liberalen – auf den Fortschrittsoptimismus der Industrialisierung und Verstädterung des späten 19. Jahrhunderts und der Zeit der Weimarer Republik zurück. Zudem gehörten zu den Stammwählern der westdeutschen SPD vornehmlich die in den Gewerkschaften organisierten Industriearbeiter, die sich energisch gegen jede Wachstumsbegrenzung wandten. Diese Bevölkerungsschicht versprach sich das künftige Heil allein von der Fortführung jener wirtschaftswunderlichen Produktionssteigerung, die ihr einen der höchsten Lebensstandards aller Industriearbeiter der Welt beschert hatte. SPD-Wählern und Gewerkschaftern mit Naturschutz-Parolen eine Reduzierung ihres Konsumverhaltens nahezulegen, wäre also für linke Parteien oder Organisationen damals noch höchst gefährlich gewesen und hätte die Arbeiter geradewegs in die Arme irgendwelcher mit simplistischen Parolen auftretenden Demagogen getrieben.

Was die SPD als die weitaus stärkste Kraft auf dem linken Flügel der westdeutschen Parteien in ökologischer Hinsicht befürwortete, waren daher lediglich systemimmanente Reparaturen in Form schärferer Gesundheitsvorschriften, Vorschläge zu mehr Filtern oder Antismog-Verfügungen für sogenannte Ballungsgebiete, aber keine radikalen Eingriffe in das bestehende System. Stimmen dieser Art hörte man in ihren Reihen erstmals in den frühen sechziger Jahren. So spielte in Nordrhein-Westfalen der Slogan »Blauer Himmel über der Ruhr« schon 1961 bei den Wahlen zum Bundestag eine wichtige Rolle. Ein wirkliches »Umweltprogramm« legte die SPD allerdings erst 1972, im

Jahr des Doomsday-Schocks, vor, blieb dabei jedoch relativ allgemein. Ebenso vorsichtig taktierte die Parteispitze in der Folgezeit. Zwar griff sie im Rahmen der immer hitziger werdenden Umweltdebatte auch Begriffe wie »Lebensqualität« oder »qualitatives Wachstum« auf, wiegelte aber sonst alle Vorschläge zu drastischen Veränderungen der bestehenden Verhältnisse ab. Die einzigen wirklich aktiven unter den maßgeblichen Sprechern dieser Partei waren in den siebziger Jahren Joachim Steffen in Schleswig-Holstein und Erhard Eppler in Baden-Württemberg, die jedoch unter der Kanzlerschaft von Helmut Schmidt den wachstumsbetonten Kurs ihrer Partei nicht in ihrem Sinne beeinflussen konnten.

Vor allem das Buch *Strukturelle Revolution. Von der Wertlosigkeit der Sachen* (1974) von Joachim Steffen erschien den meisten SPD-Führern als viel zu utopisch. Steffen erklärte, daß ein humanes Überleben im gegenwärtigen Industrieverbund nicht mehr gewährleistet sei, da dieses System in steigendem Maße die natürlichen Grundlagen aller menschlichen Existenz, nämlich Wasser, Luft und Boden, in Mitleidenschaft ziehe. Zu dieser Gefährdung sei es gekommen, weil die meisten Menschen bereits so weit von ihrer wahren Natur entfremdet seien, daß sie sich »bewußtlos« von den von ihnen produzierten »Sachen« beherrschen ließen. Wie die Liberalen setzte sich Steffen – trotz marxistischer Restelemente – scharf von den Ostblockstaaten ab und entwickelte eine Alternative zur sozialistischen Staatstheorie, die zwar keineswegs auf Planungsvorstellungen verzichtet, jedoch hofft, sie auf demokratische Weise durchführen zu können. Steffen sprach sich nicht nur für eine stärkere Kontrolle der Naturwissenschaften und Massenmedien, sondern auch für eine politische Mitbestimmung der Bevölkerung bei der regionalen »Nutzung von Wasser, Luft und Boden« aus, um die SPD wieder auf einen sozial engagierten Kurs zu bringen. Schließlich sei der »Skandal der Natur«, wie er schrieb, letzten Endes der »Skandal einer Gesellschaft«, die durch ihren blinden »Ökonomismus« zu einer gefährlichen »Umweltzerstörung« und damit einem »unmenschlich unnatürlichen Zustand« beigetragen habe.[11]

Ebenso entschieden äußerte sich Erhard Eppler in seinen Büchern und Manifesten der siebziger Jahre. 1973 erklärte er in seinem Aufsatz *Alternative für eine humane Gesellschaft,* der in dem Sammelband *Die Zukunft des Wachstums. Kritische Antworten zum Bericht des »Club of Rome«* erschien, daß unter den gegenwärtigen Bedingungen das »wirtschaftliche Wachstum« kein Maßstab für die »Humanisierung der Gesellschaft« mehr sei.[12] Noch klarer drückte sich Eppler

1975 in dem Buch *Ende oder Wende? Von der Machbarkeit des Notwendigen* aus, in dem er nicht nur detailliert auf die Möglichkeiten der Einsparung von Rohstoffen und Energie einging, sondern zugleich auf ideologischer Ebene einen linken »Wertkonservativismus« befürwortete. Während die technischen Fortschritte bisher im Dienst der »Zukunftsbewältigung« gestanden hätten, führten sie heute immer stärker zu Geschwindigkeitswahn, Umweltverschmutzung, riesigen Abfallbergen usw. »Wachstum« sei daher kein unqualifizierter »Fortschritt« mehr, sondern äußere sich auch als »Verkrebsung« und »Zerstörung«. Zudem trat Eppler mutig jenem »übersteigerten Individualismus« entgegen, der längst jeden progressiven Zug eingebüßt habe. Zwar betonte er, daß die Sozialdemokratie die »freie Selbstverwirklichung des einzelnen« durchaus begrüße, diese dürfe jedoch nicht zu einer »Ideologie des Eigennutzes« im Sinne von Adam Smith führen, sondern müsse auch die Rechte anderer Menschen achten. »Noch nie in der Geschichte«, schrieb er, »war die Freiheit so auf Solidarität angewiesen wie heute. Und noch nie haben wir so deutlich zu spüren bekommen, wie wenig Gerechtigkeit ohne Solidarität humanes Zusammenleben schaffen kann.«[13] Noch besorgter äußerte sich Eppler 1981 in seinem Buch *Wege aus der Gefahr,* wo er dem Wachstumskult und der Atomtechnologie, die immer wieder mit angeblich unausweichlichen »Sachzwängen« gerechtfertigt würden, die utopische Vision einer Bescheidung auf ein natürliches Maß der Dinge entgegensetzte, die er mit konkreten Vorschlägen zu einer Verringerung der überspannten Konsumansprüche zu untermauern versuchte.

Doch die meisten seiner Parteifreunde blieben von solchen Thesen ungerührt. Von Ausnahmen wie Hans-Ulrich Klose und Oskar Lafontaine abgesehen, hielt die SPD auch in der Folgezeit an einem Kurs fest, der zwar eine »ökologische Modernisierung der Industriegesellschaft« befürwortete, wie es 1985 in ihren *Dortmunder Thesen für Arbeit und Umwelt* hieß, jedoch nicht auf das Konzept des ständigen Wachstums verzichtete. Das gleiche taten die Gewerkschaften. Zwar legten sie 1985 in ihrem Grundsatzpapier zu *Umwelt und qualifiziertem Wachstum* einen größeren Nachdruck auf ökologische Belange, schreckten aber ebenfalls vor wachstumsbeschränkenden Maßnahmen zurück. Trotz Wahlslogans wie »Erst der Wald, dann wir, dann ihr?« traten sowohl die SPD als auch die Gewerkschaften weiterhin für eine »sozial und ökologisch verantwortete Industriegesellschaft« ein, die sich zwar um umweltschonende Produktionsverfahren und im Bereich des Naturschutzes zugleich um neue Arbeitsplätze bemüht, sonst jedoch alles beim alten beläßt.

Die einzige Gruppe innerhalb der SPD, die gegen diese reformpolitische Anpassung an den herrschenden Industrieapparat opponierte, war die alte »Naturfreunde«-Bewegung. Sie hatte sich nach 1945 neu konstituiert und versuchte schon in den fünfziger Jahren für die Rettung des Vogelbrutgebiets Knechtsand an der Nordseeküste und des Hörnle in der Schwäbischen Alb einzutreten, das an eine Zementfabrik verkauft werden sollte.[14] 1961 veranstalteten die Naturfreunde in Stuttgart eine Tagung, die unter der Leitidee »Schutz dem Menschen, Schutz der Natur« stand. 1963 bezeichneten sie auf ihrem Bundeskongreß in Heilbronn, den sie unter das wesentlich deutlichere Motto »Natur in Gefahr, Mensch in Gefahr« stellten, die »Erhaltung und Wiederherstellung einer menschenwürdigen Umgebung« bereits als »die Pflicht und das Recht aller Menschen«. Am schärfsten griffen sie die Touristikbranche an, welche die Meeresküsten und Alpentäler Deutschlands immer stärker in häßliche »Profitlandschaften« verwandele.[15] Doch wirklich beachtet wurden die Naturfreunde erst seit den späten siebziger Jahren, als sich die SPD ihrer erinnerte, Eppler und Lafontaine auf ihren Bundestreffen vielbeachtete Reden hielten und ihre Mitgliederzahl auf 120 000 anwuchs.

Während die SPD, als die Umweltdebatte immer erregter wurde, wenigstens auf ihre Naturfreunde verweisen konnte, stand die DKP im Hinblick auf ökologische Fragen in den siebziger Jahren mit leeren Händen da. Schließlich war sie ideologisch noch enger an die Interessen der Industriearbeiter gebunden als die SPD und hatte in ökologischen Fragen auch bei der DDR keinen Rückhalt. Wie alle Staaten des damaligen Ostblocks orientierte sich die DDR anfangs rein an der Arbeiterklasse und hätte sich – unter dem Konkurrenzdruck des Westens – einen produktionsmindernden Umweltschutz überhaupt nicht leisten können. Doch neben der offiziellen Ideologie der Produktionssteigerung, mit der man den Kapitalismus einzuholen, wenn nicht gar zu übertreffen hoffte, gab es in diesem Staat auch kritische Stimmen, vor allem im Lager der in die DDR übergesiedelten älteren bürgerlichen Sympathisanten. Zu ihnen gehörte Ernst Bloch, dessen utopischer Marxismus deutlich vom Gedankengut der Lebensreformbewegung und des Wandervogels beeinflußt war und der die Vision einer Wiederversöhnung des Menschen mit der Natur schon in dem Buch *Freiheit und Ordnung. Abriß der Sozialutopien* (1946) in dem Wort »Heimat« zusammengefaßt hatte.[16] Und auch Bertolt Brecht, der im Hinblick auf die Industrie einmal notierte: »Unaufhaltsam ist der Aufstieg dieses Ungetüms, ihm wird die Natur zur Ware, selbst die Luft verkäuflich«, setzte sich in seinen letzten Jahren mehrfach für eine konsequente De-Urbanisierung der großen Städte ein, um so der steigenden Entfremdung des Menschen von der Natur Einhalt zu gebieten. Außerdem wandte er sich – auf die Gediegenheit des älteren Kunsthandwerks verweisend – entschieden gegen jene Verschwendungssucht, die in der Herstellung billiger, aber wenig haltbarer Gebrauchsgegenstände bestehe.[17]

Aber auch unter den Vertretern der nächsten Generation bekannten sich in der DDR nach der Veröffentlichung der *Grenzen des Wachstums* einige immer entschiedener zu einem wachstumsbeschränkenden und damit naturkonservierenden Verhalten. Die erste Publikation dieser Art war das Buch *Kommunismus ohne Wachstum? Babeuf und der »Club of Rome«* (1975), das auf Interviews beruhte, die Freimut Duve mit Wolfgang Harich führte und bei Rowohlt herausbrachte. In ihnen entwarf Harich die Utopie eines kommunistischen Weltstaats, der sich auf eine konsequente Gerechtigkeitsdiktatur stützt, indem er alle übriggebliebenen Rohstoffe sorgfältig katalogisiert und rationiert, Fabriken nur an Standorten duldet, die keine allzu großen Transportwege erfordern, und zum Schutze der Natur selbst vor der Umsiedlung großer Menschenmassen nicht zurückschreckt. Nur ein Staat, der sich an den Ideen von Rousseau, Robespierre, Babeuf und Marx orientiere, werde fähig sein, die Bevölkerungslawine aufzuhalten, dem Wirtschaftswachstum Grenzen zu setzen und die Natur vor schädlichen Nebenwirkungen der Industrie zu bewahren, während die ungezügelte Produktionsweise des Kapitalismus zwangläufig zum Doomsday führen müsse. »Mir ist die westliche Verschwendungs- und Verkaufswelt seit jeher widerwärtig gewesen, schon wegen ihrer kulturellen Hohlheit«, erklärte Harich kurze Zeit später, »und sie wurde mir immer suspekter, je unerbittlicher die Befunde ökologisch fundierter Zukunftsforschung mir ihren für die Menschheit schlechthin selbstmörderischen Kurs bewußt machten.« Da Harich fast »siebzig Prozent aller Industrieprodukte« für »völlig überflüssig« hielt, kritisierte er sogar die SED, die sich seit Erich Honecker zusehends an westlichen »Konsumnormen« orientiere.[18] Allerdings bewahrten ihn solche Äußerungen nicht davor, wegen seiner strikten Planungskonzepte im Westen als »ökologischer Stalinist« angegriffen zu werden.[19]

Eine völlig andere Position nimmt die Aufsatzsammlung *Morgen. Die Industriegesellschaft am Scheidewege. Kritik und reale Utopie* (1980) des DDR-Dissidenten Robert Havemann ein, die ebenfalls im Westen erschien. Havemann war überzeugt, daß weder der Kapitalismus noch der realexistierende Sozialismus mit der herannahenden

»ökologischen Krise« fertig werden könnten. Der Kapitalismus sei dazu nicht fähig, weil er nicht für den tatsächlichen »Gebrauch«, sondern nur für den unvernünftigen »Verbrauch« produziere. Doch auch in den sozialistischen Ländern werde allein das »Wachstum« angebetet, ja ständig vom »Einholen« oder »Überholen« geredet. Ebenso suspekt fand Havemann Harichs System »kooperierender Polizeistaaten mit reiner Rationierungswirtschaft«, da es »keinerlei Rücksicht auf individuelle Bedürfnisse« nehme. Auf diese kritischen Spekulationen ließ Havemann – im selben Buch – seine eigene Utopie folgen, die er »Die Reise in das Land unserer Hoffnungen« nannte. In diesem Land, das irgendwo südlich von Österreich liegt, haben die Menschen die »Krebsgeschwüre« der großen Städte seit langem verlassen und leben wieder auf dem Lande, und zwar ohne Autos, ohne Veränderungssucht, ohne viele Kinder. Den größten Teil ihrer Zeit verwenden sie zum Lernen und zum Studium der Kunst. Sie können sich ein solches Leben leisten, weil in dieser Utopie nur wenige, aber desto haltbarere Gegenstände hergestellt werden, deren Produktion voll automatisiert ist und daher wenig Zeit erfordert. Die Fabriken, in denen diese Gebrauchsgüter hergestellt werden, befinden sich größtenteils unter der Erde, wodurch die Gewächshäuser, die man über ihnen angelegt hat, immer warm sind und kaum zusätzliche Energiezufuhr benötigen. Dagegen werden die Wohnhäuser fast ausschließlich mit Sonnenenergie geheizt und sind so dauerhaft gebaut, daß sie Hunderte von Jahren halten.[20]

Ebenso utopisch stellte sich Rudolf Bahro in seinem Buch *Die Alternative. Zur Kritik des realexistierenden Sozialismus* (1977) die Zukunft vor. Wie Harichs und Havemanns Schriften konnte auch dieses Buch nur im Westen erscheinen. Bahro setzte seine Hoffnung auf eine bessere DDR damals noch auf einen selbstlosen »Bund der Kommunisten«, der sich nicht an der herrschenden Privilegienwirtschaft und damit den weiterbestehenden Übeln des Kapitalismus beteiligt, sondern dem kruden Materialismus der Führungsschichten mit sozialbetonter Genügsamkeit entgegenzutreten versucht. Obendrein forderte er die Einführung einer »naturgemäßen Technologie«, um von einer Produktion, welche die Natur lediglich ausbeutet, zu einer Produktion voranzuschreiten, die sich in den »natürlichen Zyklus der Natur« einordnet. Statt einem »innovatorischen Wettlauf um jeden Preis« zu huldigen, drang Bahro auf eine konsequente »Senkung des Material- und Energieverbrauchs«, die »weitestmögliche Reduzierung von Schadeinflüssen auf Mensch und Umwelt«, die »Abschaffung jeglicher marktbezogenen Verbrauchswerbung« sowie die »lückenlose

Rückgewinnung und Regenerierung wiederverwendbarer Rohstoffe aus den Abfällen«. Am geeignetsten, um solche Maßnahmen zu initiieren, schien ihm zu diesem Zeitpunkt noch jene bereits von Marx anvisierte »freie Assoziation freier Produzenten« zu sein, in der Freiheit, Gleichheit und Brüderlichkeit eine »reale« Synthese bilden.[21] Als Bahro kurz nach der Veröffentlichung dieses Buchs in den Westen kam, fand er unter den Linken dort allerdings kaum jemanden, der mit solchen Ideen sympathisiert hätte. Er schloß sich darum jenen Umweltschutzgruppen an, aus denen schließlich die Grünen hervorgingen.

In der DDR wurden solche Konzepte bis in die späten siebziger Jahre weitgehend tabuisiert. Lediglich die sowjetischen Umweltschutzkonzepte fanden hier vorübergehend Beachtung. So hörte man, daß als Antwort auf den *Bericht des »Club of Rome«* 1972 in Moskau ein Symposium unter dem Titel *Mensch und Umwelt* stattgefunden habe, auf dem jedoch trotz aller Besorgtheit führender Wissenschaftler wie P. L. Kapiza, J. G. Rytschkow, B. Z. Urlanis, M. J. Budyko und E. K. Fjodorow, welche die Thesen von Commoner, Taylor und Meadows für durchaus bedenkenswert hielten, mehrheitlich die Tendenz zur Beschwichtigung vorgeherrscht habe. Zu einem stärker diskutierten Thema wurde der Umweltschutz in der UdSSR erst, als sich auch Schriftsteller wie Dschingis Aitmatow und Valentin Rasputin seiner annahmen und in ihren Romanen, die schnell ins Deutsche übersetzt wurden, den beklemmenden Widerspruch von technischem Fortschritt und Naturvernichtung thematisierten. Die führenden Köpfe innerhalb der KPdSU nahmen jedoch die damit verbundenen Probleme erst unter dem Einfluß der weltweiten Debatten der achtziger Jahre wirklich ernst. Davon zeugt der von Iwan Timofejewitsch Frolow, einem der engsten Mitarbeiter Gorbatschows, herausgegebene Sammelband *Globale Probleme der Zivilisation* (1987), der in aller Schärfe auf die Gefahren der fortschreitenden Umweltverseuchung hinwies, aber sowohl die Schutzmaßnahmen der kapitalistischen Länder als auch den »Ökosozialismus« der Vertreter des »Dritten Wegs« als unrealistisch verwarf. Entgegen den Doomsday-Propheten wurde hier noch einmal eine sozialistische Lösung der anstehenden Probleme vorgeschlagen, das heißt der »ökologische Mensch« einfach mit dem sozialistisch-kollektiv denkenden Menschen gleichgesetzt, da nur eine Produktion, die nicht im »Interesse des Profits« erfolge, wahrhaft human und damit umweltfreundlich sein könne. Die Autoren des Bandes setzten, bei aller Besorgtheit um die Grundlagen der menschlichen Existenz, ihre

Hoffnung weiterhin auf den technisch-wissenschaftlichen Fortschritt, lehnten jeden »Entwicklungsstop« kategorisch ab und schlossen sogar den vernünftigen Gebrauch der »Kernenergie« im Rahmen der künftigen Energieversorgung keineswegs aus.[22] Der DDR-Wissenschaftler Alfred Kosing stellte ein Jahr später in seinem Buch *Sozialismus und Umwelt* sogar noch entschiedener fest, daß ein »dynamisches Wirtschaftswachstum die Grundlage aller Fortschritte der sozialistischen Gesellschaft« sei und bleiben müsse.[23]

Alle diese sozialdemokratischen und sozialistischen Stimmen innerhalb des linken Lagers wurden von den westdeutschen Umweltschutzgruppen der siebziger Jahre zwar wahrgenommen, spielten aber wegen ihrer weitgehend auf die Arbeiterklasse oder den Ostblock bezogenen Thematik letztlich im Rahmen der allgemeinen Naturerhaltungsdebatte nur eine untergeordnete Rolle. Um so mehr wurden in diesen Gruppen dagegen die ökologischen Befürchtungen jener westdeutschen Linksliberalen diskutiert, die aus der Achtundsechziger-Bewegung stammten und um 1973/74, als ihr linker Elan allmählich nachließ, entweder nach einem neuen Gegenstand für ihr Engagement Ausschau hielten oder sich resignativen, wenn nicht gar untergangssüchtigen Stimmungen hingaben. Viele unter ihnen, die aufgrund ihrer zwar engagierten, aber subjektivistisch-emanzipatorischen Haltung sowohl dem ökonomischen Fortschrittsglauben des westlichen Staatskapitalismus als auch des östlichen Staatssozialismus gleichermaßen kritisch gegenüberstanden, hatten plötzlich an proletarischen oder gesamtgesellschaftlichen Problemen kein Interesse mehr und wandten sich in steigendem Maße den Fragen eines alternativen Lebensstils zu, der sich weniger an der großstädtischen Konsumwelt als an anarchistischen Naturvorstellungen orientierte.

Eine der wichtigsten Stimmen in diesem Lager war die von Hans Magnus Enzensberger, der im Oktober 1973 in dem von ihm herausgegebenen *Kursbuch 33* unter dem Titel *Zur Kritik der politischen Ökologie* eine Antwort auf den *Bericht des »Club of Rome«* publizierte, die schnell zu einem der meistzitierten »Umwelt«-Statements wurde. Als marxistisch denkender Einzelgänger wandte sich Enzensberger in diesem Essay entschieden gegen alle Idealisten, Öko-Freaks, Apokalyptiker, aber auch Philosophen und andere Geisteswissenschaftler, die auf Fragen der Ökologie lediglich anthropologisch oder ideologiekritisch zu reagieren versuchten. Enzensberger stellte damals noch den Kapitalismus als die Hauptursache der drohenden Rohstofferschöpfung, der Verschmutzung und globalen Erwärmung durch maßlos gesteigerte Energieumwandlungsprozesse hin, die in »absehbarer Zeit« sicher zum »Zusammenbruch« dieses Systems führen würden. Mit anderen Worten: er verwarf jene »globalisierende Rhetorik«, die nicht dem Kapitalismus, sondern der Industrialisierung die Schuld an der unübersehbaren Umweltzerstörung gebe, als unsinnig. Daß in der UdSSR und in China die Umweltzerstörung noch nicht so weit fortgeschritten sei wie im Westen, führte er lediglich auf die noch unterentwickelten Konsummöglichkeiten, aber nicht auf ein größeres Verantwortungsbewußtsein der Natur gegenüber zurück. Letztlich jedoch sah Enzensberger, trotz aller liberalen Bedenken, die einzige Chance für eine Fortexistenz der Menschheit weiterhin im Sozialismus, da dieser auf gesamtgesellschaftlichen Planungskonzepten und nicht auf einem räuberischen Konkurrenzsystem beruhe. Allerdings werde dies ein Sozialismus sein, bei dem man auf viele utopische Erwartungen verzichten müsse. »Was einst Befreiung versprach, der Sozialismus«, heißt es gegen Ende dieses Essays, »ist zur Frage des Überlebens geworden. Das Reich der Freiheit aber ist, wenn die Gleichungen der Ökologie aufgehen, ferner gerückt denn je.« Über die kapitalistische Wirtschaftsordnung schrieb Enzensberger dagegen lediglich: »Wenn die ökologische Hypothese zutrifft, dann haben die kapitalistischen Gesellschaften die Chance, das Marxsche Projekt der Versöhnung von Mensch und Natur, wahrscheinlich definitiv verwirkt. Die Produktivkräfte, welche die bürgerliche Gesellschaft freigesetzt hat, sind von den gleichzeitig entfesselten Destruktivkräften eingeholt und überholt worden.«[24]

Diese Thesen wurden von einer Reihe »freischwebender« Linker begierig aufgegriffen und jenen Doomsday-Propheten entgegengehalten, die nach dem *Bericht des »Club of Rome«* dem Überleben der Menschheit keine Chance mehr gaben. Im Gegensatz zu den apokalyptischen Visionen eines allgemeinen Untergangs, aber auch im Gegensatz zu den Beschwichtigungstendenzen innerhalb des Ostblocks, setzten diese Gruppen ihre ideologische Zuversicht auf eine Humanökologie oder einen Ökosozialismus, der weiterhin auf eine mögliche Zukunft vertraut. Statt wie die westlichen Führungsschichten »ökologische Reformprogramme« nur einzuleiten, um mit ihnen »Geschäfte« zu machen oder die Folgeerscheinungen auf wesentlich »höhere Preise« abzuwälzen, wie Gerhard Kade 1973 in seinem Aufsatz *Wirtschaftswachstum und Umweltschutz im Kapitalismus* schrieb, beharrten viele Linke wie Enzensberger darauf, daß im Rahmen einer künftigen Gesellschaftsordnung dieser Zerstörungsprozeß, nämlich der unersättliche »Akkumulierungswahn« der Kapitaleigner, endgültig beseitigt werden müsse.[25] Es gehe nicht mehr an, erklärte damals ein »Heidelberger Kollektiv«, daß die »Güterproduktion im Kapitalismus« nur durch marktwirtschaftliche »Verwertungsinteressen« bestimmt werde und so die »Umweltfreundlichkeit« der hergestellten Produkte allein vom Zufall abhänge.[26]

Solche Konzepte wurden in den späten siebziger Jahren allmählich seltener. An ihre Stelle trat entweder ein rein theoretischer, das heißt parteifreier Marxismus, der sich von der Vorstellungswelt der älteren Arbeiterbewegung immer stärker entfernte, oder ein Ökosozialismus, der bereits zu alternativen Aussteigerkonzepten überleitete. Als Beispiel für den ersten Trend sei auf den Aufsatz *Ökologische Krise und gesellschaftliche Alternative* (1980) von Jan Pätzold verwiesen, der im Osten und im Westen die gleiche »kapitalistische« Lebenszerstörung konstatierte und deshalb – im Gegensatz zu diesem Selbstmordkurs – seine Hoffnung auf eine ökologisch vertretbare Produktionsweise setzte, die sich in ihrer genossenschaftlich-alternativen Grundstruktur als »nachindustriell« versteht.[27] Für den auf ökosozialistischen Gesichtspunkten beruhenden Trend im linken Lager dieser Jahre ist ein Aufsatz wie *Brüderlichkeit. Kommunikation. Sozialismus* (1980) von Wilfried Heidt exemplarisch, in dem ein gewaltfreier »Dritter Weg« propagiert wird, der sich auf eine »grüne Front« aus allen Schichten der Bevölkerung zu stützen versucht.[28] Zu ähnlichen Vorstellungen bekannte sich Ossip K. Flechtheim, als er sich im gleichen Jahr für einen »erweiterten Sozialismusbegriff« einsetzte, den er mit Begriffen wie »Globalsozialismus«, »Humansozialismus« oder »Ökosozialismus« umschrieb und für dessen Durchsetzung er eine Rückkehr zu »urkommunistischen Gemeinschaftsformen« vorschlug.[29]

Diese Tendenzen führten dazu, daß das sozialistische Element schließlich nur noch eine, aber nicht mehr *die* dominierende Komponente innerhalb des linken Denkens in der Bundesrepublik bildete, welche sich immer stärker Konzepten wie Wertkonservativismus, radikaler Humanismus oder anderen ökozentrierten Vorstellungen unterordnen mußte, bei denen weniger das Rote als das Grüne den ideologisch entscheidenden Ausschlag gab.

Der Rückzug aufs Land innerhalb der anarchistischen Aussteigerbewegung

Daß der sozialistische Protest im Rahmen der ökologischen Bewegung so schnell nachlassen würde, war bei der allgemeinen Ostphobie und der damit verbundenen marginalen Rolle der DKP in der Bundesrepublik unschwer vorauszusehen. Doch auch die SPD konnte unter denen, die sich für den Schutz der Umwelt engagieren wollten, keine Begeisterung wecken. Zum einen war ihre Unterstützung ökologischer Belange recht halbherzig, zum andern war sie zwischen 1969 und 1982 im Rahmen einer sozial-liberalen Koalition führend an der Macht beteiligt und zog schon darum auf seiten der ökologieorientierten Systemkritiker keine großen Sympathien auf sich. Demzufolge empfanden sich die meisten Naturschützer bis weit in die siebziger Jahre hinein als Vertreter einer außerparlamentarischen Opposition, die sich von keiner der im Bundestag akkreditierten Parteien vertreten fühlten und sich deshalb in Bürgerinitiativen und Protestdemonstrationen ein Mitspracherecht zu verschaffen suchten. Wenn sie sich überhaupt mit irgendeiner Strömung solidarisierten, dann noch am ehesten mit der internationalen Jugend- und Studentenbewegung, die sich im Zuge der Proteste gegen den Vietnamkrieg formiert hatte. Da diese Bewegung neben der Gewaltlosigkeit vor allem die antiautoritäre Freizügigkeit propagierte, nahm sie bald auch Vertreter der sogenannten Neuen sozialen Bewegungen, also Pazifisten, Feministinnen, studentische Aussteiger, Blumenkinder und andere Alternative auf und bot ihnen, wenn schon keine konkrete, so doch eine ideologische Heimstatt.

Diese Gruppen sahen ihre Vorbilder nicht in den auf Disziplin drängenden Parteien des östlichen Sozialismus, sondern eher in den basisdemokratisch auftretenden, anarchistischen Ad-hoc-Bewegungen des Westens, vor allem der Vereinigten Staaten, wo sich bereits in den sechziger Jahren eine große alternative Jugendbewegung, die der Hippies, entwickelt hatte, welche dem vorherrschenden Konkurrenz-, Leistungs- und Konsumzwang höchst aufmüpfig mit der Forderung eines »einfacheren Lebens« entgegengetreten war, dem eine größere »Naturnähe« zugrunde liegen sollte.[30] Viele Hippies hatten sich dabei auf das antizivilisatorische Bekenntnis zu Unabhängigkeit und Bedürfnislosigkeit in Henry David Thoreaus *Walden or Life in the Woods* berufen. In diesem Buch zieht sich ein Aussteiger aus der hektischen Stadt in die »zeitlose Gegenwart« der Natur zurück, lernt dort den »Wert der Armut« schätzen, pflanzt einen Gemüsegarten und versucht sich mit den Tieren anzufreunden.[31] Auch einige Romane von Knut Hamsun und Hermann Hesse spielten in dieser Bewegung eine große Rolle. Nicht minder beliebt waren Bücher über Indianer-Weisheiten, Joga-Techniken, ein ins Matriarchalische tendierender Feminismus, Laotses *Tao-te-king* sowie grüne Manifeste wie *Making of a Counter Culture* (1969) von Theodore Roszak und *Earth House Hold* (1970) von Gary Snyder. Unter dem Einfluß solcher Schriften bekannten sich bald viele Hippies zum Konzept einer allumfassenden »Ecology«, wie es in *Mother Earth News* hieß, und begannen, sich für »Free Land« und »Solar Energy« einzusetzen.

Wohl das bekannteste Schlagwort dieser Gruppen war der von Herbert Marcuse übernommene Slogan des »Great Refusal«[32], mit dem sie sich von den Verbrechen an der Natur zu distanzieren suchten. Statt »Mutter Erde« weiterhin zu zerstören und auszubeuten, wollten die Hippies, getreu ihrem Motto »Turning on to Nature«, wieder schonend mit der Umwelt umgehen. Die Überzeugteren unter ihnen schlossen sich daher, zuerst im New Yorker East Village und im Haight-Ashbury-Bezirk San Franciscos, zu einem »Network« weitgehend bedürfnisloser Kommunen zusammen. Neben diesen Stadtkolonien, die sich vornehmlich kulturellen Aktivitäten, vor allem musikalischer und kunstgewerblicher Art, widmeten, entstanden jedoch zwischen 1965 und 1970 in den USA auch unzählige Landkommunen. Wie reinkarnierte Indianer lebte man in ihnen wieder in Blockhütten oder zeltartigen Tepees und verschmähte einen Großteil der »technischen Errungenschaften«. Die bekanntesten Kommunen dieser Art waren New Buffalo, Lama Foundation, Twin Oaks Community, Animal Farm, Lorien sowie die vielen kleinen Hippie-Siedlungen im Sonoma-Valley nördlich von Berkeley, in denen für kurze Zeit der Geist des »Utopia-here-and-now« herrschte.[33]

Durch den Internationalismus dieser Jugendbewegung kam es auch in der Bundesrepublik schnell zu ähnlichen Erscheinungen. Die ersten Vertreter einer Aussteigergesinnung, die es mit der Rückkehr zur Natur wirklich ernst meinten, traten um 1968/69 auf, als einige Achtundsechziger aus ihrer antikapitalistischen Überzeugung die Konsequenz zogen, die großen Städte zu verlassen, ein vorindustrielles Landleben zu propagieren und rousseauistisch-orientierte Öko-Kommunen zu gründen. Ihr Ideal war eine alternative, chemielose, makrobiotische, kleinbäuerliche Landwirtschaft, die auf einem Selbstversorgungssystem beruht und auf das Maschinenwesen der letzten 150 Jahre so weit wie möglich verzichtet. Bereits um 1970 entstanden so in Westdeutschland einige landwirtschaftliche Kooperativen, in denen neben dem Anarchischen und Orientalisch-Buddhistischen auch die bäuerliche Arbeit eine wichtige Rolle spielte, wie sich in damaligen Alternativblättern wie *Der grüne Zweig, Kompost + Humus, Sanfter Weg* und *Middle Earth* nachlesen läßt. In diesen Kommunen wollte man – nach den Erfahrungen des volltechnisierten Großstadtlebens – wieder »ganzheitlich« leben, wieder in der Natur aufgehen, wieder »autark« sein. Doch das gelang nur teilweise, da sich das »einfache Leben« sehr schnell als das harte Leben entpuppte, zumindest was die körperliche Arbeit anlangte. Dennoch gaben manche Kommunen nicht sofort wieder auf, sondern versuchten, mit anderen Siedlerkolonien ein auf Tauschhandel beruhendes Netzwerk zu schaffen, auf das sie in Notzeiten zurückgreifen konnten.

Trotz der anfänglichen Widrigkeiten entwickelte sich dadurch um die Mitte der siebziger Jahre doch so etwas wie ein »grünes Leben« auf genossenschaftlicher Basis. Eine führende Funktion hatte dabei eine Westberliner Gruppe, die aus einem futurologisch-orientierten Seminar Robert Jungks hervorging und sich »Prokol« (*Pro*jekt *ko*operativer *L*ebensgemeinschaften) nannte. Ihr Zukunftsprogramm legte sie 1976 in dem Buch *Der sanfte Weg. Technik in einer neuen Gesellschaft* vor, in dem sie sich zu einem »Kreislaufdenken« bekannte, das von allen Formen eines linearen Handelns und Taktierens Abschied nimmt. In dieser Gruppe war das utopische und zugleich konkrete Element einer bewußten Zukunftsplanung wohl am stärksten ausgeprägt. Sie wollte wirklich – mit einer realistischen Einsicht in die Praxis solcher Umwandlungsprozesse – von einer »umweltfeindlichen« zu einer »sanften Technik« übergehen. Statt weiterhin vornehmlich im Hinblick auf »Billigkeit und Profit« zu produzieren, also selbst das Unnötigste durch »modisches Design und agressive Werbung« als den letzten »Hit« zu präsentieren und somit wertvolle »Ressourcen« zu vergeuden, zur »schleichenden Vergiftung unserer Lebensumwelt« beizutragen sowie das »ökologische Gleichgewicht« zu gefährden, trat diese Gruppe für eine alternative »Kleintechnik« im Sinne Murray Bookchins und E. F. Schumachers ein, das heißt propagierte Biohäuser, Landkommunen und Stadtrandsiedlungen, die »ohne den gewohnten Luxus und Überfluß« auszukommen versuchten. Als Vorbilder einer solchen Lebensweise stellte sie die Street Farmers (London), D'Wältverbesserer (Schaffhausen), die Schwarzmarkt-Kommune (Hamburg) und De kleine Aarde (Eindhoven) hin, die sich unter dem Motto »Small is Beautiful« bemühten, durch die Überführung der Produktionsmittel in »Gemeinschaftseigentum«, »sanftere Formen« der Technik, eine ortsbezogene »Selbstversorgung« und kooperative Wohn- und Arbeitsverhältnisse der Natur mit einer Haltung gegenüberzutreten, die »sparsam, schonend und friedlich« ist. Das gleiche versuchte die *Prokol*-Gruppe auch in ihrer eigenen Kommune zu praktizieren.[34]

Am besten hielten von diesen Projektgruppen jene durch, die sich in Stadtnähe befanden und sich nicht völlig in der Alternativökonomie des eigenen Betriebs isolierten, sondern auch einen menschlichen und kulturellen Kontakt zur städtischen Gegenwelt aufrecht erhielten, wie aus dem Buch *Heumarkt. Versuche anderen Lebens zwischen Stadt und Land* (1980) von Klas Jarchow und Norbert Klugmann hervorgeht. Die Menschen, die sich in solche Survival-Kommunen zurückzogen, verstanden ihr Leben weitgehend als eine »tägliche Revolution« gegen jene böse Welt, in der noch immer der Fetisch der industriellen Wachstumsrate herrsche. Ihre Bücher, die sie zwischen 1973 und 1980 publizierten, trugen daher meist Titel wie *Machbare Utopien, Neue Lebensformen, Alternative Technologie, Wege aus der Wohlstandsfalle, Landleben, Auswege in die Zukunft, Alternativ leben, Ökotopia, Dörfer wachsen in die Stadt, Anders leben, Neue Formen des Zusammenlebens, Die Arche, Alternative Selbstorganisation auf dem Lande* oder *Die lebenswerte Utopie.* Auf derselben ideologischen Linie lagen ökologisch-alternative Zeitschriften wie *Das blaue Blatt, Durchblick, Graswurzelrevolution, Ökojournal, Undercurrents, Wechselwirkung* und *Zero,* die im gleichen Zeitraum erschienen. Verbreitet wurden solche Publikationen entweder durch alternative »Gegenwind«-Buchhandlungen oder Bio-Läden, aber auch völlig »normale« Buchhandlungen, in denen sich mehr und mehr Menschen, welche sich aufgrund der ökologischen Alarmmeldungen verunsichert fühlten, die nötigen Informationen zu verschaffen suchten.

Durch diese Sympathisantengruppen, zu denen sich bald Vertreter und Vertreterinnen anderer Neuer sozialer Bewegungen, vor allem der Feministinnen und der Anhänger der Friedensbewegung, gesellten, wuchs die ursprünglich recht kleine Aussteiger- und Landkommunebewegung in der zweiten Hälfte der siebziger Jahre allmählich zu einer selbst in den Medien beachteten Strömung an. Dennoch wurde sie zu keiner wirklichen Massenbewegung, die durchgreifende Umweltverbesserungen hätte bewirken können. Einer solchen Entwicklung standen zu viele Hindernisse entgegen: nicht nur das gleichbleibende, wenn nicht stärker werdende Wohlstandsverlangen der westdeutschen Bevölkerung, sondern auch ideologische Schwierigkeiten. Schließlich genügte es um 1975 – angesichts der globalen Gefahren – nicht mehr, einfach »hippyistische« Aussteigerideale zu verkünden und sich dann »bewußtlos« in Landkommunen zu verkrümeln.

Einige der intellektuell Anspruchsvolleren unter diesen Aussteigern und ihre Freunde in den großen Städten begannen daher zu diesem Zeitpunkt – neben den amerikanischen Hippies – auch nach anderen Vorbildern einer wirksamen Aussteigerbewegung Ausschau zu halten. Dabei stießen sie auf die vielen Landkommunen des 19. Jahrhunderts, die sich mit anarchischer, sozialistischer, religiöser oder allgemein-utopischer Tendenz ähnlichen Idealen verschrieben hatten. Ein starkes Interesse zogen zeitweilig die utopischen Siedlungen in den USA, wie die der Owen-Anhänger, der Ikarier, der deutschstämmigen Hutterer und Amish People, der Koinoia Partners usw. auf sich, die 1978 in dem Sammelband *Oasen der Freiheit. Von der Schwierigkeit der Selbstbestimmung* von Horst von Gizycki und Hubert Habicht in der fischer alternativ-Reihe vorgestellt wurden. Andere verwiesen in diesem Zusammenhang auf die vorbildliche Bedeutung der anarchistischen Selbsthilfe-Vorstellungen Peter Kropotkins, der von Tolstoi verkündeten ländlichen Bescheidenheitsideale, der frühen Kibuzzim in Palästina oder der deutschen Landkommunen der Jahrhundertwende und der Weimarer Republik. Doch von den Büchern Ulrich Linses und Gudrun Pausewangs[35] abgesehen, ging es in den meisten dieser Publikationen eher um alternative Konzepte des menschlichen Zusammenlebens als um spezifisch ökologische Aspekte. Immer wieder war in ihnen vornehmlich von sozialer Erneuerung oder neuer Lebensqualität die Rede, die ihre Autoren und Leser offenbar mehr interessierten als eine radikale Umkehr zu einfachen und damit naturerhaltenden Existenzformen.

Das gleiche gilt für fast alle damals existierenden Landkommunen wie die berühmt-berüchtigte AA-Kommune, die Otto Muehl Anfang der siebziger Jahre in Wien gründete und dann nach Friedrichshof im Burgenland verlegte. Ihre Mitglieder versuchten ohne Privateigentum, ohne Zweierbeziehungen und ohne technische Geräte auszukommen und durch sogenannte Aktionsanalysen eine intensivere Ich-Verwirklichung zu erreichen. Ähnliche Ziele setzten sich Pioniersiedlungen wie die Kommune Bundenthal, die Schweizer »Integrale Lebens- und Produktionsgemeinschaft« (LPG), die Head Farm Odisheim und andere Landkommunen, in denen man entweder buddhistische Lebensweisen, ältere Formen des »naturgemäßen« Lebens oder neue Versuche der Sinnlichkeitssteigerung durchprobierte, um sich so – mit antiautoritärer Geste – aus den »einengenden« Zwängen der bürgerlichen Gesellschaft zu lösen.

Aus demselben Grunde blieben auch die Romane über solche Aussteigerexistenzen fast alle in persönlichen Selbstfindungsprozessen befangen. Trotz volltönender Slogans wirken viele von ihnen eher solipsistisch oder infantil als ökologisch verantwortungsbewußt. Für die Anfangsphase dieser Bewegung ist der Hippie-Roman *Die Schwarzen Tauben* (1959) von Fred Viebahn charakteristisch, der sich bei Kerouac und Hesse anzulehnen versucht und dann bei einem ins Sexuelle vergröberten Bonsels landet. Dieser Roman spielt fast ausschließlich unter langhaarigen Gammlern, Beat-Fans und duften Miezen, die sich dem Motto »Make love, not war« verschworen haben. Demzufolge veranstalten sie lieber Knutsch-Ins und tanzen einen lustigen Ringelreihen, als auf das zu hören, was die Buhmänner der »bürgerlichen Gesellschaft« für richtig halten. Ebenso romantisch-verblasen wirkt die Formel »Der beat reißt die grenzen nieder, – jugend aller länder vereinigt euch«, die den ganzen Roman wie ein Leitmotiv durchzieht.[36]

Für die Endphase der Bewegung ist dagegen der Landkommuneroman *Papa Faust. Eine Idylle aus deutschen Landen* (1982) von Uwe Wolff bezeichnend, der schildert, wie sich eine Gruppe ökologisch gesinnter Aussteiger, die den »Luxus des technologischen Zeitalters« gründlich satt hat, entschließt, aufs Dorf zu ziehen, um dort so »alternativ« wie nur möglich zu leben. Dort angekommen, stellen diese Aussteiger sofort einige Sonnenkollektoren auf, legen Komposthaufen an, kultivieren ihre Gemüsebeete auf biologisch-dynamische Weise, essen Müsli und trinken Malzkaffee und Erbsenbier, das heißt leben weitgehend nach dem Prinzip der »Selbstversorgung« und gründen schließlich eine Kneipe, die sie »Arche Noah« nennen. In dieser ländlichen Idylle ist der bürgerlich-hyperaktive Faust endlich zur Ruhe gekommen. Statt ständig weiterzuhasten und alles umzugestalten, widmet sich Wolffs Faust lieber dem »ruhigen Betrachten, dem sorgsamen Hegen und Bewahren der Umwelt«. Er ist der »Papa« Faust, der sich in erster Linie »liebevoll um Mensch, Tier und Natur kümmert«. Als Endziel schwebt ihm die völlige Autarkie vor, mit der er die »Sehnsucht nach einem ganzheitlich erfüllten Leben jenseits der Entfremdung« befriedigen will. Er und seine Freunde hoffen, daß sich sämtliche Kleingruppen dieser Art bald »vernetzen« und die »Freie Republik Schafstedt« ausrufen werden.[37] Allerdings drängen sich in diesem Roman, so umweltbetont er auch ist, gegen Ende immer stärker spezifisch alternative Beziehungs- und Selbstfindungsprobleme in den Vordergrund, durch die das Ökologische wieder abgeschwächt wird.

Alle diese Phänomene, ob nun die Landkommunen oder die sie begleitenden Schriften und Romane, belegen deutlich, daß es eher das

Anarchisch-Aufmüpfige als ein respektvolles Verhältnis zur Natur war, das diese Gruppen motivierte. Und doch wurden innerhalb dieser Bewegung nicht nur die gesellschaftskritischen Stimmen lauter, sondern auch jene, die sich für den Schutz der Umwelt einsetzten. Das zeigte sich anläßlich einer »Tunix«-Veranstaltung, die Ende 1978 in West-Berlin stattfand und auf der 30000 Spontis, Anarchisten, Gegenkulturler und Landkommunetheoretiker ihren neuen Lebensstil zu Schau stellten und zugleich Änderungsvorschläge für »eine als morsch deklarierte Gesellschaft« diskutierten.[38] Ähnliches wiederholte sich im Sommer 1980 bei der Gründung der »Freien Republik Wendland«, wo Tausende von Anhängern der Alternativbewegung in Gorleben zu Großdemonstrationen gegen den Bau einer Endlagerungsstätte für Atommüll zusammenkamen und abermals über neue Formen zwischenmenschlicher Beziehungen, aber auch über ein besseres Verhältnis zur Natur sprachen.

Konkrete Folgen hatten diese Debatten allerdings kaum. Trotz ihrer ökologischen Besorgtheit blieb die Aussteiger- und Alternativbewegung letztlich »ungeheuer bunt« und war weder »ideologisch noch organisatorisch recht zu fassen«, wie sich Reimar Lenz damals ausdrückte.[39] Es gab zwar innerhalb der Bewegung ein »Geflecht aus Landkommunen, Makro-Shops, Genossenschaften, Wohn-Cliquen, Therapiegruppen, Meditationszirkeln und Kleinverlagen mit Rückbindungen zum Hippietum«, doch gleichzeitig spielten in ihr auch die »links-humanitäre Projektkultur der Amnesty- und Ausländerarbeit, der christliche Friedensdienst, das Interesse an Dritte-Welt-Läden usw.« eine wichtige Rolle.[40] Und so trat neben die Neigung zum Genossenschaftlichen, Anarchischen oder zum bloßen »Ego-Trip« auch eine Fülle anderer weltanschaulicher Zielsetzungen, die allerdings in vielen Fällen eher ins Humanitär-Engagierte als ins spezifisch Ökologische zielten.

Von der Anti-Atomkraft- und Friedensbewegung zur Partei der Grünen

Zu einer Änderung in dieser Hinsicht kam es erst, als sich in der zweiten Hälfte der siebziger Jahre durch den Bau neuer Atomkraftwerke und die forcierte Hochrüstung von seiten der USA in der Bundesrepublik eine Stimmung der Angst verbreitete, die immer breitere Bevölkerungsschichten in Alarm versetzte. Aufgrund dieser Entwicklung wuchs die kleine Gruppe Aussteiger zu einer Massenbewegung an, die auf viele der damals existierenden Bürgerinitiativen und andere Protestbewegungen einen nachhaltigen Einfluß auszuüben begann. Das zeigte sich erstmals innerhalb jener Bewegungen, die sich zu diesem Zeitpunkt gegen den Bau von Atomkraftwerken zu formieren begannen und deren Anhänger ihre Autos mit dem Aufkleber »Atomkraft? Nein danke!« versahen. Nach Umfragen des Allensbacher Instituts hielten im Jahr 1972 erst 12 % der westdeutschen Bevölkerung die »friedliche« Nutzung der Atomenergie für gefährlich. 1973 waren es 24 %, 1981 schon 57 %, die gravierende Bedenken gegen solche Werke anmeldeten. Ja, 1979 erklärten 33 %, daß sie sich aktiv an Demonstrationen gegen den Bau weiterer Atomreaktoren beteiligen würden.

Welchen Auftrieb diese Entwicklung der zu Anfang recht marginalen Ökologiebewegung gab, zeigte sich im Rahmen jener Proteste, die zwischen 1972 und 1975 im badisch-elsässischen Raum gegen den Bau eines Atomkraftwerks (AKW) in Wyhl auftraten, an denen sich neben besorgten Bürgern und Studenten auch Vertreter der bäuerlichen Bevölkerung beteiligten und wo es bei Bauplatzbesetzungen zu harten Auseinandersetzungen mit der Staatsgewalt kam. Ähnliche Konfrontationen, die diesen Protesten die erwünschte Öffentlichkeit gaben und ihr immer mehr Sympathisanten zuführten, gab es 1974 bei Protesten gegen den Schnellen Brüter in Kalkar, 1975/76 gegen das AKW bei Brokdorf an der Unterelbe sowie 1977/79 gegen die Lagerstätte für atomar verseuchten Müll bei Gorleben. Noch härter verliefen 1980/81 die Konfrontationen zwischen Demonstranten und Polizisten bei Protesten gegen die »Startbahn West« am Frankfurter Flughafen, wo die Zahl der Verletzungen und Verhaftungen in die Hunderte ging.

Aufgrund der relativen Folgenlosigkeit solcher Proteste, die zwar in weiten Kreisen der westdeutschen Bevölkerung das Bewußtsein für die bestehenden Probleme schärfte, aber den Bau dieser Anlagen nur in Ausnahmefällen verhindern konnten, setzte sich bei den Antiatomkraft-, Friedens- und Umweltschutzbewegungen im Laufe der Jahre das Gefühl durch, daß es nicht ausreiche, gegen bestimmte Anlässe lediglich zu protestieren und im Bereich außerparlamentarischer Einzelaktionen zu bleiben, sondern daß politische Effektivität auch einen organisatorischen Rahmen brauche. Da die meisten Anhänger dieser Initiativen die »Aktionsgemeinschaft unabhängiger Deutscher« (AUD), die bereits seit Anfang der siebziger Jahre mit Umweltschutzprogrammen auf sich aufmerksam zu machen versuchte, als Partei entweder nicht kannten oder als rechtsextremistisch ablehnten,[41] bildeten sich in den späten siebziger Jahren vielerorts Gruppen, die versuchten, ihre Vertreter in Form »Alternativer Listen« bei den anstehenden Wahlen durchzubringen. Einige dieser Gruppen traten anfangs als »Die Bunten« auf, um auf die ideologisch höchst heterogene Zusammensetzung ihrer Anhänger hinzuweisen, die zwar in Sachen Naturschutz und Erhaltung des Friedens meist der gleichen Meinung waren, jedoch sonst recht verschiedene Anschauungen vertraten. Allerdings setzten sich innerhalb dieser Alternativen oder Bunten Listen schon um 1978 die Vertreter der »Grünen« durch, die den Hauptnachdruck auf die Umweltprobleme legten. Die ersten »Grünen Listen« gab es in Schleswig-Holstein, Niedersachsen und Hamburg, also im Bereich der Brokdorf-Proteste. Bei den Kommunalwahlen in Schleswig-Holstein gewann die »Grüne Liste unabhängiger Wähler« 1978 in manchen Orten bereits 6% der Stimmen. In Niedersachsen stellten die AKW-Gegner im gleichen Jahr die »Grüne Liste Umweltschutz« auf, während Herbert Gruhl die »Grüne Aktion Zukunft« ins Leben rief. Zu ähnlichen Aktivitäten kam es kurz darauf in anderen Bundesländern. Selbst in West-Berlin, wo im oppositionellen Lager bisher die Linken dominiert hatten, erhielt die »Alternative Liste« 1979 auf Anhieb 3,7% der Stimmen.

Viele Anhänger »Alternativer Listen« traten anfangs recht anarchisch, wenn nicht gar abenteuerlich auf, um die Gunst der jungen Wähler zu gewinnen. Doch auch, als sich aus dieser Bewegung allmählich die Partei der »Grünen« zu entwickeln begann, blieben solche Elemente durchaus erhalten. Sogar als Partei wirkten die Grünen um 1980 wie eine alternative Anti-Partei, die sich nicht nur aus Naturschützern zusammensetzte, sondern auch vielen Anarchisten, Spontis, ehemaligen Linken, K-Gruppen-Anhängern, Feministinnen und Kriegsgegnern eine politische Heimstatt bot. Außer dem Grünen und dem Roten wies also diese Partei auf ihrer ideologischen Palette anfangs noch eine Fülle anderer Farben auf. Doch nicht nur das: Neben den »Realos«, die stärker ins Pragmatische drängten und sich konkret vertretbare Ziele setzten, gab es in dieser Bewegung ebensoviele Fundamentalisten oder »Fundis«, die jeden politischen Kompromiß mit den bestehenden Parlamenten, Landtagen und Stadträten ablehnten und erklärten, daß sich eine sinnvolle Umorganisation erst nach dem Zusammenbruch der bisherigen Wirtschaftsform durchführen lasse. Trotz dieser Gespaltenheit wurden die Grünen aufgrund der verbreiteten Empörung über die Naturverschandelung nach 1980 in viele Stadträte und Landtage, schließlich sogar in den Bundestag gewählt.

Im Zuge dieser Wahlerfolge begannen die Grünen zwischen 1980 und 1982 erste Parteiprogramme zu entwerfen, die sowohl Realos wie

Joschka Fischer, ehemalige Bundeswehroffiziere wie Gert Bastian, feministisch orientierte Umweltschützerinnen wie Petra Kelly, frühere DDR-Marxisten wie Rudolf Bahro, bisherige CDU-Anhänger wie Herbert Gruhl, über die politische Entwicklung in der Bundesrepublik verbitterte Schriftsteller wie Heinrich Böll, anthroposophisch orientierte Happening-Künstler wie Joseph Beuys als auch konservative Bauernvertreter und viele andere als die »ihren« empfinden konnten. Die Hauptforderungen dieser Programme waren: 1. eine größere Friedenssicherung durch Abrüstung und Errichtung einer atomwaffenfreien Zone in Mitteleuropa, 2. eine Dezentralisierung der Wirtschaft zur Vermeidung überlanger Transportwege, 3. eine alternative Energieversorgung durch die Nutzung von Sonne, Wind und Wasser, 4. ein durchgreifender Umwelt-, Tier- und Pflanzenschutz, 5. eine konsequente Lärmdämpfung in den Arbeits- und Wohngebieten, 6. eine uneingeschränkte Demonstrationsfreiheit für alle Bürger und Bürgerinnen, 7. eine Verstärkung aller basisdemokratischen Einrichtungen, 8. eine konsequente Gleichstellung der Frau in allen Lebensbereichen, 9. eine größere Lebensqualität für Jugendliche und alte Menschen, 10. einen Schutz aller diskriminierten Minderheiten (vor allem der Ausländer und Homosexuellen), 11. eine neue Gesundheitsfürsorge für finanziell benachteiligte Bevölkerungsschichten, 12. eine weitgehende Entschulung aller Lehranstalten sowie 13. einen entschiedenen Abbau aller noch weiterwirkenden autoritären Strukturen innerhalb der Gesamtgesellschaft.

Viele dieser Programmpunkte gingen auf Forderungen von früheren Linksliberalen, antiautoritären Achtundsechzigern, basisbezogenen Linken, Feministinnen, Schwulen und Anhängern der Friedensbewegung zurück, erhielten aber erst im Programm der Grünen einen wahrhaft alternativen Charakter, indem sie zu Bestandteilen einer Opposition wurden, die aufgrund ihrer ökologischen Radikalität aus dem bloß Reformistischen immer stärker ins Systemkritische vorstieß. Erst seitdem es die Grünen gab, seit von Energieeinsparung, von der Herstellung dauerhafter Gebrauchsgüter, vom Kampf gegen geplante Obsolenz und von Recycling gesprochen wurde, fügten sich viele der älteren, nicht über bloßes Revoluzzertum hinausgehenden Protestforderungen in den ideologisch kohärenten Rahmen eines in sich stimmigen Programms, das sich dem bestehenden System des ungeregelten Stoffwechsels mit der Natur als ein neues, besser geregeltes System entgegensetzen ließ.

Nach 1980 wurden innerhalb der Grünen immer mehr Stimmen laut, die der herrschenden Gesellschaftsordnung mit ihren existenzbedrohenden Fehlentwicklungen den Bankrott voraussagten. Sie machten den sogenannten Alt- oder Konsensusparteien im Bonner Parlament den Vorwurf, den Katastrophenkurs zwar zu erkennen, ihn aber um der Aufrechterhaltung eines übersteigerten Wohlstands willen nicht nur zu dulden, sondern sogar noch zu fördern. Diesem System, das auf einer ausbeuterischen Verschwendungswirtschaft beruht, setzten sie die Utopie einer umweltschonenden, gewaltfreien, liebend-erotisierten Gesellschaft entgegen, die in allem – ob im Hinblick auf die Natur oder auf andere Menschen – auf jedes Besitzdenken und damit jede Gewalt über andere verzichtet. Nur so, erklärten sie, lasse sich eine bisher ungeahnte Freiheit für den einzelnen und zugleich ein nicht ausbeuterischer Umgang mit anderen Lebewesen sowie der Gesamtheit der Natur erreichen.

Diese ideologische Bandbreite, die sowohl die großen Fragen der Öffentlichkeit als auch das Private, Intime in sich einschloß, verschaffte den Grünen ein Wählerpotential, das eine bloße Frauen- oder Friedenspartei nie erreicht hätte. Entsprechend stieg der Prozentsatz der für die Grünen stimmenden Jungwähler zwischen 1980 und 1983 von 4,8 auf 13,0 % an. Aber auch ältere Menschen schlossen sich der Ökologiebewegung an. Auf diese Weise gelang es der Partei der Grünen, fast in allen Kommunal- und Landtagswahlen die Fünfprozenthürde zu überwinden und schließlich als vierte Partei in den Bundestag einzuziehen, was noch keiner der bisherigen »Splitterparteien« gelungen war.

Diese Erfolge gaben auch anderen Parteien, denen von seiten der Basis häufig Inflexibilität in Sachen Hochrüstung und Umweltverschmutzung sowie ihre starre Fixierung auf die ökonomische Wachstumsrate vorgeworfen wurden, zu denken. Und zwar versuchten sie den Grünen auf zweierlei Weise entgegenzutreten: zum einen, indem sie die Grünen als wohlstandsgefährdend anprangerten, zum anderen, indem sie Teile der grünen Forderungen in ihre eigenen Parteiprogramme aufnahmen. Besonders die CDU/CSU griff seit 1980 viele als »grün« geltende Punkte auf, setzte sie jedoch aufgrund ihrer auf Akzelerierung drängenden Wirtschaftspolitik nur selten in die Tat um. In der SPD äußerten sich einige Jusos, aber auch Politiker wie Willy Brandt, Egon Bahr und Erhard Eppler wiederholt recht positiv über die Grünen und gingen, wie im Falle Holger Börners in Hessen, zum Ärger der großen Firmen sogar Koalitionen mit ihnen ein.

Doch nicht nur in den offiziellen Verlautbarungen anderer Parteien, sondern auch in privatwirtschaftlichen Massenmedien und Buchpublikationen fanden nach 1980, seit der Gründung der Grünen als bundesweiter Partei, Fragen des Naturschutzes eine immer stärkere Berücksichtigung. Auf Kongressen, in Zeitschriften, im Fernsehen, in Buchrezensionen, in Alltagsgesprächen: überall wurde nun auch der ökologische und grüne Aspekt, wie es hieß, bei bisher rein politisch, sozial, moralisch, religiös oder volkswirtschaftlich aufgefaßten Problemen mitbedacht und mitdiskutiert. Eine zentrale Rolle spielten dabei jene programmatischen Statements, welche die sich schnell profilierenden Sprecher der Grünen um 1980 abgaben und die kurz darauf in Sammelbänden erschienen, in denen sie ihren Vorstellungen von einer radikalen Neueinstellung des Menschen zur Natur eine etwas systematcrischere Form zu geben versuchten. Aus der Fülle dieser Publikationen seien im folgenden die von Rudolf Bahro, Petra Kelly und Manon Maren-Grisebach kurz vorgestellt.

Rudolf Bahro, der seine politischen Reden 1980 unter dem Titel *Elemente einer neuen Politik. Zum Verhältnis von Ökologie und Sozialismus* herausbrachte, hielt als ehemaliger DDR-Bewohner zu diesem Zeitpunkt wohl am nachdrücklichsten an sozialistischen Positionen fest, empfahl jedoch als politisch denkender Stratege, die konservativen, christlichen und feministisch-orientierten Bündnispartner der Grünen keineswegs vor den Kopf zu stoßen, um eine möglichst breite Front, wenn nicht gar Massenbasis zu gewinnen, statt von vornherein radikale Außenseiterpositionen zu beziehen. Im Gegensatz zu jenen, die weiterhin am Denkschema »rechts« oder »links« festhielten, versuchte Bahro eine Politik zu fördern, die sich eindeutig »nach vorn« orientiert. Nach seiner Utopie befragt, beschwor er in scharfer Ablehnung der bestehenden Gesellschaftsordnung, die sich aus Mangel an echten Werten weitgehend auf »kompensatorische Konsum-, Prestige- und Machtbedürfnisse« stütze, wie in seiner *Alternative* nochmals das Ideal der »freien Assoziation der freien Produzenten«, um im Rahmen der Partei der Grünen neben der »ökologischen Kritik« auch die »sozialistische Alternative« nicht aus dem Auge zu verlieren.[42]

Petra Kelly faßte ihre Reden und Aufsätze zugunsten der neuen Partei 1983 in dem Band *Um Hoffnung kämpfen. Gewaltfrei in eine grüne Zukunft* zusammen, dem Heinrich Böll ein bewegendes Vorwort voranschickte. Sie lehnte in diesem Buch alle herkömmlichen Parteien als Systemträger und damit Komplizen einer mörderischen Raubwirtschaft ab und rief zum »gewaltfreien Widerstand« gegen dieses »Gewaltsystem« auf. Ihr Zorn galt besonders den »Umweltwaffen« der chemischen Industrie sowie der allgemeinen »Verschwendungswirtschaft« hochindustrialisierter Länder wie der Bundesrepublik, deren Ergebnis eine notwendige »Verkrebsung« aller Menschen und schließlich der gesamten Natur sein werde. Einen Ausweg aus diesem Fehlverhalten sah Kelly nur in einer durch den Besitzdrang des Konsumismus verdrängten Liebesvorstellung, der eine Sehnsucht nach »Ganzheit« zugrunde liege. Erst wenn das Erotische im Sinne eines Verzichts auf Egozentrik und damit einer potentiellen Überwindung des herrschenden Ausbeutungsdenkens zu einer »elementaren Revolutionskraft« werde, lasse sich jene »gewaltfreie, liebende Gesellschaft« verwirklichen, die seit Jahrtausenden der Traum aller wahrhaft humanen Menschen gewesen sei.[43]

Manon Maren-Grisebach versuchte dieser Bewegung bereits 1982 in ihrer *Philosophie der Grünen* ein verbindliches Universalkonzept zu geben, das sowohl »deduktiv utopische« als auch »induktiv konkrete« Züge aufweist. Auch sie ging von der Hoffnung auf eine neue »Ganzheit« aus, die jeden »Finanz- und Geschäftsbetrieb« verächtlich von sich weist und sich statt dessen zur »Armut«, als dem höchsten »menschenwürdigen Zustand« bekennt. Unter »grün« verstand Maren-Grisebach vor allem Entscheidungen wie, das eigene »Hab und Gut so weit wie möglich zu reduzieren«, sich mit anderen Menschen zu Wohngemeinschaften zusammenzuschließen, auf Fleisch zu verzichten sowie sich für Müll-Recycling, sanftere Techniken, Strompreisvergütungen für Energieeinsparer und das Verbot der Massentierhaltung einzusetzen. Diese Wünsche und Klagen verband sie gegen Ende ihres Buches mit der Utopie einer Wiederbelebung jener matriarchalischen Züge in der Gesellschaft, durch welche sich die Frau seit dem Aufgang der Menschheit als wesentlich naturnäher denn der Mann erwiesen habe.[44]

Schon diese drei Stimmen zeigen, wie einheitlich und doch pluralistisch das weltanschauliche Programm der Grünen von Anfang an war. Neben den offiziösen Parteisprechern mit ihren vorwiegend ökologischen Anschauungen gab es jedoch innerhalb dieser Bewegung auch ältere Kommunisten, Pragmatiker, Wertkonservative der verschiedensten Couleur, Anhänger der Friedensbewegung, alternativ gesinnte Spontis, radikale Feministinnen, Vertreter einer grünen Postmoderne, christliche Befreiungstheologen, holistisch gesinnte New Age-Schwärmer, rousseauistische Indianerverehrer und viele andere Gruppen, in denen sich einerseits der Reichtum, andererseits die Problematik einer so weitgespannten Bewegung manifestierten. Und niemand versuchte, eine gewisse Ordnung in dieses ideologische Chaos zu bringen. Schließlich beruhte diese Partei auf dem Prinzip eines basisdemokratischen Verhaltens, das jeder einzelnen Meinung die gleiche Relevanz zugestand. Doch befragen wir diese Bewegung lieber auf ihre utopische Ausrichtung, also ihr Bemühen um Entwürfe einer andersgearteten Gesellschaft, in der das Verhältnis des Menschen zu seiner Umwelt eine Regelung erfährt, die sich nicht naturzerstörend auswirkt.

Da den Sozialdemokraten nahestehende Grüne wie Joschka Fischer oder Otto Schily den Nachdruck ihres Engagements meist auf eine größere soziale Verantwortlichkeit legten und pragmatische Reformen befürworteten, schweiften sie selten ins Utopische aus. Etwas mehr grüne Utopik findet sich dagegen bei gesellschaftskritischen Autoren wie Heinrich Böll und Günter Wallraff, die für die Schaffung einer grünen Volksfront eintraten und sich scharf gegen das herrschende System der Naturausbeutung aussprachen, das sie durch eine humanere und zugleich umweltschonendere Gesellschaftsordnung ersetzen wollten. Während bei Böll und Wallraff wie bei den »Realos« meist Phänomene wie größere Dezentralisation, basisdemokratische Partizipation, sparsamere Nutzung natürlicher Ressourcen, ökologische Verträglichkeit sowie sanftere Formen der Technik im Vordergrund standen, setzten sich die Alternativen, Spontis und andere Neoanarchisten eher für eine größere Freizügigkeit innerhalb der zwischenmenschlichen Beziehungen ein. Sie sahen ihre Utopie vornehmlich im Wegfall aller staatlichen Eingriffe in die Privatsphäre des Menschen, wenn nicht gar im Wegfall des Staates schlechthin. Dennoch gab es selbst unter ihnen Grüngesinnte, die dieses neue Lebensgefühl der allgemeinen Toleranz auch auf den Umgang mit der Natur auszudehnen versuchten. Dafür spricht das Manifest *Biohaus für Dorf und Stadt. Lebensgemeinschaft von Pflanzen, Tieren und Menschen* (1981) von Rudolf Doernach und Gerhard Heid, in dem ein Hausbiotop beschrieben wird, das zum Heizen lediglich die Sonnenenergie nutzt und zugleich von oben bis unten begrünt ist, um nicht nur den dort wohnenden Menschen, sondern auch Pflanzen und Tieren eine Lebensgrundlage zu geben – in dem also die Menschen weniger die Beherrscher als die Partner der Natur sind. Einige junge Alternativ-Architekten entwarfen neben solchen Überlebenshäusern bereits ausgedehnte Siedlungen und schließlich sogar ganze Städte auf naturerhaltender Grundlage, um so den Grundtyp der herrschenden »Profitopolis« durch die »Biotopolis« zu ersetzen.

Noch stärker ins Utopische zielten einige der feministisch-grünen Äußerungen, die für die allgemeine Misere – im Sinne von Mary Dalys *Gyn/Ecology. The Metaethics of Radical Feminism* (1978) – vornehmlich jenen zweckrationalen, logozentrischen und phallokratischen Patriarchalismus verantwortlich machten, der im Laufe der letzten Jahrtausende alle Formen weiblicher Naturverbundenheit rücksichtslos unterdrückt habe. Dafür spricht das Buch *Die Göttin und ihr Heros. Die matriarchalischen Religionen in Mythos, Märchen und Dichtung* (1980) von Heide Göttner-Abendroth, welches die These vertritt, daß viele der uralten matriarchalischen Kulturen – trotz des omnipotenten Vatergotts, der sie verdrängt habe – bis heute subkulturell weiterlebten und daß der Feminismus, falls er zu seinen matriarchalischen Quellen zurückkehre, die Menschheit wieder mit ihren kreatürlichen Anfängen versöhnen und dadurch etwas zur Regeneration der Natur beitragen könne.

Ebenso entschieden wirken manche Zukunftsprogramme jener von Begriffen wie »Posthistoire« oder »Postmoderne« ausgehenden Theoretiker der grünen Bewegung, die die Hauptursache aller gegenwärtigen Übel in der »instrumentellen Vernunft« der Moderne und ihrer technokratischen Weiterungen sahen und – wie Tina Stein in ihrem Beitrag »Sind die Grünen postmodern?« (1988) in der Zeitschrift *Kommune* – den Pragmatikern und Traditionssozialisten innerhalb der grünen Bewegung den Vorwurf machten, sie vollzögen mit ihren das herrschende Wirtschaftssystem reformistisch salvierenden Maßnahmen einen »Rückschritt in die Moderne«.[45] Doch auch andere vertraten in diesem Umkreis die These, daß sich eine zeitgemäße, das heißt postmoderne, phantasievolle, pluralistisch-interessante Politik nur noch mit utopischen, die bestehende Misere der technischen Modernität überspringenden Mitteln machen lasse. Nur so sei eine Gesellschaftsordnung herbeizuführen, in der nicht mehr ein eindimensionaler Technikwahn im Vordergrund stehe, sondern sich der Mensch erneut als Teil der Natur empfinde, wenn nicht sogar ganz in ihr aufgehe.

Von hier aus war es nur ein kleiner Schritt zu jener New Age- oder Wendezeit-Philosophie, in der das Denken mehr und mehr von Gefühlen oder religiösen Anwandlungen abgelöst wird. Besonders wichtig waren dabei neben anthroposophischen Schriften Anregungen aus dem Bereich fernöstlicher Spiritualität. Hierzu gehörte alles, worauf bereits die amerikanischen Hippies, ihre westdeutschen Nachahmer sowie die auf buddhistische »Bewußtseinserweiterung« gestimmten neureligiösen Gruppen der siebziger Jahre geschworen hatten, also die Weisheiten der Schamanen, des *I Ging,* des *Tibetanischen Totenbuchs,* des *Tao-te-king,* der indischen Gurus, der Zen-Meister, der Astrologen mit ihrer Lehre von der kommenden Wassermann-Zeit, der Esalen-Schwärmer und der Castaneda-Gläubigen à la Theodore

Roszak. Die utopische Hoffnung auf eine allgemeine Wende entzündete sich in diesem Umkreis meist am Vertrauen auf eine zyklisch-wiederkehrende Regenerierung, die nach Zeiten des Verfalls geradezu naturwüchsig einsetze. An die Stelle rationaler Geschichtsbilder, seien sie positivistischer, soziologischer oder materialistischer Art, trat somit innerhalb dieser Richtung ein Denken in biologisch-determinierten Kreisläufen, das von manchen seiner Vertreter als Rückbindung an eine göttliche Ursubstanz empfunden wurde.

Als wichtigster Vertreter der New Age-Welle galt lange Zeit der Atomphysiker und Heisenberg-Schüler Fritjof Capra, dessen Hauptwerk *The Turning Point* (1982) in der Bundesrepublik unter dem Titel *Wendezeit. Bausteine für ein neues Weltbild* erschien und mit zwei Zusatzkapiteln über »Das ganzheitlich-ökologische Denken in der Geistesgeschichte« und »Die Ökologie- und Alternativbewegung in Deutschland« ausgestattet war. Diesem Buch liegt die utopische Zuversicht zugrunde, daß die »traditionellen Parteien, die großen Industriekonzerne und die meisten akademischen Institutionen« der »absteigenden Kultur« angehörten, die »langsam dem Zerfall und der Auflösung« entgegengehe, während sich in den Neuen sozialen Bewegungen eine »aufsteigende Kultur« manifestiere, der zwangsläufig die »Führungsrolle« zufallen werde. »Evolutionäre Rhythmen« dieser Art ließen sich selbst durch den Gegendruck »kurzfristiger politischer Aktivitäten« nicht verhindern.[46] Kurzentschlossen gab Capra dem gesamten mechanistischen Weltbild der Vergangenheit den Laufpaß und versuchte zu zeigen, wie sich seit der Mitte der sechziger Jahre anstelle der Newtonschen, Marxschen und Freudschen Ableitungstheorien ein neues »Paradigma« der Welterklärung durchzusetzen beginne, dem eine ganzheitlich-ökologische Sicht der Dinge zugrunde liege und das sich ansatzweise bereits im Denken der frühen Naturmystiker, Goethes organologischen Naturauffassungen und den anthroposophischen Lehren Rudolf Steiners beobachten lasse. Außerdem zog Capra für die von ihm anvisierte »Wende der Gezeiten« die Lehren des *I Ging* und *Tao-te-king* heran, um hinter der Fassade des bloß rationalen Denkens das eigentliche Sein, also hinter dem männlich-vernunftbetonten Yang das weiblich-intuitive Yin neu zu entdecken. Die wichtigste Ursache allen Übels sah auch er im allgemeinen Wachstumswahn, der gegen die Naturnotwendigkeit eines in sich ruhenden und sich ständig selbst erneuernden Netzwerks wechselseitig voneinander abhängiger Ökosysteme verstoße und daher den »neuen« Werten des Alten-Wahren weichen müsse. Demzufolge setzte Capra seine Hoffnung auf eine bessere Zukunft nicht nur auf eine drastische Bevölkerungsreduzierung, sanfte Energiegewinnung und biologische Landbauweise, sondern auch auf die alten Weisheiten der Einfachheit, der Intuition und der mystischen Einstimmung in quasi-religiöse Urgesetze des Lebens.

Besonders ergriffen von diesen Theorien wurden jene Grünen, die von theologischen, mystischen, anthroposophischen oder neureligiösen Weltanschauungen herkamen und daher ihrem ökologischen Interesse eine Vertiefung ins Numinose zu geben suchten. Bei dieser Wendung zum Yin, zur Holistik, zur weiblichen Ursubstanz, zum Einssein mit allem, zur großen Vernetzung aller Dinge setzten sie die uns umgebende Natur häufig mit der »Schöpfung Gottes« gleich und verschmähten auch Exkurse ins Pantheistische, Dionysische oder Mystisch-Ekstatische nicht.[47] In solchen Schriften herrscht neben der Einsicht in die Ganzheit und der Erwartung einer auf Wendezeiten beruhenden Evolution manchmal ein geradezu heilsgeschichtlicher Glauben an religiöse Erweckungen oder Auferstehungen, der sich – wie schon in Teilen der Lebensreformbewegung um 1900 – in Einzelfällen bis zur Hoffnung auf ein neues Paradies, einen neuen Garten Eden steigerte. In ihnen begegnet man jenen Menschen, die »immer auf dem Wege« sind, die sich als Teil des göttlichen Urgrunds der Welt fühlen – und sich daher von allem abwenden, was sie an die Widrigkeiten des großstädtischen oder von der Technik regierten Daseins erinnert. Hier werden jene Kinder der Erde oder Kinder des Lichts anvisiert, die bereits in der Capraschen Utopie des kommenden Solarzeitalters leben.

Die literarischen Utopien dieser Bewegung wirken dagegen zum Teil wesentlich weniger utopisch. Noch am konkretesten sind jene, die ihr Programm in die Form von Dystopien kleiden, also nur indirekt auf ihr positives Ziel hinweisen. Hierunter fallen vor allem die im Dienst der Friedensbewegung stehenden atomaren Warnutopien der frühen achtziger Jahre. Im Gegensatz zu den düsteren Zukunftsromanen der unmittelbaren Nachkriegszeit, wie einigen Werken Arno Schmidts, Hans Wörners und Heinz Risses, ging es in diesen Dystopien weniger um spezifisch deutsche Ängste oder Schuldgefühle als um wesentlich globalere Probleme, denen nicht nur die Furcht vor den Folgen der forcierten Hochrüstung oder weiteren atomaren Unfällen wie denen von Harrisburg und Tschernobyl, sondern zugleich die durch Publikationen wie den *Bericht des »Club of Rome«* und *Global 2000* ausgelösten Ängste vor den unaufhaltsam nahenden ökologischen Katastrophen zugrunde lagen.

Es gab zwar auch Dystopien, in denen solche Menschheitsdämmerungen das Werk übermenschlicher Roboter, wildgewordener Computer oder technisch avancierterer Wesen von anderen Planeten sind, die also in ihrer Angst vor dem überhandnehmenden Maschinenwesen auf Modelle der älteren Science-Fiction-Literatur zurückgriffen, aber die größte Gruppe innerhalb dieser Werke stellten die auf atomare Katastrophen hinauslaufenden Romane. Hierzu gehört beispielsweise *Ende. Tagebuch aus dem Dritten Weltkrieg* (1983) von Anton-Andreas Guha, in dem die weltweite Apokalypse durch eine nukleare Auseinandersetzung zwischen den USA und der UdSSR ausgelöst wird. Guha zeigt, daß solche Konflikte nicht unbedingt durch ideologische Gegensätze, sondern auch durch rein technische »Sachzwänge« verursacht werden können. In der hier dargestellten Welt geht die beiderseitige Hochrüstung eines Tages unvermittelt aus dem kalten in das heiße Stadium über, wodurch Millionen von Menschen an den Folgen der Radioaktivität sterben und sich die gesamte Erde in eine von »giftigen Dünsten umhüllte Wüste« verwandelt.[48] Ähnliches spielt sich in dem Roman *Die letzten Kinder von Schewenborn* (1983) von Gudrun Pausewang ab, in dem ein aus nicht erörterten Gründen ausgebrochener Atomkrieg Gesamtdeutschland zerstört und die in einigen Randzonen übriggebliebenen Menschen an Auszehrung oder körperlicher Verformung dahinsiechen, bis sie jämmerlich verrecken. Auch in der sogenannten friedlichen Nutzung der Atomenergie sahen die grünen Autoren etwas höchst Gefährliches. So löst in Gudrun Pausewangs Roman *Die Wolke* (1987) ein sogenannter Super-GAU in Grafenrheinfeld bei Schweinfurt eine atomare Katastophe aus, die sich durchaus mit der verheerenden Wirkung eines atomaren Kriegs vergleichen läßt. Hier gibt es zwar Überlebende, die aber so geschockt sind, daß sie über die Toten nicht zu sprechen wagen. Die Verstrahlten werden sogar von den Politikern und Industriellen angehalten, ihre kahlen Köpfe zu bedecken, um den »Kernkraftgegnern, den Weltverbesserern, dem ganzen grünen Gesocks, das uns in die Steinzeit zurückschicken will«, keine neuen Argumente zur Hand zu geben.[49] Und auch die Erzählung *Störfall* von Christa Wolf und die von Wolfgang Ehmke herausgegebenen *Bequerel-Geschichten,* beide 1987, warnten ihre Leser und Leserinnen noch einmal vor den Gefahren der nuklearen Energieerzeugung.

Was in dem gleichen Zeitraum an positiv endenden Utopien erschien und von den Grünen als Ausdruck ihrer Bewegung empfunden wurde, läßt sich in vier Rubriken einteilen: 1. Werke, in denen der grünen Utopie am Schluß eine apokalyptische Reinigung vorangehen muß, 2. poetisierte Utopien, die sich zur Illustration ihrer

Thesen der Stilmittel des Märchens, der Fantasy-Erzählung oder der Tiergeschichte bedienen, 3. Protestromane, in denen konkrete Einzelaktionen zum Schutze der Natur im Mittelpunkt stehen, sowie 4. grüne Utopien, wo solche Aktionen dazu führen, daß sich ein gesamtes Land zu einem sinnvollen Stoffwechsel mit der Natur entschließt.

Bei der ersten Gruppe handelt es sich meist um Utopien, in denen ein begrenzter Atomkrieg den Auftakt bildet und sich die Überlebenden – aufgrund dieses Traumas – zu einer grundsätzlich anderen Lebensweise entschließen. In dem Roman *Julius oder Der schwarze Sommer* (1983) von Udo Rabsch bleibt nach der großen Katastrophe, die als Rache Gottes an seiner geschändeten Schöpfung aufgefaßt wird, lediglich ein Mensch übrig. Er sieht sich zwar am Schluß von roten Äpfeln und grünem Gras umgeben, während andere Landstriche unter einer dicken, grauen, radioaktiv verseuchten Aschenschicht liegen – doch ein einzelner Adam stiftet noch keinen Neuanfang. Georg Zauner schilderte dagegen in seinem Roman *Die Enkel der Raketenbauer* (1980), unter welch bedrückenden Verhältnissen die Menschen in der nachkatastrophalen Sekundärzeit leben müssen, wie sich jedoch in der darauffolgenden Tertiärzeit die Verhältnisse zusehends stabilisieren. Auch in der Romanfolge *Es geht voran* (1982) und *Glückliche Reise* (1983) von Matthias Horx bricht erst nach einem begrenzten Atomkrieg und der endgültigen Zerstörung aller Maschinen ein etwas glücklicheres Zeitalter an. Wie Rabsch bedient er sich dabei religiöser Metaphern wie Sünde, Erlösung und Auferstehung, um das Apokalyptische dieses Vorgangs zu unterstreichen. Den »Normalos« und den »Harten«, mit denen er die Normalbürger und die Spontis zu charakterisieren versucht, stehen dabei die »Transformatoren« gegenüber, die mit ihrem Buch *Metanoia* (»Umsinnen«) die Menschen aufrufen, aus ihren bisherigen Verfehlungen zu lernen und eine bessere, auf strikt ökologischen Gesichtspunkten beruhende Gesellschaft aufzubauen. »Die technischen Hochkulturen«, heißt es in diesem Buch in indirekter Anlehnung an Vester, Bahro, Capra, biologische Systemtheorien und östliche Weisheiten, »haben den bioevolutionären Platz des Menschen verwirkt. Sie haben ihn gewaltsam aus den Kreisläufen herausgerissen, die Symbiose zwischen ihm und der Natur zerstört, den Organismus zu einem toten Ding gemacht, das sich und den Planeten unaufhörlich vergiftet.«[50] Die Horxschen Transformatoren, die sich in der Organisation »Phoenix« zusammenschließen, hoffen, dieses Ziel mit dem Bau autarker Bio-Häuser und schließlich der Vernetzung dieser neuen Soziotope in einem System geschlossener Kreisläufe zu erreichen, das keiner weiteren Energiezufuhr mehr bedarf.

Zu den märchenhaften Utopien gehören unter anderen die erwähnten *Bequerel-Geschichten* (1987). Hier legen fünf Tiere, die »Hamburger Stadtmusikanten«, ein Atomkraftwerk an der Unterelbe (sprich: Brokdorf) still, während sieben Zwerge als Beschützer eines Salzstocks (sprich: Gorleben) auftreten und verhindern, daß es dort zu einer Endlagerung von Atommüll kommt. Wesentlich erfolgreicher als solche Erzählungen, zu denen auch die Märchen des 1983 von Heinz Körner herausgegebenen Geschichtenbuchs *Die Farben der Wirklichkeit* zählen, war der Fantasy-Roman *Die unendliche Geschichte* (1979) von Michael Ende, der jahrelang auf allen Bestsellerlisten stand. In diesem Buch geht es um die Reise eines zehnjährigen Jungen nach Phantásien, einem Land zwischen Traum und Realität, in dem nicht nur die Städte allmählich veröden und zu Spukstädten werden, sondern auch die ehemals üppige Natur bereits Zeichen des vom Menschen ausgehenden Pesthauchs aufweist – und wo allein, wie schon in Endes Roman *Momo* (1977), ein reines, naturnahes Kind einen Wandel zum Besseren herbeiführen kann. Die gleiche Tendenz liegt Endes Erzählung *Der satanarchäolügenialkohöllische Wunschpunsch* (1989) zugrunde, in der es die Tiere sind, die im Gegensatz zu den apathisch gewordenen Menschen gegen das Baumsterben und die Vergiftung der Gewässer zu Felde ziehen und die Welt in letzter Minute davor retten, endgültig dem teuflischen Widersinn der alles vernichtenden Technik zum Opfer zu fallen.

Aus dem Bereich jener Werke, in denen sich Einzelne oder kleine Widerstandsgruppen bemühen, dem immer stärker werdenden Landschaftsfraß entgegenzutreten, seien in diesem Zusammenhang lediglich der Roman *Wie wird Beton zu Gras* (1979) von Otto F. Walter und die Biographie *Der Engerling* (1983) von Ernst Därendinger erwähnt. Walter beschreibt eine Jugendgruppe, die den Kampf gegen die allgemeine Bürokratisierung, Mechanisierung und Industrialisierung aufnimmt. Unter dem Motto »Lieber aktiv als radioaktiv« veranstaltet sie eine Demo gegen den Bau weiterer AKWs, stößt jedoch auf die energische Gegenwehr der »Mächtigen« im Lande, die auf »Wachstum um jeden Preis, Zentralisation um jeden Preis, Konsum um jeden Preis, Zubetonierung der Landschaft um jeden Preis« bestehen.[51] Und doch gibt sie nicht auf. Als utopisches Endziel schwebt der Gruppe ein »menschengemäßer« Sozialismus vor, der überhaupt keine Macht mehr dulden will – weder über Menschen noch über die Natur. Bei Därendinger geht es dagegen um das Schicksal eines kleinen Landwirts, der sich in einer Bauerninitiative gegen den Trend zur totalen Reglementierung, das heißt der Einführung sogenannter Milchkontingente, aufzulehnen versucht. Därendinger stellt sich hierbei immer wieder die Frage, wie man im Rahmen eines so naturwidrigen Systems überhaupt Bauer bleiben kann. Wie die Waltersche Gruppe scheitert sein Landwirt zwar in seinen Bemühungen, trägt aber durch seine »Unbotmäßigkeit« doch ein klein wenig zur »Weckung eines neuen Bewußtseins« in seiner näheren Umgebung bei.[52]

An Entwürfe biologisch ausbalancierter Zukunftsstaaten wagte sich dagegen während der achtziger Jahre in Westdeutschland niemand heran. Nur so ist zu verstehen, daß der Roman *Ecotopia* (1975) des US-Amerikaners Ernest Callenbach, der diesen Versuch unternahm, innerhalb der grünen Bewegung eine so wichtige Rolle spielen konnte. Nach alter utopischer Tradition kommt in diesem Werk ein Reisender, der Reporter William Weston von der New Yorker *Times Post,* 1999 in ein Land, in dem höchst seltsame Verhältnisse herrschen, die ihn erst verwirren, ihm dann immer sinnvoller erscheinen und die ihn schließlich zum Dableiben bewegen. Bei diesem Staat handelt es sich um das nördliche Kalifornien sowie die Staaten Oregon und Washington, die sich 1980 aus ökologischen Gründen von den USA abgespalten haben. Während der Rest der Vereinigten Staaten im Jahr 1999 trotz aller Umweltverschmutzung und Kriege gegen aufständische Völker in der Dritten Welt noch immer über einen hohen Lebensstandard verfügt, ist in Ökotopia der Lebensstandard zwar gesunken, aber dafür eine weitgehende Harmonie mit der Natur eingekehrt. Regiert wird dieser Staat von der Survivalist Party. Diese Partei, der eine Frau vorsteht, hat den gesamten Landbesitz verstaatlicht, alle chemisch verseuchten Lebensmittel verboten und große Recycling-Anlagen gebaut. Zudem läßt sie alle Großstädte, die am stärksten zur Umweltverschmutzung beitragen, durch ein Netz relativ autonomer Klein- oder Agrostädte ersetzen, in denen wieder das Grüne statt des Grauen den Ton angibt.

Die ökotopischen Häuser bestehen fast ausschließlich aus Holz und verzichten auf jeden Anstrich, weil die meisten Farben auf der »Grundlage von Blei, Gummi und Plastik« beruhen. Abfälle müssen in allen Haushalten nach den verschiedenen Graden an »Kompostierbarkeit und Rückschleusbarkeit« sortiert werden. Lebensmittelreste werden durchweg in »organischen Dünger« umgewandelt und wieder »dem Boden zugeführt«. Auf künstlichen Dünger verzichten Callenbachs Utopiker völlig. Statt dessen werden die Felder vornehmlich mit »Tierdung« und »Kompost« veredelt. Überhaupt muß alles, was verwendet wird, »biologisch abbaubar«, das heißt »verwesungsfähig« und damit »rückschleusbar« sein. Auf diese Weise ist in Ökotopia ein Ernährungssystem des inneren Gleichgewichts entstanden, das, wie es heißt, »unbegrenzt lebensfähig ist«.[53]

Allerdings geht Callenbach nie so weit, die Technik schlechthin zu verwerfen und wie die Vertreter des »Radikalen Ökologismus« einen rousseauistischen Neoprimitivismus zu glorifizieren. Biologie und Natur werden in seiner Utopie zwar groß geschrieben, aber doch nicht zum alleinigen Maßstab des menschlichen Verhaltens erhoben. Im Gegenteil, in Callenbachs Gesellschaft sind fast alle Menschen auf eine besonders ingeniöse Weise »technisch« veranlagt und denken sich ständig neue Methoden der Energieeinsparung, der Wiederverwendbarkeit bestimmter Materialien oder der Rückschleusbarkeit der verschiedenen Gebrauchsgüter in den natürlichen Kreislauf aus. Jeder ist hier sein eigener »Handyman«, der sämtliche praktischen Probleme selbst zu lösen versucht. Viele überflüssige Maschinen und Maschinchen werden abgeschafft, aber auch eine Unmenge neuer energiesparender und umweltfreundlicher Techniken erfunden. Am schwersten können sich die meisten Menschen in Callenbachs Utopie mit der Abschaffung der Privatautos abfinden. Durch ein vielfältig verzweigtes System von Minibussen und anderen Massentransportmitteln, die entweder nach dem Prinzip der magnetischen Anziehung und Abstoßung operieren oder mit elektrischen Batterien angetrieben werden, wird jedoch auch hier Abhilfe geschaffen. Die Grundlage der Energieerzeugung bildet dabei eine raffiniert ausgetüftelte Nutzung der Wind-, Gezeiten- und Sonnenenergie, die weder Rauch noch Müll erzeugt. Außerdem ist die Energieherstellung meist bedarfs- und ortsgebunden, so daß häßliche Fernleitungen überflüssig sind. Selbst in Ökotopia gibt es darum kleine Bildtelefone, Video-Recorder und Kabelfernsehgeräte, mit denen man sich an allen öffentlichen Debatten beteiligen kann und nicht der Gefahr ausgesetzt ist, der berüchtigten »Idiotie des Landlebens« zu verfallen.

Da vielen Lesern und Leserinnen die Vorstellung, drei Staaten seien einfach aus der US-amerikanischen Förderation ausgeschert, reichlich naiv erschien, schrieb Callenbach in den späten siebziger Jahren noch einen weiteren Roman, *Ecotopia Emerging,* in dem er die mühsame Entstehung dieses neuen Staats darstellte. Das Buch erschien 1981 in New York und 1983 unter dem Titel *Ein Weg nach Ökotopia* beim Westberliner Ökotopia-Verlag. Es schildert, wie sich im Westen der USA eine Überlebenspartei bildet, die angesichts der Bevölkerungsexplosion, der Verseuchung der Luft und des Bodens, der Ausdünnung der Ozonschicht und damit der tödlichen Gefährdung allen Lebens den Entschluß faßt, diesen Entwicklungen wenigstens im Nordwesten Amerikas Einhalt zu gebieten. Sie tut das, indem sie kleine Zellen von Überlebenswilligen gründet, erste Demonstrationen veranstaltet und schließlich ein Parteiprogramm aufstellt, das auf einer »Nie wieder!«-Liste von Forderungen beruht, die sich gegen die Verwendung von Kunststoffen in Lebensmitteln, den Bau von Atomkraftwerken, die Herstellung krebserregender Substanzen, den ungehemmten Bevölkerungszuwachs usw. wenden. Auf diese Weise macht sie zuerst kleinere Gruppen und dann immer größere Bevölkerungsschichten, die von der Angst ergriffen werden, auf sich aufmerksam. Und so entsteht ein Netzwerk von Organisationen, dem es gelingt, effektive Umweltgesetze durchzusetzen, alternative Energiequellen zu erschließen, den Gebrauch von Privatautos zu verbieten, die AKWs abzuschalten und schließlich die Unabhängigkeit ihres Territoriums vom Rest der Vereinigten Staaten zu erklären. Dieses Gebiet will den anderen Staaten der Welt ein leuchtendes Vorbild sein.

Wie die Neuausgaben von Thoreaus *Walden,* Morris' *News from Nowhere,* Charlotte Perkins Gilmans *Herland* und Jean Gionos *Der Mann mit den Bäumen* stieß auch dieses Buch bei der ökologischen Bewegung der Bundesrepublik auf großes Interesse. Schließlich hatte sich hier eine solche Survivalist Party, deren Entstehung Callenbach für die USA noch als utopischer Traum erschien, in Form der Grünen bereits gebildet. Doch entwickelte diese Partei für die Massen der westdeutschen Wähler und Wählerinnen wirklich eine solche Überzeugungskraft, das sie ausgereicht hätte, Forderungen wie die Callenbachs ohne Zögern in die Tat umzusetzen? Gab es innerhalb der grünen Partei und der mit ihr sympathisierenden Bevölkerungsschichten in den achtziger Jahren bereits genug Menschen, die sich als ökologisch radikal verstanden und sich bereit erklärt hätten, auf Teile ihres bisherigen Wohlstands zu verzichten, um so der Natur die Chance zu geben, auch für kommende Generationen der Nährboden eines lebenswerten Daseins zu bleiben? Es gab sie sicher, aber es waren nicht genug, um einer auf Veränderung der gesamten Wirtschaftsstruktur drängenden Partei wie der Grünen zur parlamentarischen Mehrheit zu verhelfen.

Der Hauptgrund dafür, daß der Stimmenanteil der Grünen in den achtziger Jahren nur unmerklich anstieg und zum Teil sogar zurückging, lag darin, daß die meisten Westdeutschen bei aller Sympathie, die sie manchen Ideen der Grünen entgegenbrachten, weiterhin in erster Linie auf ihren persönlichen Wohlstand bedacht waren und befürchteten, daß die Grünen diesen Wohlstand aufgrund ihrer »Wachstumsfeindlichkeit« ernsthaft gefährden könnten. Statt einzusehen, daß es ihr eigener Konsumismus war, der diesen Wohlstand – auf lange Sicht – in Frage stellte, unterstützten sie lieber jene kurzfristigen Lösungsvorschläge, die ihnen die anderen Parteien vorschlugen: die Erhöhung der Staatsverschuldung, den Bau neuer Atomkraftwerke, die Anlage zusätzlicher Eisenbahntrassen und Autobahnen wie überhaupt alles, was einer möglichst schnellen Steigerung der wirtschaftlichen Expansionsrate diente. Dies war nicht nur ein Ergebnis der allgemeinen Meinungsbildung durch unternehmerfreundliche Massenmedien, sondern auch eines egoistischen Instinkts. Die Mehrheit der Westdeutschen wollte – trotz verbreiteter Angst- und Unsicherheitsgefühle – weiterhin »genießen«. In einem ideologischen Klima großgeworden, in dem bloß wirtschaftlicher Erfolg, sozialer Status und die Fülle der Konsummöglichkeiten als Werte galten, empfand sie alle Kritik daran von vornherein verdächtig und schwor weiterhin auf die Erhardsche Formel, daß in der Bundesrepublik dem »persönlichen Bereicherungsdrang des einzelnen so wenige Schranken wie nur möglich entgegengestellt werden sollten«.

Aber auch die meisten Grünen waren längst nicht so »humanistisch-radikal«, wie Petra Kelly es 1981 von ihnen erwartet hatte. Viele schlossen sich dieser Bewegung nur an, weil sie ihnen nach dem Scheitern der Achtundsechziger die einzige rebellische Alternative zu sein schien. Gerade unter den Dreißig- bis Vierzigjährigen gab es zwischen 1980 und 1985 viele, die ehemals antiautoritären, studentisch-libertären und anarchistischen Gruppen angehört hatten und mit dem Kern der Grünen lediglich das aufmüpfige, nicht aber das ökologische Denken gemeinsam hatten. Daher zählten zu ihnen sowohl Vertreter eines ganzheitlichen Gewissens als auch solche, die nach wie vor eher die schrankenlose Selbstentfaltung als die kollektive Einschränkung der Bedürfnisse akzentuierten. Letztere empfanden nicht allein Macht, Hierarchie, Autorität, Status, Konkurrenz, Karriere, technische Perfektion und geplante Obsolenz als negativ, sondern auch Disziplin, Organisation, Fleiß, Bescheidenheit und Opferbereitschaft, denen sie Werte wie Persönlichkeitsentfaltung, privates Wohlbefinden und staatlich garantiertes Grundeinkommen entgegensetzten. In ihrer Ideologie dominierte darum eher das Bunte als das Grüne. Schließlich lebten sie in einer derart kommerzialisierten Umgebung, daß auch ihnen ein befreites Sichausleben in Form kulinarischer, touristischer und anderer konsumistischer Form durch die pausenlose Wiederholung von Werbeimpulsen völlig »natürlich« erschien.

Vertreter einer neuen Ideologie der Bescheidenheit, der das Bewußtsein zugrunde liegt, daß jeder übermäßige Verbrauch der angebotenen Konsumgüter zu Lasten der Umwelt geht und somit die weitere Lebenschance der Menschheit verringert, blieben deshalb selbst unter den Grünen in der Minderheit. Doch nur sie machten diese Partei letztlich zu dem, was sie sein wollte: zur konsequenten Verfechterin ökologischen Denkens. Wer innerhalb dieser Bewegung keine Achtung vor der Natur – und zwar selbst im kleinsten Bereich – hatte, war in ihren Augen kein Grüner. Sie verlangten eine völlig neue Einstellung zur Natur und der in ihr lebenden Menschen. Nur jene, die sich von allen Formen einer konsumbetonten Selbstrealisierung distanzierten, waren nach ihrer Meinung wert, Menschen mit einem umfassenden sozialen Gewissen genannt zu werden.

Reaktionen auf neue Hiobsbotschaften in den achtziger Jahren

Doch nicht nur die Grünen, auch andere Organisationen, Forschungsinstitute, Schriftsteller und Publizisten versuchten nach 1980 mit neuen Hiobsbotschaften an das Bewußtsein der Bevölkerung zu appellieren. Den Auftakt dazu bildete die Studie *Global 2000*, die US-Präsident Jimmy Carter in Auftrag gegeben hatte und die 1981 auch in der Bundesrepublik erschien, wo sie in wenigen Monaten eine Auflage von 300 000 Exemplaren erreichte. Aus dieser Untersuchung, die von vielen zu Recht als ein »Katastrophenszenario« bezeichnet wurde, geht hervor, daß die Weltbevölkerung zwischen 1975 und dem Jahr 2000 von 4,0 auf 6,3 Milliarden Menschen ansteigen wird, fast jeden Tag eine Tier- oder Pflanzenart ausstirbt, der saure Regen immer mehr Seen und Wälder zerstört, in zwanzig Jahren die Hälfte aller Wälder ganz verschwunden sein wird, sich die Wüsten immer schneller vergrößern, der Kunstdünger Boden und Grundwasser verdirbt, das Ozonloch wächst, die Strahlenschäden ständig zunehmen, usw. usw.

Aufgrund dieses Berichts erschien auch in der Bundesrepublik eine Reihe von Büchern, deren Autoren ihre Leser immer wieder zu alarmieren versuchten. Peter Cornelius Mayer-Tasch schreckte 1987 in dem Buch *Die verseuchte Landkarte. Das grenzenlose Versagen der internationalen Umweltpolitik* nach einer Analyse der Zustände nicht davor zurück, von der herannahenden Gefahr eines atomaren oder ökologischen »Holocausts« zu sprechen. Lutz Wicke erklärte 1986 in seiner Untersuchung *Die ökologischen Milliarden,* daß die Bundesrepublik bei einem jährlichen Gesamtetat von ca. 270 Milliarden ca. 100 Milliarden ausgeben müsse, wenn sie die Natur vor weiteren Belastungen bewahren wolle. Ja, Hoimar von Ditfurth schrieb 1985 in seinem Bestseller *So laßt uns denn ein Apfelbäumchen pflanzen. Es ist soweit,* daß die Gefährdung bereits soweit fortgeschritten sei, daß man nur noch schwarz sehen könne, zumal es bisher keiner Regierung der hochindustrialisierten Länder eingefallen sei, die nötigen Konsequenzen aus der Studie *Global 2000* zu ziehen. Selbst da, wo man sich zu Gesetzen gegen sogenannte Umweltsünder entschließe, seien sie meist kosmetischer Art, statt dem skrupellosen »Raubbau« ein für allemal einen Riegel vorzuschieben. Überall herrsche weiterhin eine »absolutistisch zu nennende, keine Berufungsinstanz gelten lassende Gewaltherrschaft über die Natur«, überall stünde lediglich der »egozentrische Aspekt des Gebrauchswerts« aller Dinge im Vordergrund, überall schätze man nur Tiere und Pflanzen, die für den Menschen »nutzbringend« seien, während man die anderen als »Schädlinge, Ungeziefer, Parasiten, Unkraut« verachte. Durch diese »expansive, aggressive, spezies-egoistische Art unseres Umgangs mit der uns ausgelieferten übrigen lebenden Natur« sei fast die gesamte Erde zur »Plantage des Menschen« geworden, in der ein »blinder Marktmechanismus«, ein ständig steigender »Energieverbrauch«, eine immer rücksichtslosere »Ausbeutung« und eine allgemeine »Fortschritts- und Wachstumsraserei« dominierten. Diese »anthropozentrische Hybris«, deren »selbstmörderische Konsequenzen«, nämlich eine »planetarische Monokultur« zu etablieren, habe zwar zum »Endsieg« über die Natur geführt, beginne aber heute die Form eines dialektischen Rückschlags anzunehmen. Angesichts dieser Vorgänge, die von Tag zu Tag immer bedrohlicher würden, erklärte Ditfurth schließlich: »Der Zusammenbruch der Biosphäre steht nicht bevor. Er hat bereits eingesetzt.«[54]

Nicht minder niederschmetternd waren alle Berichte, die der »Club of Rome« und das MIT-Forschungsteam nach 1980 zu Umweltfragen publizierten. So behauptete Dennis Meadows, der Autor des ersten Berichts über die *Grenzen des Wachstums* im Jahre 1989, daß es zu einer Verbesserung der ökologischen Situation bereits zu spät sei, da sich »die Umweltbedingungen schon so verschlechtert« hätten, »daß wir bald nicht einmal die gegenwärtige Weltbevölkerung ernähren können«. Auf die Frage, was sich dagegen tun lasse, antwortete er höchst resigniert: »Die Menschheit verhält sich wie ein Selbstmörder, und es hat keinen Sinn mehr, mit einem Selbstmörder zu argumentieren, wenn er bereits aus dem Fenster gesprungen ist.« Selbst wenn es »uns gelingen sollte«, mit »Hilfe modernster Technologien« *eine* der drei Hauptgefahren – nämlich »das Ozonloch, die Bodenerosion und die Verseuchung der Trinkwasserreserven« – abzuwehren, würden wir zwangsläufig einer der zwei anderen zum Opfer fallen.[55] Die gleiche Skepsis am Überleben der Menschheit herrschte bei manchen Autoren des 1990 unter dem Titel *Die Herausforderung des Wachstums* erschienenen Berichts des »Club of Rome«. Auch sie sahen überall nur »Verschwendung« und »Vernichtung«, aber keine durchgreifenden Bemühungen, dieser Entwicklung wirksam entgegenzutreten. Da man die rapide Verstädterung und Industrialisierung, die inzwischen globale Ausmaße angenommen habe, nirgends zu begrenzen suche, kamen sie zu dem Schluß, daß der laufende Prozeß in etwa 30 bis 40 Jahren den Zustand der »Irreversibilität« erreicht haben werde.[56]

Aufgrund dieser Berichte sowie der Meldungen über den Super-GAU von Tschernobyl, die zunehmenden Öltankerkatastrophen, das unübersehbare Waldsterben usw. verbreitete sich in den frühen achtziger Jahren eine ähnliche Doomsday-Stimmung wie nach dem ersten *Bericht des »Club of Rome«* zu Beginn der siebziger Jahre, die sich auch durch die »Wende« von 1982, die zum Regierungsantritt Helmut Kohls führte, nicht überspielen ließ. Durch die hektisch angekurbelte industrielle Konjunktur, welche die gesamten achtziger Jahre anhielt, wurden bei denen, die sich um die Umwelt sorgten, sogar noch größere Befürchtungen ausgelöst als zehn Jahre zuvor. Daher herrschte unter dem kritischen Teil der nicht parteigebundenen westdeutschen Intelligenz ein immer stärker werdender Trend zu Skepsis, Resignation, wenn nicht gar Verzweiflung oder apokalyptischer Endzeitstimmung, der zu jenem bewußt anti-utopischen Posthistoire-Denken führte, das selbst auf manche Vertreter des eher optimistisch gestimmten Postmoderne-Lagers übergriff.

Während die philosophischen Spekulationen dieser Gruppen, die weitgehend auf untergangssüchtige Simulationstheorien hinausliefen, von der überwältigenden Mehrheit der Bevölkerung kaum wahrgenommen wurden, hatten die literarischen Manifestationen der gleichen Richtung, und zwar von spruchartigen oder gedichtähnlichen Graffiti bis hinauf zu apokalyptisch-getönten Romanen und Dramen, eine etwas größere Breitenwirkung. Die bekanntesten Graffiti, die dieser Stimmung Ausdruck verliehen, waren »Die Industrie steht in Blüte/man sieht es an der toten Natur«, »Vergifte deinen Nächsten/

wie dich selbst«, »Joggt – und ihr sterbt gesünder« sowie »Wir haben die Zukunft/schon hinter uns«. Ähnliche Zeilen oder Sentenzen tauchen in der Lyrik dieser Jahre auf, die voller Anspielungen auf ausgestorbene Dinosaurer, Giftmülldepots, sterbende Wälder, radioaktive Strahlen, verdreckte Strände usw. ist. Nicht minder deutlich werden solche apokalyptischen Stimmungen in Romanen wie *Winterkrieg in Tibet* (1981) von Friedrich Dürrenmatt, *Frauen vor Flußlandschaft* (1985) von Heinrich Böll, *Die Rättin* (1986) von Günter Grass, den Dramen Heiner Müllers, den Kurzgeschichten Günter Kunerts oder einem Text wie *Bodenloser Satz* (1988) von Volker Braun, in denen – wie in manchen Werken vielgelesener ausländischer Romanciers wie Gabriel García Márquez, Thomas Pynchon, Margret Atwood, Doris Lessing, Umberto Eco und Anthony Burgess – ständig der Verlust utopischer Hoffnungen beklagt wird. Angesichts des Stillstands der historischen Dialektik schien vielen dieser Autoren jeder weitere Eingriffsversuch einzelner Menschen geradezu farcenhaft. Günter Grass folgerte daraus in seiner Rede *Zum Beispiel Calcutta,* die er 1989 vor dem »Club of Rome« hielt, daß die »Verelendung der Dritten Welt«, der »Bevölkerungsdruck«, der »Rüstungswettlauf« und die »ungehemmte industrielle Expansion« Ausdruck ein und derselben »zerstörerischen« Entwicklung seien, die zwangsläufig zum Untergang der gesamten Welt führen werde.[57]

Doch wie in den frühen siebziger Jahren gaben sich die westdeutschen Intellektuellen und Schriftsteller wegen dieser Hiobsbotschaften nach 1980 nicht nur Doomsday-Stimmungen hin, sondern reagierten auf die verbreiteten Untergangsbeschwörungen auch mit arroganter Nichtbeachtung, geschicktem Abwiegeln, skeptischer Teilintegration, idealistischen Appellen, aktiven Protesten, praktischen Gegenvorschlägen und utopischen Entwürfen neuer Wirtschafts- und Gesellschaftssysteme. Hinter der egoistischen Nichtbeachtung der fortschreitenden Naturzerstörung standen vor allem jene Managerschichten und die sie indirekt sekundierenden Intellektuellen, denen es lediglich um ein Neuankurbeln, wenn nicht Überbieten des Erhardschen »Wirtschaftswunders« zu tun war. Aus diesem Lager kamen meist recht grobschlächtige Argumente, die bis zur Verhöhnung aller sogenannter Grünlinge gingen. Wesentlich differenzierter äußerten sich dagegen die Abwiegler. Sie bestanden, wie schon die Liberalen der siebziger Jahre, entweder auf technischen Verbesserungen in Form neuer Filteranlagen und strengerer Überwachungssysteme oder versuchten sich zu entlasten, indem sie die Hauptschuld an der »Umwelt«-Verschmutzung den anderen (am besten »dem Osten«) zuschoben.

Außerdem bedienten sie sich gern des Arguments, daß man vom Menschen, der nun einmal kein Idealwesen sei, nicht zuviel verlangen dürfe, oder warfen den Grünen vor, mit ihren wachstumsfeindlichen Parolen einen »Rückfall in die Steinzeit« zu befürworten. Ein gutes Beispiel für eine solche Argumentationsweise bietet das Buch *Politik und menschliche Existenz. Dämme gegen die Selbstzerstörung* (1989) von Christian Graf von Krockow. Ihm liegen zwei Überzeugungen zugrunde: zum einen, daß der Mensch – wegen seiner Unvollkommenheit – von vornherein ein »Kainsmal« trage, und zum andern, daß jede liberale Demokratie »relativistisch« sei und daher nicht »aus dem Absoluten von Wert und Wahrheit« zu leben brauche. Aufgrund dieser Anschauung empfand Krockow den »großen Sprung in die Utopie« oder die »Rückkehr nach Eden« als »trügerische Träume«, die zwangsläufig in die »Irre« führen würden.[58] Er gab sich also betont »realistisch« und befürwortete einen Pragmatismus, der sich utopielos mit den drohenden Gefahren abzufinden sucht.

Nicht viel anders reagierten nach 1980 die meisten Liberalen, Linksliberalen und Sozialdemokraten auf die sich häufenden Schrekkensmeldungen über die fortschreitende Zerstörung der Natur. Auch sie schlugen häufig nur beschwichtigende Teillösungen der anstehenden Probleme vor und verwarfen alle radikalen Eingriffe in das herrschende Gesellschafts- und Wirtschaftssystem als unrealistisch. Um nicht als völlig unflexibel zu gelten, befürworteten sie nach alter Tradition lediglich Lösungsvorschläge, die auf idealistischen Appellen beruhten, aber keine konkreten Änderungen verlangten. Aus der Fülle dieser Autoren seien im folgenden lediglich zwei herausgegriffen: Klaus Michael Meyer-Abich und Carl Friedrich von Weizsäcker. Meyer-Abich kleidete seine Appelle meist naturphilosophisch ein. So setzte er sich zwar in *Wege zum Frieden mit der Natur. Naturphilosophie für die Umweltpolitik* (1984) für einen »gewaltloseren« Umgang mit der Natur und einen Abbau des »anthropozentrischen« Weltbildes ein, blieb aber seinen Lesern – außer der allgemein gehaltenen Forderung, die »gesellschaftlichen Ordnungen mit denen der Natur in Einklang zu bringen« – konkrete Lösungsvorschläge weitgehend schuldig. Ähnliche Leerformeln durchziehen sein Buch *Wissenschaft für die Zukunft. Holistisches Denken in ökologischer und gesellschaftlicher Verantwortung* (1988), in dem er sich zu einem Holismus bekannte, der wieder an das »Denken Goethes« anknüpft, das heißt die »Rücksicht auf die Gesundheit des Ganzen« zum obersten Prinzip erhebt.[59] Ebenso allgemein blieb Weizsäcker in seinem Buch *Bewußtseinswandel* (1988), wo er trotz der klaren Analyse aller konkreten

Schäden, welche der »Umwelt« drohen, in seinen Schlußfolgerungen ebenfalls in den Bereich naturphilosophischer Spekulationen auswich. Befragt, wie man diesen Gefahren in der alltäglichen Realität begegnen solle, forderte Weizsäcker seine Leser nachdrücklich zu »Bescheidenheit« und »Selbstbeherrschung« auf. Ihm war jedoch klar, daß sich eine solche »Askese zum Schutze der Natur« sicher nicht auf »demokratische« Weise, sondern nur mit Gewalt durchsetzen lasse. Bis zum Zeitpunkt der ersten ökologischen Großkatastrophen empfahl er daher weiterhin jenen »Bewußtseinswandel«, auf den schon so viele Idealisten seit Schillers Briefen *Über die ästhetische Erziehung des Menschen* vertraut hatten.[60]

Doch auch die Engagierten unter diesen »Aufklärern« hatten in diesen Jahren – angesichts der globalen Bedrohung der Natur – nicht viel mehr vorzubringen. Selbst sie setzten ihre Hoffnungen weitgehend auf einen wohlwollenden Reformgeist, voluntaristischen Bewußtseinswandel oder progressiv verstandenen Wertkonservativismus. Lediglich die DKP stellte im Rahmen des linken Lagers weiterhin den Sozialismus als den einzigen Ausweg aus der gegenwärtigen Umweltmisere hin. Sie ging dabei von der These aus, daß es nicht die »Technik«, sondern allein die »Profitgier der Herren der Großindustrie« sei, welche die Natur zerstöre, und sah deshalb den wichtigsten Beitrag zum Umweltschutz im Kampf »gegen die Konzerne«.[61] Die Vertreter der SPD und die parteilosen Linken sahen dagegen in der Naturbedrohung eher ein Phänomen, das auf untrennbare Weise mit dem nicht mehr rückgängig zu machenden Prozeß der Industrialisierung verbunden sei. Ihre Gegenvorschläge, die weitgehend auf der Ideologie eines Dritten Weges zwischen Kapitalismus und Sozialismus beruhten, waren darum wesentlich vorsichtiger, das heißt befürworteten weder Kampfmaßnahmen noch Askeseforderungen. Wohl am eindringlichsten belegen das die Schriften von Iring Fetscher, der 1986 in seinem Aufsatz *Ökodiktatur oder Alternativzivilisation?* sowohl der »realistischen Resignation gegenüber sogenannten Sachgesetzlichkeiten« als auch allen staatskapitalistischen oder staatssozialistischen Lösungsvorschlägen ökologischer Probleme eine Absage erteilte[62] und einen kulturrevolutionären »Wertkonservativismus« forderte.[63] Die Schuld an der herrschenden Ökomisere lastete Fetscher weitgehend den falschen Konservativen an, die weder christlich noch werteerhaltend dächten, sondern allein einem verbraucherischen Liberalismus zum Wohle der ökonomischen Expansionsrate das Wort redeten.[64] Das gleiche behauptete 1983 Erhard Eppler in seinem Aufsatz *Konservativismus und Ökologie in der Bundesrepu-*

blik, in dem er den »Wertkonservativismus der Ökologiebewegung« gegen den von der CDU/CSU erneut angekurbelten konsumistischen Freiheitsrausch auszuspielen versuchte.[65] Carl Amery erklärte im gleichen Jahr im *Merkur,* daß die vielbeschworene »Wende« gar nicht stattgefunden habe, da die herrschenden Christdemokraten auf ökonomischer Ebene gar keine Konservativen seien, sondern mit ihren werbewirksamen Konsumparolen zum Verfall all jener älteren Werte der Bescheidenheit beitrügen, die einmal als christlich oder konservativ gegolten hätten.[66]

Obwohl in diesen Schriften wesentlich konkretere Dinge zur Sprache kamen als bei Meyer-Abich und Weizsäcker, blieben auch sie letztlich im Bereich moralischer, ideologischer oder philosophischer Spekulationen. Die maßgeblichen Wortführer der CDU/CSU beachteten daher diese Argumente kaum und gingen – getragen von der Erfolgswelle der wirtschaftlichen Konjunktur – nach 1982 einfach zur Tagesordnung über. Von den Konservativen traten damals lediglich einige engagierte Christen vehement gegen die fortschreitende Naturzerstörung und Entwurzelung des Menschen aus allen früheren Ordnungen auf. Das belegt auf katholischer Seite das Buch *Der tödliche Fortschritt. Von der Zerstörung der Erde und des Menschen im Erbe des Christentums* (1981) von Eugen Drewermann, das sich mit den mörderischen Konsequenzen der Monokulturen, Waldrodungen, Bodenverkarstungen, Mülldeponien, Tierversuche, Legebatterien, Genmanipulationen, Überbevölkerungserscheinungen sowie des Einsatzes chemischer Mittel zur Ertragssteigerung und Gewinnmaximierung auseinandersetzte und alle bisherigen Gegenmaßnahmen als »völlig unzureichend« bezeichnete.[67] Höchst selbstkritisch führte Drewermann die Zerstörung der Natur, die Entwurzelung des Menschen und die Rechtlosigkeit der Tiere auf jene »christliche Anthropozentrik« zurück, deren Folge ein menschlicher Herrschaftsanspruch sei, dem man mit einem völlig neuen Bescheidenheitsethos entgegentreten müsse. Noch dringlicher setzte sich Drewermann 1990 in seiner Schrift *Über die Unsterblichkeit der Tiere. Hoffnung für die leidende Kreatur* für eine allgemeine Umbesinnung ein, welche die Natur nicht allein mit den Augen des Menschen, sondern aller lebenden Wesen betrachte. Statt unsere Umwelt weiterhin lediglich »auszubeuten«, erklärte Martin Rock 1980 in seiner *Theologie der Natur,* müsse man endlich ein »liebendes« Verhältnis zu ihr gewinnen, das heißt sich zu einer konsequenten »Konsumaskese« durchringen.[68]

Auf protestantischer Seite verlieh Jürgen Moltmann solchen Ideen den überzeugendsten Ausdruck, der sich 1990 in der Zeitschrift *Con-*

cilium energisch gegen den ausbeuterischen Egoismus jener modernen, von internationalen Konzernen beherrschten Gesellschaft wandte, für die »Solidarität« überhaupt kein Wert mehr sei und die deshalb die Natur zur nichtswürdigen »Sklavin« erniedrige.[69] Wie seine Kollegen auf katholischer Seite zog auch er gegen jenen »Anthropozentrismus« zu Felde, der nicht nur zur »Ausbeutung menschlicher Arbeitskräfte«, sondern »aller natürlichen Ressourcen« geführt habe. Da die »Konzentration der Produktionsmittel und der Lebensmittel in den Händen weniger und die Unterdrückung und Ausbeutung vieler eine schwerwiegende Verletzung der Menschenwürde« sei, müsse auf die »Demokratisierung der Politik« jetzt zugunsten der Natur die »Demokratisierung der Wirtschaft« folgen. Nicht nur der Mensch, auch die Natur dürfe nicht länger in ihrer »Würde« verletzt werden. Es sei falsch, sie allein für den Menschen schützen zu wollen, das heißt sie lediglich auf ihren »Nutzwert« hin zu betrachten. Eine wahrhaft politische, religiöse, moralische und ökologische Haltung könne nur darin bestehen, sie um »ihrer eigenen Würde willen zu bewahren«.[70]

Noch schärfer ging Günter Wallraff 1987 in seinem ökologischen Manifest *Und macht euch die Erde untertan. Eine Widerrede* mit den Feinden der Natur ins Gericht. Auch er bediente sich weitgehend religiöser Argumente und trug diese Rede sogar wiederholt als Predigt in Kirchen vor. Anstatt weiterhin den »Exzessen der Verschwendungssucht«, der »Profitrate«, also »Gier, Mehrwert, Status und Prestige« zu huldigen, durch welche die »Gefahr der Auslöschung alles Lebens auf Erden« äußerst real geworden sei, beschwor Wallraff eine religiöse Erneuerung von »ganz unten«, die auf dem Prinzip der »sozialen Verantwortung« und damit der Gleichberechtigung aller Lebewesen beruhe. Es sei sein Ziel, erklärte er, endlich den Marxismus mit dem Christentum in eine enge Beziehung zu setzen und so einer »christlich-sozialistischen« Gesellschaft den Weg zu ebnen.[71]

Fast alle weiteren Proteste gegen die fortschreitende Naturverschandelung- und zerstörung kamen nach 1980 aus dem Lager der mit den Grünen sympathisierenden Bevölkerungsschichten, die sich selber oft pauschalisierend als »Alternative« bezeichneten. Die wichtigsten Ausdrucksformen dieser Gruppen waren massive öffentliche Proteste, praktische Ratschläge zur Verbesserung der unmittelbaren Umgebung sowie manifestartige Vorstöße ins Utopische. Besonders alarmiert waren diese Schichten durch die in den siebziger Jahren einsetzenden Meldungen über die Gefahren der Autoemissionen und des sauren Regens für die deutschen Wälder und Seen. Auch die immer schneller fortschreitende Zersiedelung, Verdrahtung und Zubetonierung der deutschen Landschaft erfüllte sie mit Schrecken. Wohl die eindrücklichsten Beispiele dafür sind die von Jochen Bölsche herausgegebenen Sammelbände *Natur ohne Schutz. Neue Öko-Strategien gegen die Umweltzerstörung* (1982) und *Die deutsche Landschaft stirbt. Zerschnitten. Zersiedelt. Zerstört* (1983) sowie die Studie *Gefährdete Landschaft. Lebensräume auf der Roten Liste* (1987) von Alfred Ringler. Sie zeigten, welche verheerenden Wirkungen die Militärmanöver auf die Landschaft haben, wie die Flüsse zu Kloaken werden, wie verdreckt die Nordsee ist, wie die Hecken, Dorfteiche, Heidemoore, Buschauen und Küstenstrandfluren verschwinden, wie den Alpen Zersiedelung und Verkarstung droht, wie viele Waldbäume bereits krank sind, welchen Einfluß der Massentourismus auf die Natur hat, kurz: wie die Natur allerorten zur »Ware« wird und damit ein Biotop nach dem anderen verschwindet.

Ein 1984 von Dankwart Guratzsch herausgegebenes Buch trug in diesem Sinne den warnenden Titel *Baumlos in die Zukunft?* Ähnliche Warnungen enthielt Friedrich Wentzels Beitrag »Hat der Wald noch eine Zukunft?« zu dem von Bernd Weyergraf 1987 zusammengestellten Band *Die Deutschen und ihr Wald,* der seinen Lesern klar zu machen suchte, daß bereits über die Hälfte aller Waldbäume »erkrankt« sei.[72] Noch entschiedener setzte sich Peter Finke 1986 in seinem Aufsatz *Landschaftserfahrung und Landschaftserhaltung* mit den Gefahren auseinander, die der deutschen Landschaft drohen, und forderte alle, die sich mit diesem Thema beschäftigen, auf, über solche Probleme nicht nur zu reden, sondern endlich etwas zu ihrer Lösung beizutragen. Trotz hochtönender Worte werde die deutsche Landschaft nach wie vor zur reinen Nutzfläche, das heißt zum Ausbeutungsobjekt eines anthropozentrischen Bewußtseins erniedrigt. Dies geschehe nicht allein durch die zunehmende Verstädterung und Industrialisierung, sondern auch durch jene »Landschaftsplaner, Bauleitplaner, Strukturpolitiker und Raumordner« und den von ihnen vertretenen »Ordnungswahn und Gestaltungsdrang«, durch welchen die Natur in ökologischer und ästhetischer Hinsicht immer stärker »degeneriere« und zum bloßen Grundstofflieferanten im »Zeitalter der technischen Reproduzierbarkeit« verkomme.[73]

Nicht minder empört klangen in diesen Jahren die Stimmen derer, die sich in Leitartikeln, Aufsätzen und Büchern über den Rückgang der Wildtiervielfalt in der Bundesrepublik erregten und die Einrichtung staatlich geschützter Wildnisgebiete forderten. Den Auftakt dazu bildete das Buch *Der Untergang der Tiere. Ein alarmierender*

Bericht (1979) von Kurt Büchel, das zeigte, daß der Mensch zwar schon seit Jahrtausenden vielen Wildtieren nachstelle und manche unter ihnen bereits ausgerottet habe, daß aber erst durch die Verstädterung und Industrialisierung sowie die damit zusammenhängende Zerstörung der Natur das große Tiersterben ausgebrochen sei. Noch konkreter wurden die Beiträger zu dem von Jochen Bölsche herausgegebenen Band *Natur ohne Schutz. Neue Öko-Strategien gegen die Umweltzerstörung* (1982). Sie wiesen anhand neuer Untersuchungen und Statistiken nach, daß in der Bundesrepublik jede zweite Tierart vom Aussterben bedroht sei. Nachdem Elche, Wisente, Wölfe, Fischadler usw. bereits ausgestorben seien, gehe es jetzt auch den Alpensteinböcken, Fledermäusen, Bibern, Ottern, Luchsen, Wildkatzen, Seehunden, Dachsen, Feldspitzmäusen, Iltissen, Steinadlern, Störchen, Wiedehopfen, Sperbern, Eisvögeln, Wachteln, Krickenten, Graureihern, Milanen, Sumpfschildkröten, Laubfröschen und vielen anderen ans Leben. Von 60 Fischarten, die 1945 noch in Baden-Württemberg existierten, seien inzwischen 17 verschwunden und weitere 30 in ihrem Fortbestand bedroht. Ob nun die gnadenlose Jagd, die Verwendung von Unkrautvertilgungsmitteln, die Flurbereinigung, das Abholzen der Hecken, das ständige Rasenmähen, der saure Regen, das Trockenlegen der Sumpfgebiete, die Zubetonierung oder die Rücksichtslosigkeit vieler Angler, Surfer, Motorbootfahrer und anderer Freizeitsportler und Touristen: alles trage dazu bei, daß sich die übriggebliebenen Wildtiere zusehends verunsichert fühlten, keinen Nachwuchs mehr in die Welt setzten und somit ausstürben. Und so werde es bald dazu kommen, daß man Wildtiere nur noch hinter den Käfiggittern der Zoos sehen könne.

Doch welche praktischen Ratschläge gaben diese Autoren ihren Lesern mit auf den Weg? Selbst viele der erwähnten Umweltschützer begnügten sich in diesem Punkt mit der Hoffnung auf einen allgemeinen »Bewußtseinswandel«. Dafür spricht beispielsweise das Buch *Die sanfte Revolution. Von der Notwendigkeit anders zu leben* (1982) von Jochen Kölsch und Barbara Veit, in dem nach einer höchst eindringlichen Darstellung der die Natur bedrohenden Gefahren lediglich ein »Werte- und Verhaltenswandel« gefordert wird, der sich am Ideal einer emanzipatorischen, undogmatischen »Sinnsuche und Lebensfreude« orientiert.[74] Zum Glück blieben jedoch nach 1980 nicht alle »Alternativen« bei ihren Gegenentwürfen zur bestehenden Gesellschafts- und Wirtschaftsform so allgemein. Es gab unter ihnen auch welche, die sich durchaus praktikable Änderungsvorschläge einfallen ließen und diese sogar in die Realität umzusetzen versuchten. Vorbildlich dafür war das *Handbuch für bessere Zeiten* (1983) von Rudolf Doernach, das im Bereich »Bauen, Wohnen, Kleidung, Wasser und Heimwerk« allen Änderungswilligen – wie schon das Buch *Der sanfte Weg* (1976) der Berliner Prokol-Gruppe – den Einstieg in eine umweltschonende Lebensweise ermöglichen wollte. Besonders interessant waren Doernachs Anregungen zu einer Grünbauarchitektur oder »Biotektur«, die ihren Bewohnern das Gefühl verleihen soll, in einer Arche Noah zu leben und sich entsprechend zu verhalten. Ähnliche Konzeptionen für eine alternative Landschaft entwarf Hans Heinze in seinem Buch *Mensch und Erde* (1983), das sich in seiner Forderung nach Vermeidung jeder chemischen Düngung und damit Aufrechterhaltung »geschlossener Kreisläufe« eng an die von Rudolf Steiner empfohlene biologisch-dynamische Landbauweise anschloß.[75]

Trotz dieser Proteste und Änderungsvorschläge kam die ökologische Bewegung in der zweiten Hälfte der achtziger Jahre nicht recht vom Fleck. Die Hauptgründe für diese Stagnation waren 1. die von breiten Schichten der Bevölkerung als äußerst positiv empfundene wirtschaftliche Konjunktur, die sich in neuen Konsumorgien entlud, 2. die damit verbundene Welle des Yuppietums und der Postmoderne unter den vom »Zeitgeist« ergriffenen Intellektuellen, 3. die vieles andere überschattende Problematik der »nationalen Frage«, 4. die trotz aller Aufbruchsbemühungen weiterwirkenden resignativen Züge innerhalb der Literatur dieser Jahre und 5. das immer größer werdende Mißtrauen gegen Ideologien, die in ihrer Wahrheitssuche ins Ganzheitliche, Totale strebten. So verschieden diese Impulse waren, eins hatten sie gemeinsam: sie verhinderten die Entstehung eines neuen sozialen Verantwortungsbewußtseins und damit die Sehnsucht nach grundsätzlich anderen Wirtschafts- und Gesellschaftsformen. Die wenigen grünen Utopien, die in diesem Zeitraum geschrieben wurden, stammen deshalb meist aus wesentlich älteren Ideologiekomplexen, laufen auf Rückzüge ins Abseitige hinaus oder vermischen das Aufklärerische mit bewußt sensationalistischen Elementen. Dafür – abschließend – je ein Beispiel: die Schrift *Aktive Neutralität. Die Überwindung von Kapitalismus und Kommunismus* (1987) von Joseph Beuys, der Roman *Die letzte Strophe* (1989) von Christine Brückner und der Bestseller *Im Frühling singt zum letztenmal die Lerche* (1990) von Johannes Mario Simmel.

Beuys, der zu den Gründungsmitgliedern der Grünen gehörte, berief sich bei seinen utopischen Äußerungen, in denen er ein besseres Verhältnis zur Natur anvisierte, meist auf Goethe, Novalis und Steiner. Er verstand unter »utopisch« die Vorstellung, daß in Zukunft jeder Mensch ein Künstler sein werde, der »die Stoffe und Kräfte dieser Erde«, wie es in seiner halb metaphorischen, halb philosophisch-verquollenen Sprache heißt, auf seine Weise »zu schützen und organisieren« wisse. Er hoffte darauf, »daß dieser Planet bis zu seiner Transformation durch das sich transformierende und metamorphosierende Menschenwesen hindurch reicht, bis die Transformation in diesem Planeten selbst stattgefunden hat, so daß die soziale Substanz selbst der *Sonnenstaat* wird, das heißt der zukünftige Planet ist, auf dem die Menschen unter anderen, höheren [gemeint sind anthroposophischen] Lebensbedingungen arbeiten und wirtschaften werden«.[76]

Während Beuys in seinen utopischen Phantasien gern ins Metaphysische ausschweifte, beschränkte sich Brückner auf die Darstellung des ganz Einfachen, Bescheidenen, Abseitigen. In ihrem Roman *Die letzte Strophe* geht es um eine Gruppe von Menschen um die 60, die sich eine alte Villa sowie etwas Land kauft und sich dann – à la Rousseau – zu einer »grünen« Kommune zusammenschließt, deren Hauptideal das »Pflegen und Behüten« ist. Im Zentrum steht dabei eine »biologisch-dynamische« Gartenbauweise, die zwecks weitgehender »Abfallvermeidung und Bodenschonung« – auf einem strikten »Recycling-System« beruht. Aufgrund dieser neuen Solidarität mit der ihnen anvertrauten Natur leben die hier geschilderten »Ökos« oder »Utopisten«, wie sie sich nennen, wesentlich glücklicher denn zuvor, als sie ihre gesellschaftliche Vereinzelung noch mit einer unentwegten Reise- und Kaufsucht zu überblenden suchten. Allerdings können sie nicht verhindern, daß in der Welt um sie herum die Tendenz zur Naturzerstörung immer stärker wird. Damit bleibt diese »Utopie« zwar ein kleines grünes Paradies, dessen Bewohner wieder mit der Natur in Frieden leben und sich sogar mit anderen Alternativ-Gruppen im Rahmen einer »Öko-Bank« vernetzen wollen, aber es sind leider fast alles alte Menschen, die auf dieser Insel der Bescheidenheit wohnen, während die Jugendlichen und die Vertreter der mittleren Generation nach wie vor einem Prestige-, Erfolgs- und Konsumstreben huldigen, das sich in seiner starren frustrierten Hektik zwangsläufig zerstörerisch auswirkt.[77]

Den größten Erfolg hatte, wie immer, Johannes Mario Simmel mit seinem Roman *Im Frühling singt zum letztenmal die Lerche.* Obwohl es in diesem Buch in gewohnter Bestsellermanier um Mord und Totschlag, Abenteuer und natürlich Liebe geht, werden in ihm, und zwar unter Heranziehung zahlreicher und faktisch durchaus abgesicherter Materialien aus dem *Zeit-* und *Spiegel-*Archiv, auch die politischen und ökonomischen Hintergründe vieler Umweltskandale aufgedeckt, die in den letzten Jahren in der westdeutschen Medienöffentlichkeit vieldiskutierte Themen waren: das Robbensterben an den Stränden der Nordsee, die Möglichkeit neuer Super-GAUs im Bereich der Atomkraftwerke, die Brandrodung oder Abholzung der tropischen Regenwälder, das immer größer werdende Ozonloch, die Gefahren von Dioxin, Kohlendioxid und Fluorchlorkohlenwasserstoff sowie die sich daraus ergebenden Folgen in Form von Radioaktivität, Krebs, Treibhauseffekt und Klimakollaps. Als die Schuldigen werden in bewährter Schwarzweiß-Technik allein die einflußreichen Polit- und Industriemanager hingestellt, während die Mitschuld der in diesem System nur allzu willig mitmachenden Konsumenten und damit die tiefere Problematik der allgemeinen Wohlstandsgier ausgeblendet bleibt. Ihnen gegenüber steht eine Gruppe »umweltbesorgter« Wissenschaftler, Autoren und Publizisten, die nicht nur weitere Skandale dieser Art aufzudecken versucht, sondern sich auch – soweit es in ihren Mitteln steht – bemüht, eine »Öko-Perestroika« in Gang zu setzen. Daß sie dabei wenig Erfolg hat, ist bei der Übermacht der Konzernherren und der unberücksichtigt bleibenden Masse der Bevölkerung nicht weiter verwunderlich. Und so reduziert Simmel am Schluß seine grüne Hoffnung allein auf jenes neugeborene Kind, dem seine für den Naturschutz arbeitenden Eltern den Namen »Lerche« geben.[78]

Silberstreifen am Horizont?

Das Fazit, das sich aus den letzten Kapiteln, ja aus dem gesamten Verlauf der Geschichte der Verstädterung und Industrialisierung sowie der damit einhergehenden Naturzerstörung ziehen läßt, ist nicht besonders erfreulich. Je intensiver das Produktions- und Profitverlangen des sich aus agrarischen Verhältnissen hocharbeitenden und emanzipierenden Bürgertums wurde, das schließlich zum Hauptprinzip des gesamten kapitalistischen Wirtschaftssystems aufstieg, desto rapider nahm – im Zuge eines Akkumulationswesens, dessen einziger Fetisch die Erhöhung der ökonomischen Expansionsrate war – der Verbrauch der natürlichen Ressourcen und damit die Zerstörung der Natur und aller in ihr lebenden Wesen zu. Nicht nur das Öl, die Kohle, die Erze, auch die Waldbestände und landwirtschaftlichen Nutzflächen und mit ihnen die Wildtiere und Wildpflanzen sind demzufolge –

aufgrund der rücksichtslosen Bevölkerungsvermehrung und steigenden Bedürfniserzeugung zugunsten weiterer Expansionsankurbelungen – immer weniger geworden. Besonders betroffen waren davon die noch »wild« existierenden Pflanzen und Tiere. Trotz vereinzelter Proteste gehen das Vernichten, Verwirtschaften und Verbrauchen dieser geradezu »archaisch« werdenden Lebensformen unablässig weiter. Fast niemand will hören, wie viele Wildvögel weiterhin eingefangen und verzehrt werden, wieviele Pelztiere ihr Leben für die Rauchwarenindustrie lassen müssen, wie stark der Fleischverbrauch in den hochindustrialisierten Ländern weiterhin ansteigt, wie viele Hamster, Meerschweinchen, Mäuse, Ratten, Hunde, Katzen und Affen in weitgehend sinnlosen Experimenten gemartert und schließlich getötet werden, wie krank die meisten Waldbäume bereits sind, wie viele Wildblumen durch Unkrautvernichtungsmittel ausgerottet werden, kurz: wie die Tier- und Pflanzenbestände ständig abnehmen, während sich die Spezies Mensch in den »letzten hundert Jahren versechsfacht, ihren Rohstoffbedarf verzehnfacht und ihren Energiebedarf verzwanzigfacht hat«, wie Jochen Bölsche 1982 schrieb.[79] Diese Zahlen dürften inzwischen noch erschreckender geworden sein.

Doch nicht nur die Pflanzen und Tiere sind zu Opfern dieser pausenlos abrollenden Prozesse geworden, auch der Mensch, der »Homo sapiens«, wie er sich stolz nennt, wird durch die Vergiftung der Böden, die rapide wachsenden Müllhalden, die Verseuchung des Trinkwassers, die Verschmutzung der Meere und die Verpestung der Luft in seinen Lebensmöglichkeiten immer stärker bedroht. Obwohl viele Menschen wissen, daß der Punkt der »Irreversibilität« dieser Verseuchung, Verschmutzung und Verpestung schon in 30 bis 40 Jahren erreicht sein dürfte, tun sie fast nichts dagegen. Zugegeben, es gibt neuerdings wesentlich bessere Filteranlagen, Recycling-Programme und Umweltministerien, und es gibt sogar Wissenschaftler, die angesichts der unübersehbaren Umweltschäden einen »ökologischen Marshallplan« fordern.[80] Aber solche Bemühungen werden von den Verantwortlichen in Regierung und Industrie nur allzu gern als willkommene Beschwichtigungsmanöver mißbraucht, um den lästigen Umweltschützern – den Grünen und Greenpeace-Vertretern – beweisen zu können, daß der ökologische Doomsday keineswegs unabwendbar sei. Es gibt sogar angebliche Naturfreunde, die behaupten, daß sich die bereits angerichteten Umweltschäden am besten durch eine Stärkung des »Eigeninteresses der Wirtschaft«, also durch noch mehr Industrieanlagen beheben lassen.[81] Dies sind nicht nur leere Worte. So stellte Christian Leipert fest, daß von allen ökonomischen Aktivitäten in der Bundesrepublik 1989 knapp 12 Prozent mit Reaktionen auf die bereits eingetretenen Schäden und Belastungen in Natur und Gesellschaft zusammenhingen.[82] Ein solcher Umweltschutz, der sich sowohl zur Beschwichtigung der grassierenden Doomsday-Ängste als auch zur Profitsteigerung auf dem ökologischen Entlastungskonto abbuchen ließ, kam den meinungsbildenden Kreisen innerhalb der westdeutschen Industrie natürlich sehr gelegen.

Mit diesen ökonomischen Entlastungstendenzen korrespondieren auf ideologischem Sektor zwei höchst verschiedene, aber bei genauerem Zusehen eng miteinander verzahnte Meinungen: eine freiheitsbetonte und eine biologisch-determinierte. Die Mehrheit der Bevölkerung hält sich im Hinblick auf die Rechtfertigung ihrer »Lebensqualität« gegenüber den Ansprüchen der Naturschützer nach wie vor an betont liberale Konzepte, die – im Einklang mit dem herrschenden marktwirtschaftlichen System – vor allem auf Werten wie Freizügigkeit, Selbstentfaltung, Erfolg, Status usw. beruhen, und zwar nicht nur im negativen Sinne des »Angeben- und Habenwollens« (Erich Fromm), sondern auch im positiven einer Emanzipation des Menschen aus älteren Schranken und Begrenzungen. Das war als Befreiung aus den Herrschaftsansprüchen des Adels und der Kirche sicher einmal berechtigt, wurde jedoch spätestens seit dem Sieg der Gironde über die Jakobiner im Jahr 1794, das heißt der Befreiung der Bourgeoisie in einen Kapitalismus ohne Égalité und Fraternité, immer problematischer. Demzufolge verwandelte sich die einst so innig herbeigesehnte Freiheit im Laufe der Zeit in ein ideologisches Konzept, das sich einerseits gut gegen jede Form gesellschaftlicher Solidarisierungsversuche ausspielen ließ, andererseits den Charakter einer »Tugend« annahm, deren Hauptantriebskräfte minderwertige Motivationen wie Ehrgeiz, Neid, Konkurrenzbewußtsein und Prestigeverlangen sind. Doch die meisten Menschen sind sich dieser Prozesse gar nicht bewußt. Für viele ist Freiheit seit langem zu einer Leerformel für die Scheinentfaltung eines warenintensiven Daseins inmitten einer mit Werbeslogans durchsetzten Konsumwelt geworden, in der sie – genau besehen – gar nicht mehr sich selber leben, sondern nur noch gelebt werden, also den Charakter von Ausführungsorganen der durch Reklame propagierten Verbrauchsparolen angenommen haben. Auch der Terminus »Freie Marktwirtschaft« ist längst zu einer Propagandavokabel geworden, die für ein Wirtschafts- und Gesellschaftssystem steht, innerhalb dessen der einzelne nur einen sehr geringen Einfluß hat, und wo – besonders auf dem Gebiet der Rüstungsindustrie, des schienengebundenen Verkehrs, der Anlage neuer Straßen und Autobahnen, des staatlichen und kommunalen Bauwesens usw. – seit Jahrzehnten eine enge Verflechtung von Staat und Wirtschaft besteht, ja selbst in vielen anderen Branchen durch die Übermacht einer dirigistischen Moden- und Medienlenkung für sogenannte freie Impulse nicht viel Spielraum bleibt.

Diese Form des Liberalismus, so voluntaristisch sie sich – trotz all dieser Einschränkungen – auch gibt, korrespondiert in vielem mit einem biologischen Determinismus, der die starre Hektik, das heißt das mörderische »Habenwollen« in diesem System als ein im Menschen schlechthin angelegtes Verhalten zu deuten versucht. In den Augen der philosophischen Exponenten dieser Richtung wird der Mensch als Gattungswesen entweder durch einen eingebauten »Todestrieb« à la Konrad Lorenz motiviert oder leidet, wie Hoimar von Ditfurth behauptete, an einer »genetischen Fehlprogrammierung«, aus der sich sein »naturwidriger« Zerstörungsdrang erklären lasse. Als Belege dafür werden nicht nur die zunehmenden psychischen Störungen und körperlichen Beschwerden, sondern auch die immer deutlicheren Symptome eines unfriedlichen, konkurrenzbetonten, aggressiven, destruktiven Verhaltens vieler Menschen herangezogen. Solche Interpretationsmuster besagen jedoch wenig, zumal sie nicht erklären können, warum dieses »naturwidrige« Verhalten erst in den letzten 200 Jahren eingesetzt hat. Sie dienen letztlich nur dazu, den Menschen für seinen naturzerstörerischen Ausplünderungstrieb psychologisch zu entlasten. Genau betrachtet, laufen solche Anschauungen auf dieselbe, vom Gedanken des Automatismus bestimmte Geschichtssicht hinaus, die auch für das liberale Geschichtsverständnis charakteristisch ist – nur daß die Liberalen des 19. und frühen 20. Jahrhunderts noch der Vorstellung eines sich automatisch vollziehenden Fortschritts huldigten, während bei den Vertretern des biologischen Determinismus weitgehend die Vorstellung eines automatischen Rückschritts, wenn nicht gar Nieder- oder Untergangs dominiert.

Angesichts der enormen Breitenwirkung dieser Ideologien, die größtenteils auf eine Rechtfertigung oder Verharmlosung der herrschenden Naturausbeutung und -zerstörung hinauslaufen, ist es nicht einfach, im Hinblick auf den historischen Prozeß optimistisch zu bleiben. Doch wer im Sog dieser Entwicklung seine moralische Integrität bewahren will, muß gegen die Vorstellung solcher angeblich unaufhaltsamen Automatismen opponieren, das heißt die drohenden Gefahren nicht nur zu erkennen oder zu beklagen, sondern sich auch gegen sie zur Wehr zu setzen. Es hat keinen Zweck mehr, die Schuld irgendwelchen »anderen« anzulasten oder den Kopf in den Sand zu stecken. Der Feind sind wir, da wir alle noch immer vom Raubbau leben, statt uns – zur Erhaltung des ökologischen Gleichgewichts – um einen Stoffwechsel mit der Natur zu bemühen, der ihr nur so viel entnimmt, wie er wieder an sie zurückgibt. Wer also heute im Rahmen der immer dringlicher werdenden Überlebensdebatte sinnvoll mitreden will, muß eine andere Zielvorstellung als die des bloßen Konsumierens, das heißt eine Utopie besserer, »natürlicherer« Verhältnisse im Kopf haben, um überhaupt ernst genommen zu werden. Allerdings sollte diese utopische Intention nicht ausschließlich subjektiver Natur sein, wie das häufig der Fall ist. Es genügt nicht, nur an das eigene Überleben oder die eigene Gesundheit zu denken – und sich dabei ökologiebewußt zu fühlen. Das hieße, den liberalen Anthropozentrismus lediglich durch einen grün-angestrichenen Anthropozentrismus zu ersetzen. Statt bloß in Bio-Läden einzukaufen, Körner, Müsli und Siebenkornbrot zu essen, ein Jogging-Fan zu werden und größere Parks für die eigene Erholung zu fordern, also weiterhin vornehmlich auf den persönlichen Vorteil bedacht zu sein und damit die Ausbeutung der Natur lediglich zu perpetuieren oder zumindest zu dulden, wäre es an der Zeit, sich endlich um eine neue Gesamthaltung zur Natur zu bemühen und ihr den Respekt entgegenzubringen, den sie schon immer verdient hätte.

Eine derartige Systemveränderung verlangt zweierlei: erstens einen ökologischen Maßnahmenkatalog, der sich nicht mit wohlgemeinten, aber ineffektiven Reformen begnügt, sondern die Probleme an der Wurzel zu packen versucht, und zweitens eine politische Organisation oder Partei, die gewillt ist, diese Maßnahmen so schnell wie möglich in die gesellschaftliche Praxis umzusetzen. Der ökologische Maßnahmenkatalog sollte stets von der Faustregel »Weniger Menschen, weniger verbrauchen« ausgehen. Nur so ließe sich jene kapitalistische sowie sozialistisch-pervertierte, sprich: industrielle Wachstumsideologie überwinden, die ihr alleiniges Heil in einer unablässigen Steigerung des alljährlichen Bruttosozialprodukts erblickt und damit den selbstmörderischen Kurs der gegenwärtigen Entwicklung zusehends beschleunigt. Um der Natur die Möglichkeit einer allmählichen Regenerierung zu geben, würde heutzutage nicht einmal das in der Untersuchung *Grenzen des Wachstums* 1972 befürwortete Nullwachstum ausreichen. Angesichts der inzwischen eingetretenen Verschärfung der ökologischen Situation hilft nur noch eine drastische Einschränkung des menschlichen Wirkungsraums schlechthin. Die politische Organisation oder Partei, die eine solche Systemveränderung vorzunehmen versuchte, müßte sich auf eine im weitesten Sinne grün-alternative Koalition stützen, aber auch Bündnispartner aus anderen ideologischen Bereichen, vor allem christlich-sozialengagierter, pazifistischer, feministisch-ökologischer und linkssozialdemokratischer bis sozialistischer Couleur, keineswegs verschmähen, um sich eine möglichst breite Massenbasis zu verschaffen. Eine solche Partei müßte einerseits ein politisches und wirtschaftliches Programm aufstellen, das so realistisch wäre, daß es sich ohne den gefürchteten »Rückfall in die Steinzeit« verwirklichen ließe, und andererseits durch die Umstrukturierung des gesamten Erziehungssystems eine neue Einstellung der Natur gegenüber befördern, die den fehlgeleiteten Freiheitskult mit seinem rücksichtslosen Selbstverwirklichungs- und Durchsetzungsverlangen sowie das damit verbundene Erfolgs-, Prestige- und Konkurrenzverhalten durch Werte wie Bescheidenheit, Respekt, Toleranz, Naturverbundenheit, Friedfertigkeit, Schonung, selbstlose Betrachtung, liebendes Verstehen usw. ersetzt.

Politisch ließen sich solche Änderungen am besten durch eine weitgehende Dezentralisierung der bisherigen Kompetenzbefugnisse einleiten, das heißt die Verhinderung immer größerer Machtkomplexe im Rahmen der NATO oder der EG und zugleich den Abbau bereits bestehender künstlich-aufgeblähter Verwaltungseinheiten zugunsten einer Rückverlagerung der Machtbefugnisse des Bundes in die Länder, Kreise, Städte und Dörfer. Nur so könnten an die Stelle bürokratischer Steuerungen, die sich selbst bei gutem Willen – wegen ihrer Wirklichkeitsferne – vor Ort manchmal höchst verheerend auswirken, naturnahe und damit naturerhaltende Regelungen treten. Nur eine solche Umstrukturierung der Macht würde den Bewohnern einer Region das Gefühl der Teilhabe und Mitverantwortlichkeit geben, welches die Grundvoraussetzung jeder echten Heimatlichkeit und jedes ökologischen Bewußtseins ist, das im gegenwärtigen Zustand der bürokratischen Abstraktion, Anonymität und Mobilität von Gefühlen der Entfremdung, Nichtzugehörigkeit und der daraus resultierenden Verantwortungslosigkeit überlagert wird. Was den Bewohnern einer Stadt oder eines Dorfes nicht nah ist, was ihnen nicht gehört und nicht Teil ihrer Identität ist, wird von ihnen auch nicht geschätzt, geschont oder umhegt werden – und damit zum bloßen Nutzungs- und Ausbeutungsobjekt absinken.

Auf wirtschaftlichem Sektor müßte ein solcher Wandel mit dem Übergang von der quantitativen zur qualitativen Produktion beginnen und die weitgehende Auflösung anonymer, umsatzbetonter Großbetriebe zugunsten wesentlich kleinerer, ortsgebundener Produktionsstätten mit eigenen Kompetenzen und gesetzlicher Dezentralisierung des Profits fördern. Nur so könnte auch auf dieser Ebene das Gefühl der innerbetrieblichen Teilhabe und ökologischen Verantwortung entstehen, das sich im Rahmen der gegenwärtigen Großkonzerne oder gar multinationalen Industriekonglomerate, die ihren Standort je nach Lohn- und Absatzbedingungen willkürlich wechseln, nirgends entwickeln kann. Durch eine solche Umstrukturierung ließe sich sowohl die wahllose, verbrauchsbetonte, nach dem Prinzip der geplanten Obsolenz operierende Massenproduktion als auch der von vielen gefürchtete Rückfall in eine »barbarische« Notdurftgesellschaft verhindern. Denn ganz ohne Industrie wird sich – beim gegenwärtigen Entwicklungs- und Bewußtseinszustand der Menschheit – auch ein ökologisch ausbalanciertes Gesellschaftssystem nicht verwirklichen lassen, ohne daß es zu schrecklichen Regressionen ins Archaische käme. Es gibt heute keine Alternative mehr zur Industriegesellschaft, sondern nur noch Umstrukturierungen im Rahmen der gegebenen Industriegesellschaft. Allerdings sollten dabei alle Menschen stets bedenken, daß das Ökosystem und nicht das Industriesystem primär ist. Denn von ihm – und nicht von der Technik – leben wir. Der Wohlstand, den wir uns erarbeitet haben, ist kein Produkt des »wissenschaftlichen Fortschritts«, um auf die »zentrale Lebenslüge« der gegenwärtigen Rechtfertigungsstrategen der ökonomischen Produktionssteigerung zurückzukommen,[83] sondern beruht vornehmlich auf einer immer brutaleren Ausbeutung der Natur, an deren Stelle möglichst umgehend ein wesentlich behutsamerer Umgang mit den natürlichen Rohstoffen treten muß, der sich am Modell des »geregelten Stoffwechsels« orientiert.

An Einzelmaßnahmen würden sich hierbei vor allem folgende Umstrukturierungen empfehlen, die von vielen Naturschützern bereits seit Jahrzehnten vorgeschlagen werden und deren Dringlichkeit inzwischen immer größer geworden ist: 1. der möglichst schnelle Übergang zu sanfteren Formen der Energieerzeugung durch den Bau von Windmaschinen, Sonnenkollektoren und Ebbe-und-Flut-Generatoren, 2. die gesetzliche Einführung sorgfältig durchdachter Recycling-Systeme zur Verhütung des unsinnigen Verbrauchs immer seltener werdender Rohstoffe wie Öl, Kupfer, Zink, Silber, Steinkohle usw., 3. der Verzicht auf die Herstellungsmethoden der geplanten Obsolenz durch das Verbot der herrschenden Reklamekampagnen für unnötige, rein modische Wegwerfprodukte, die ständig durch neue ersetzt werden müssen, 4. die Propagierung des seit langem geforderten Prinzips der größeren Haltbarkeit aller Gebrauchsgüter, 5. die

Einschränkung aller unsinnigen Maschinen und Maschinchen wie elektrischer Dosenöffner, Feuerzeuge, Geschirrspüler, Video Recorder, Personal Computer, batteriegetriebener Fotoapparate, Uhren, Zahnbürsten usw. sowie 6. die drastische Reduzierung des Massentourismus in noch relativ »naturnahe« Gebiete wie Wälder, Gebirge und Strände, deren katastrophale Folgen Jost Krippendorf 1975 in seinem Buch *Die Landschaftsfresser. Tourismus und Erholungslandschaft* höchst eindrücklich beschrieben hat.

Als die wichtigste Sofortmaßnahme fordern ökologiebewußte Menschen immer vehementer die Einschränkung der Automobilherstellung, die längst die Grenze des für die Natur Zumutbaren überschritten hat. Ihr Anteil am Verschleiß wichtiger Metalle, am Ölverbrauch, am ständig zunehmenden Lärm, am Straßenbau und damit am »Landschaftsfraß« ist in den letzten drei Jahrzehnten ständig größer geworden und steigt weiterhin an, obwohl das Ende der Metall- und Ölvorräte bereits abzusehen ist. So verursachten die westdeutschen Autos in den achtziger Jahren im Vergleich zu den Eisenbahnen über 90% der Landschaftsversiegelung durch verstärkten Straßenbau, sie verbrauchten fast viermal soviel Energie wie der Schiffs- und Schienenverkehr und belasteten die Natur, vor allem durch die immer zahlreicher werdenden Lastkraftwagen, mit Schadstoffmengen, die dreißigmal höher lagen als die der Bundesbahn. Die jährlichen Umweltschäden wurden demzufolge in der Bundesrepublik zwischen 1985 und 1990 auf 60 bis 75 Milliarden DM geschätzt.[84] Als Alternativen dazu haben viele Naturschützer verschiedene systemimmanente Sofortmaßnahmen wie die Einführung von Katalysatoren, die Verlagerung des Güterverkehrs von der Straße auf die Schiene, die Schaffung autofreier Innenstädte, die Verbilligung der öffentlichen Transportmittel, die Einführung von Autobahngebühren, die Geschwindigkeitsbegrenzung nach US-amerikanischen Vorbild (»Tempo 100« auf der Autobahn) sowie die einkommensmäßig gestaffelte Erhöhung der Benzinpreise vorgeschlagen.

Einige dieser Forderungen wurden bereits in die Praxis umgesetzt. Grundsätzliche Umstrukturierungen im Hinblick auf ökologiebewußte Herstellungsweisen, die sich um eine sinnvollere Regelung des Stoffwechsels mit der Natur bemühen, scheitern jedoch immer wieder an den Produktions- und Verkaufsmethoden des herrschenden Wirtschaftssystems und an den verschiedenen Formen der durch dieses System hervorgebrachten und eifrigst geförderten Mentalität, durch die Konkurrenz, Erfolgsstreben, Durchsetzungsdrang, Habsucht, Verbrauchsgier und die weltweite Mobilisierung aller verfügbaren

Rohstoffe zugunsten des Wohlstands in den hochindustrialisierten Ländern der Ersten Welt für die meisten Bewohner dieser Länder inzwischen längst den Charakter des absolut »Natürlichen« angenommen haben. Die Zähigkeit solcher seit zweihundert Jahren eingeschliffenen Mentalitätsstrukturen, die sich selbst da, wo sie sich mit mörderischer Folgerichtigkeit gegen ihre bisherigen Nutznießer wenden, von vielen weiterhin als die einzig vernünftigen empfunden werden, sind nicht zu unterschätzen. Neben eine durch politische Maßnahmen herbeigeführte Umstrukturierung der Wirtschaft müßte daher, um der Mehrheit der Bevölkerung die Gefahr der ökologischen »Irreversibilität« der allgemeinen Verschmutzungs- und Verseuchungsprozesse bewußt zu machen, nach der Regierungsübernahme einer ökologiebewußten Koalition auch eine aufklärerische Erziehung größten Ausmaßes einsetzen, ohne welche selbst die besten naturerhaltenden Maßnahmen zwangsläufig unwirksam blieben.

Um bei solchen Programmen nicht sofort ins Grenzenlose auszuufern, sollte eine solche Erziehung stets mit dem Gedanken der regionalen Verantwortlichkeit beginnen. Sie müßte sich dafür einsetzen, daß sich die Bewohner eines Dorfs, eines Kreises, einer Stadt oder eines Landes – wenn man ihnen die nötige politische, gesellschaftliche und wirtschaftliche Teilhabe ermöglicht – als sorgsam-schonende »Hüter« der sie umgebenden Natur zu fühlen beginnen. Statt die Produkte anderer Länder zu bevorzugen, müßten sie lernen, die mittleren und kleineren Hersteller ihrer näheren Umgebung zu fördern und sich an deren, das heißt *ihren* Produkten zu erfreuen, um so das System der Ausbeutung der Dritten Welt, des sogenannten Welthandels und der energieverschwendenden langen Transportwege abzuschaffen. Nur wenn die Bewohner einer bestimmten Region stolz auf ihre eigenen Produkte wären, wenn sie sich mit den Herstellern und Verteilern ihrer Gegend identifizierten, wenn sie die Rohstoffe, das Wasser und den Boden ihrer Region als ihre Rohstoffe, ihr Wasser und ihren Boden betrachten, wenn ihnen durch eigene sinnlich-konkrete Anschauung bewußt würde, wie kostbar alle diese Dinge sind, dann könnte der anonymen Verbrauchsgier ein Riegel vorgeschoben werden, die auf dem Gefühl der totalen Abspaltung, Entfremdung und damit Unverantwortlichkeit basiert. Nur dann könnten die Menschen schließlich das erforderliche Haushaltswissen und -gewissen der Natur gegenüber entwickeln, nur dann könnten sie das Gefühl für Ganzheit, das heißt die innere und äußere Vernetzung aller Dinge, zurückgewinnen, nur dann könnten sie erkennen, wie in der Natur alles mit allem zusammenhängt und auch sie selber nur Teilstücke in der großen »Kette des Lebens« sind; kurz: nur dann könnte Ökologie, nämlich die Lehre vom eigenen Haus, vom Oikos, zu jener Heimatkunde werden, der nicht nur die Freiheit der eigenen Person, sondern auch das Postulat der Gleichheit und Brüderlichkeit mit der sie umgebenden Natur wie auch der gesamten Vor- und Nachwelt zugrunde liegt.

Nur eine solche, den regionalen Bedingungen angepaßte Produktionsweise, die auf einem möglichst sparsamen Verbrauch der naturgegebenen Rohstoffe beruht, könnte der gegenwärtigen Konsummentalität effektiv entgegenwirken. Erste Wegweiser in dieser Richtung bilden Bücher wie *Der sanfte Weg. Technik in einer neuen Gesellschaft* (1976) der Berliner Prokol-Gruppe, *Machbare Utopien. Absage an geläufige Zukunftsmodelle* (1978) von Yona Friedman, *Alternatives Leben* (1980) von Robert Jungk und Norbert E. Miller sowie das *Handbuch für bessere Zeiten* (1983) von Rudolf Doernach, denen sich gleichgeartete ausländische Publikationen wie *Tools for Conviviality* (1973) von Iwan Illich, *Small is Beautiful: Economics as If People Mattered* (1974) von E. F. Schumacher, *Person/Planet: The Creative Disintegration of Industrial Society* (1978) von Theodore Roszak, *Toward an Ecological Society* (1980) von Murray Bookchin und *Ecotopia Emerging* (1981) von Ernest Callenbach zur Seite stellen ließen. Diesen Publikationen ist die Zielsetzung gemeinsam, innerhalb der wahnwitzigen Polarisierung in regressiv-romantische Aussteigerkonzepte und High-Tech-Vorstellungen einer total computerisierten Welt einen möglichen Dritten Weg zu suchen, der sich um eine Integration von Natur und Technik auf lokaler Ebene bemüht, also nur noch industrielle Produktionsweisen duldet, die sich ohne Harm mit der sie umgebenden Natur vertragen – und durch ein wohldurchdachtes System der Verwendung erneuerbarer Rohstoffe und zugleich Rezyklisierung nichterneuerbarer Rohstoffe für einen genau geregelten Stoffwechsel mit der Natur zu sorgen.

In diesen Büchern werden – mit viel Liebe zum Menschen und seinen »Environments« – Bilder eines friedfertigen Umgangs mit der Natur ausgemalt, die im besten Sinne realutopisch sind. Doch vielleicht sollten zu solchen Konzepten noch andere Postulate hinzukommen, um ihnen – über den Aspekt einer sinnvoll geregelten Bedarfsdeckung hinaus – auch einen neuen ethischen Rang zu verleihen: 1. ein »Fortschritt durch Verzicht«, wie Friedrich Cramer eine solche Haltung genannt hat,[85] die sich nicht nur aus pragmatischen Gründen zur Reduzierung der menschlichen Bedürfnisse entschließt, sondern in der Einschränkung, Entsagung und vielleicht sogar Askese eine höhere Form des menschlichen Daseins erblickt als in einer bloß konsumbetonten; und 2. eine Güterproduktion, die aus Achtung vor den Rohstoffen der Natur weniger, aber desto nützlichere und vor allem haltbarere Gegenstände produziert, die zum langanhaltenden Gebrauch und nicht zum modischen Verschleiß bestimmt sind.

Ein ökologiebewußter Mensch sollte demnach in Zukunft nichts mehr als »selbstverständlich« hinnehmen, sondern sich stets fragen: brauche ich dieses Produkt wirklich, muß ich wirklich eine Uhr mit Batterie, einen Videorecorder, einen Wäschetrockner, eine elektronisch gesteuerte Garagentür, ein Autotelephon, eine heizbare Schlafdecke, ein neues Haarfärbemittel, ein kitschiges Urlaubssouvenir oder irgendwelchen modischen Schickschnack haben, nur weil ihn die anderen auch kaufen? Muß ich wirklich alle Produkte der Plastik- und Kunststoffindustrie, die auf Petrochemie beruhen, mit nach Hause nehmen? Kann ich nicht auf Genußmittel aus der Dritten Welt, also Kaffee, Tee, Kakao, Gewürze, Bananen, Kiwifrüchte und anderes Obst, verzichten, die dort zu Monokulturen führen, welche nicht nur die Natur zerstören, sondern auch die Menschen verhungern lassen? Doch nicht nur die Konsumenten, auch die Produzenten sollten sich in einer künftigen Gesellschaft unablässig fragen, wie sie ihre Gebrauchsgüter so kunstgewerblich-gediegen wie nur möglich gestalten können, damit sich ihre Käufer auch wirklich an ihnen erfreuen und sie sorgsam behandeln. Nur so könnte auf diesem Sektor an die Stelle der Achtlosigkeit und des sinnlosen Verbrauchs eine schonende Freundlichkeit treten, die sich in der Wertschätzung der zeitlosen Gediegenheit eines schönen Tischs, eines schönen Bechers, eines schönen Buchs bewußt gegen die mörderische Konsummentalität jener industriellen Systeme stellt, deren einziger Fetisch die Akzelerierung des industriellen Zuwachses ist. Während in anderen Bereichen des Lebens, wo es nicht um Konsumismus geht, sondern um für die Umwelt harmlose seelische, erotische oder kulturelle Freuden, eine größere Freizügigkeit durchaus am Platze wäre, müßte auf den Gebieten, die mit dem Verbrauch lebensnotwendiger Rohstoffe zusammenhängen, eine größere Zurückhaltung forciert werden, die im schonenden Umgang mit den aus der Natur gewonnenen Produkten das Hauptmerkmal eines wahrhaft ökologiebewußten Verhaltens erblickt.[86]

Nur wenn alle Menschen einer bestimmten Region zu einer solchen Einstellung angehalten würden, die nicht mehr auf dem wahllosen Verschleiß von Rohstoffen beruht und zu einem sinn-, weil fortschrittslosen Wachstum beizutragen sucht, könnte es zu einem sorgfältig geregelten Stoffwechsel mit der Natur kommen. Dazu wäre jedoch ein völlig neuer Respekt vor der Natur notwendig, und zwar nicht als bloßer Umwelt oder Rohstoffquelle, sondern vor ihr selbst. Sämtliche Naturphänomene – ob nun Steine, Erze, Bodensorten, Pflanzen oder Tiere – müßten von den Menschen als gleichberechtigte Socii, also Bundesgenossen, in dem einen großen Haus anerkannt werden, in dem wir alle leben. Der Mensch sollte den Pflanzen und Tieren nicht nur »Schutz« gewähren, das heißt für die von ihm geschätzten Pflanzen und Tiere abgesonderte Gärten und Zoos errichten, sondern sich mit allen von ihnen brüderlich verbunden fühlen, ihnen volle Bürgerrechte einräumen und eigene Lebensräume überlassen. Er sollte in ihnen nicht in erster Linie Dinge für uns, sondern Wesen mit einem eigenen Daseinsrecht sehen. Demzufolge dürfte es in Zukunft keine Naturparks, keinen Naturtourismus, keine Naturwanderungen mehr geben. Es ist unsinnig, gewisse Bereiche der Natur als etwas vom Menschen Abgespaltenes, als Arche Noah zu betrachten! Alles müßte wieder Natur werden, selbst der Bereich, in dem wir wohnen und arbeiten. Statt in kleinen Vorgärten exotische Stauden, Sträucher und Bäume anzupflanzen und sich zu Hause mit siamesischen Katzen, australischen Korallenfischen und mexikanischen Nackthunden zu umgeben, sollten sich alle Menschen dazu aufgerufen fühlen, verantwortungsbewußte Hüter der von der Ausrottung bedrohten einheimischen Pflanzen und Tieren zu werden. Im Gegensatz zu jenen falschen Naturfreunden, die um des Prestiges willen ihre Umwelt mit fremdländischen, auf hybride Buntheit gezüchteten Blumen zu »verschönern« suchen, sollten ökologiebewußte Menschen erst einmal die Pflanzen und Tiere ihrer eigenen Region kennen- und schätzenlernen und ihnen ein artgerechtes Habitat ermöglichen, in dem sie nicht mehr dem unentwegten Druck jener menschlichen Rücksichtslosigkeit ausgesetzt sind, die sich als Touristik oder sogenannte Freizeitgestaltung versteht. Außerdem sollten sie, soweit das in ihren Mitteln steht, schon heute dafür sorgen, daß keine industriell erzeugten Fremdstoffe in die Natur gelangen, kein chemisch verseuchter Müll eingelagert wird, keine Atomkraftwerke gebaut werden, keine der in ihrem Bereich liegenden Fabriken gefährliche Abgase oder Abwässer in die Natur einleitet – und statt dessen im Sinne Aldo Leopolds jedem Stück Wildnis, und sei es noch so klein, wie auch jedem in ihr lebendem Tier die erforderliche Achtung, ja Liebe entgegenbringen. Von solchen Menschen wäre zugleich zu erwarten, daß sie so wenig wie möglich verbrauchen und so wenige Kinder wie möglich in die Welt setzen, um der Natur wieder die Chance einer allmählichen Regenerierung in einer bisher von Menschen vollgestopften, vergewaltigten und besudelten Welt zu geben.

Solche Vorstellungen werden vielen, die ihre freizeitliche Lebenserfüllung vornehmlich in Dingen wie Shopping, Tourismus, kulinarischer Gastronomie, Alkohol, Autofahren, elektronischer Zerstreuung und anderen Surrogaten suchen, höchst altmodisch, wenn nicht gar sektiererisch erscheinen. In ihnen werden Menschen, denen von der Reklame der Freizeit- und Verbrauchsgüterindustrien ein konsumbetontes Action-Dasein als genußreichste Lebensform angepriesen wird, lediglich etwas Entsagungsvolles, Minderwertiges, Arbeitsreiches sehen. Aber eine Reduzierung, also ein Verzicht auf modischen Konsum, hektische Betriebsamkeit und angebliche Selbstentfaltung brauchte keineswegs bloß eine Einschränkung zu sein, sondern könnte ebensogut eine Freisetzung brachliegender Kräfte, Talente und Möglichkeiten bedeuten. Sich vornehmlich von Werbeimpulsen dirigieren oder anregen zu lassen, gibt den Menschen nicht das Gefühl jener Erfüllung, das ihnen Formen des Selbsterlebten, Selbstproduzierten, also die Freude am eigenen Spiel oder der eigenen Arbeit, bieten. Schließlich ist der Genuß des Nahen, Authentischen, Mir-Zugehörigen stets größer als der Spaß am Vielen, ständig Wechselnden und doch immer Gleichen im Rahmen des momentan herrschenden Konsum-, Freizeit- und Partyverhaltens.

Wieviel mehr Befriedigung könnte zum Beispiel in einem Staat herrschen, der sich um die Rückintegration des Menschen in die Natur bemüht, die Arbeit an der ökologiebewußten »Bewohnbarmachung« der eigenen Region,[87] der Entdeckung naturverträglicher Produktionsmethoden und der Überwindung langweiliger Monokulturen zugunsten einer neuen Artenvielfalt vorantreibt. Dazu gehörte allerdings, daß hinter einer solchen Arbeit eine tatsächliche Teilhabe an diesen Dingen, also ein verantwortungsbewußtes und damit sinnstiftendes Gemeinschaftsgefühl stehen würde, dem als ökonomische Basis eine genossenschaftliche Organisationsform zugrunde liegt. Nur wenn es im Rahmen einer solchen Gesellschaft zu einer Überwindung der bisherigen »Entfremdungs«-Erscheinungen, das heißt der im Dienste einer steigenden Bedürfniserzeugung stehenden Arbeitsteilung käme, ließen sich auch die damit korrespondierenden Abspaltungs- und Suchterscheinungen überwinden. Schließlich geht ein Großteil der heutigen Konsum- und Verbrauchsgier weitgehend auf das Konto einer sinnentleerten Hektik in einem System zurück, das seiner Bevölkerung keine anderen Werte als die der zerstreuenden Verfreiheitlichung ins Konsumbetonte anzubieten hat. Um diesem

Trend entgegenzuwirken, müßte mit den politischen und ökonomischen Veränderungen im Hinblick auf das gesellschaftliche Gefüge zugleich eine entschiedene Entmonopolisierung der bisherigen Kleinfamilienordnung einhergehen, die einer sinnvollen Solidarisierung der Menschen bisher ebenso im Wege gestanden hat wie das ältere Status-, Besitz- und Erfolgsdenken innerhalb eines zwar demokratisch verbrämten, aber weithin hierarchisch strukturierten Gesellschaftsverbandes.

Nur so ließe sich eine sowohl subjektive als auch kollektive Lebenserfüllung erreichen, die den meisten Menschen – trotz alles hektischen Konsumierens – innerhalb der bisherigen politischen, ökonomischen, moralischen und beruflichen Monokulturen versagt geblieben ist. Und nur so ließe sich vielleicht sogar eine gemeinschaftsstiftende Solidarität sowie eine Rückbindung an die Natur erreichen. Dies sind Vorstellungen, die im Rahmen des gegenwärtigen Systems, in dem der Beruf als notwendiges Übel und die Freizeit als erhoffte Lebenserfüllung zwei weitgehend voneinander getrennte Sphären bilden und wo die meisten Menschen sich in beiden den vorgeprägten Normen der herrschenden Konzerne und Meinungsmacher anzupassen versuchen,[88] nicht einmal als mögliche Wertkonzepte existieren. In einer Welt, in der keine sinnvolle Tätigkeit im Zentrum steht und die daraus resultierende Frustration immer wieder mit hektisch-verbrauchsbetonten Mitteln, darunter Alkohol und Drogen, kompensiert werden muß, wird die Naturausbeutung ständig zunehmen. Eine Änderung könnte erst dann eintreten, wenn es in einem anders strukturierten System zu einer Überwindung dieser Aufspaltung in Arbeit und Freizeit, das heißt zu Gefühlen der Solidarität mit anderen und einer neuen Naturverbundenheit käme. Erst wenn die Menschen in sinnstiftenden Arbeiten eine sie befriedigende Selbstgenügsamkeit fänden, könnte das konsumbetonte und damit naturzerstörerische Verhalten allmählich zurückgehen, ja vielleicht eines Tages gänzlich verschwinden.

Um dieses Konzept praktikabel zu gestalten, müßte ihm einiges vorausgehen: eine politische Dezentralisierung, ein ökonomisches Genossenschaftsprinzip, eine Regionalisierung der Industrie und ein das Naturerhaltende in den Vordergrund rückendes Erziehungswesen. Viele der bisherigen Produktionsformen, die der Herstellung weitgehend überflüssiger Gegenstände dienten, fielen damit weg und entlasteten die Natur. Dadurch würde allerdings die Freizeit notwendig kürzer. Denn an die Stelle der bislang maschinell bewältigten Arbeiten müßten in einer solchen Gesellschaftsordnung wieder mehr

Formen der Handarbeit treten, die zum Teil zwar wesentlich mehr Zeit beanspruchen, aber naturschonender sind. Zugleich würde eine solche Umstellung vom Industrie- zum Handgefertigten vielen Menschen jene körperliche Betätigung bieten, deren Mangel sie heutzutage durch Jogging, Squash und andere sinnlos anstrengende »Übungen« auszugleichen versuchen. Überhaupt könnte eine solche Umorientierung zu einer neuen Wertschätzung der Handarbeit und damit einer allmählichen Überwindung der Arbeitsteilung in sogenannte höhere und niedere Berufe führen. Die entscheidende Voraussetzung dafür wäre freilich eine wesentlich größere regionale Solidarität. Alle Menschen einer bestimmten Gegend müßten sich in Zukunft gemeinsam über die maximale Verwertbarkeit der vorhandenen Rohstoffe sowie die landwirtschaftliche und gärtnerische Nutzung gewisser Teilbereiche der sie umgebenden Natur Gedanken machen. Bei solchen basisdemokratischen Versammlungen sollten vornehmlich Methoden naturgerechterer Produktionsweisen, Schutzmaßnahmen für Tiere und Pflanzen, neue Einsichten in die Vernetzung der verschiedenen Biotope usw. diskutiert werden. Nur so könnte es zu einer bisher nur erträumten, aber nie verwirklichten Synthese von Körper und Geist, Natur und Kultur, Arbeit und Freizeit kommen. Damit würden sich bei den meisten Menschen höchst natürliche Formen der Erfüllung und Ermüdung einstellen. Als Ergebnis dieser Umorientierung wären sie endlich des Zwangs enthoben, wie bisher ständig zwischen einem ennervierenden Berufsstreß und einer freizeitlichen Ausgleichshektik unbefriedigt hin- und herzupendeln.

Die darüber hinaus existierende freie Zeit sollte in einer solchen Gesellschaftsordnung weitgehend der Bildung und Kultivierung – der Freude am Geleisteten und der Vorfreude auf neue Aufgaben – und nicht dem Verbrauchen gewidmet sein. Spiel und Sport, Tanz, Theater, Musikmachen, Lesen, Lernen, Flirten, Sich-Verlieben usw. könnten im Vordergrund stehen, also Formen der Tätigkeit, denen weitgehend die Freude am Miteinander, statt die Unlust am Gegeneinander zugrunde liegt. Statt die Menschen weiterhin rein materiell befriedigen zu wollen, sollte in den zentralen Kunstformen und Bildungszielen dieser Gesellschaft eine Gesinnung zum Ausdruck kommen, die neben den weiterbestehenden großen Themen der Menschheit wie Handeln, Sichentwickeln, Arbeiten, Lieben, Kämpfen, ja selbst Scheitern auch die Schönheit der Berge, Täler, Bäche, Wälder, Seen, Flüsse und Meere sowie das Engagement und die Würde jener Menschen herausstreicht, die sich als verantwortungsbewußte Hüter der Natur und aller in ihr lebender Wesen empfinden.

Solange wir diesen Bewußtseinszustand noch nicht erreicht haben, könnte man den heutigen Menschen vor allem folgendes raten: die dialektischen Wechselbeziehungen zwischen naturgegebener Basis und gesellschaftlichem Überbau besser begreifen zu lernen, die Qualität des Lebens über die Quantität der materiellen Bedürfnisse zu stellen, der Natur mit Respekt und nicht mit einem beutegierigen Zugriff entgegenzutreten, allen Verführungen zu Hektik und einseitiger Sucht zu widerstehen, die egozentrische Ungeduld im Umgang mit der äußerst langsam nachwachsenden Natur aufzugeben, sich in die oft beschworene »Kette aller lebenden Kreaturen« einzuordnen und sich schließlich mit einem verständnisvoll liebenden Bezug zu sich selbst und anderen zu begnügen, anstatt sich allein von verbrauchsbetonten Impulsen beherrschen zu lassen.

Skeptiker, Zyniker und andere »Realisten« werden sagen, daß sich in solchen Vorstellungen ein blinder Utopismus äußere. Sie werden zwar zugeben müssen, daß eine Wende dieser Art vielleicht unsere einzige Rettung wäre, aber zugleich erklären, daß man mit solchen Konzepten den Menschen als Gattungswesen einfach überfordere. Im Gegensatz zu einigen mondsüchtigen Utopikern seien nun einmal die Normalmenschen von Natur aus habgierig, zänkisch, konkurrenzbetont, statusbewußt, neidisch, narzißtisch, ein »widerliches Gesindel« (Freud) oder »genetische Fehlkonstruktionen« (Ditfurth), die weitgehend ihrem infantilen Egoismus folgten und für die Forderung einer »demokratischen Askese« (Weizsäcker) überhaupt kein Verständnis hätten. Darum werde die Sehnsucht nach dem »Oikos«, dem Haus der Heimat, wie alle früheren Sehnsüchte, notwendig scheitern. Statt sich zu ändern, Vernunft anzunehmen und sich um eine neue Bescheidenheit zu bemühen, werde der Mensch – trotz aller bedrohlich heraufziehenden Gefahren – weiterhin nur auf seinen kurzfristigen Vorteil bedacht sein und demzufolge utopielos in den Untergang taumeln. »Man ist heute immer mehr der Meinung«, schrieb John Kenneth Galbraith, der bedeutendste US-amerikanische Volkswirtschaftler, im Hinblick auf die tödlichen Konsequenzen des marktwirtschaftlichen Systems, »daß an einem entsprechenden Tempo des Fortschritts alle Nutznießer sterben werden.«[89]

Gerade deshalb werden jene Menschen, die noch nicht der herrschenden Egozentrik verfallen sind, weiterhin grüne Utopien brauchen. Solche Werke sind in mancher Hinsicht die einzige Chance, die uns bleibt. Weder ein zynischer Realismus noch ein wohlmeinender Reformismus kann uns vor der Gefahr der Irreversibilität retten. Was uns fehlt, sind detaillierte und zugleich hoffnungsstiftende Szenarien einer Welt, in der wir überleben können. Halten wir uns daher lieber an die grüne Maxime: »Wer keinen Mut zum Träumen hat, hat auch keine Kraft zum Kämpfen.«[90]

Anmerkungen

Problemaufriß

1 Max Weber: Gesammelte Aufsätze zur Religionssoziologie, Tübingen 1920f., I, S. 571.
2 Ludwig Trepl: Geschichte der Ökologie vom 17. Jahrhundert bis zur Gegenwart, Frankfurt a. M. 1987, S. 232.
3 Armin Mohler: Tendenzwende für Fortgeschrittene, Berlin 1978, S. 30ff.
4 Vgl. Jost Hermand: Liberté – Égalité – Fraternité. Die Postulate einer unvollendeten Revolution. In: Freiheit, Gleichheit, Brüderlichkeit. 200 Jahre Französische Revolution in Deutschland. Hrsg. von Gerhard Bott, Nürnberg 1989, S. 40.
5 Stefan Welzk: Fetisch Wald. In: Kursbuch 74, 1983, S. 37.
6 Rolf Peter Sieferle: Entstehung und Zerstörung der Landschaft. In: Landschaft. Hrsg. von Manfred Smuda, Frankfurt a. M. 1989, S. 259f.
7 Vgl. Helmut Swoboda: Der Mythos vom Sachzwang. In: Ders.: Der Kampf gegen die Zukunft, Frankfurt a. M. 1979, S. 159–172.
8 Vgl. Amy Stapleton: Bewußtseinswandel. Theory and Practice of Critical Awareness and the Utopian Function of Contemporary German Science Fiction. Diss. Wisconsin 1991, S. 5ff.
9 Vgl. Mohler: Tendenzwende, S. 39.
10 Hiltrud Gnüg: Literarische Utopieentwürfe. Frankfurt a. M. 1962, S. 13f.
11 Otto Ullrich: Der harte und der sanfte Weg mit der Sonne. In: Universitas, 1989, S. 962.

Das »Versprechen der Natur« im Zeitalter der Aufklärung

1 Stephen F. Mason: Geschichte der Naturwissenschaft, Stuttgart 1961, S. 378ff.
2 Jean-Jacques Rousseau: Schriften zur Kulturkritik. Hrsg. von Kurt Weigand, Hamburg 1955, S. XI.
3 Zit. in Werner Krauss: Die Innenseite der Weltgeschichte, Leipzig 1983, S. 213.
4 Louis-Sébastien Mercier: Das Jahr 2440. Hrsg. von Herbert Jaumann, Frankfurt a. M. 1989, S. 126ff., 260f., 279.
5 Vgl. Krauss: Innenseite, S. 228.
6 Zit. in Hans Christian und Elke Harten: Die Versöhnung mit der Natur, Reinbek 1989, S. 19.
7 Vgl. Alfred Barthelmeß: Landschaft – Lebensraum des Menschen, Freiburg 1988, S. 99.
8 Harten: Versöhnung, S. 23.
9 Ebd., S. 25.

10 Ebd., S. 25.
11 Ebd., S. 50.
12 Vgl. meinen Aufsatz: Vom neuen Sinn alter Werke. Bachs geistliche Kantaten. In: Klangspuren 1, 1988, S. 62–83.
13 Ludwig Ernst von Faramund: Die glückseligste Insul auf der ganzen Welt, Frankfurt a. M. 1728, S. 117, S. 197.
14 Gabrielle Bersier: Wunschbild und Wirklichkeit. Deutsche Utopien im 18. Jahrhundert, Heidelberg 1981, S. 88–106. – Ähnliches gilt für die Utopie: Die glückliche Insel oder Beitrag zu Captain Cooks neuesten Entdeckungen in der Südsee (1781) von Johann Gottlob Benjamin Pfeil.
15 Vgl. Jost Hermand: Die touristische Erschließung des Harzes im 18. Jahrhundert. In: Reise und soziale Realität am Ende des 18. Jahrhunderts. Hrsg. von Wolfgang Griep und Hans-Wolf Jäger, Heidelberg 1989, S. 169–187.
16 Zit. in Barthelmeß: Landschaft, S. 75f.
17 Gabrielle Bersier: Arcadia Revitalized: The International Appeal of Geßner's Idylls in the 18th Century. In: From the Greeks to the Greens. Hrsg. von Reinhold Grimm und Jost Hermand, Madison 1990, S. 34–47.
18 Johann Heinrich Merck: Briefe. Hrsg. von H. Kraft, Frankfurt a. M. 1966, S. 182f.
19 Johann Heinrich Sulzer: Unterredungen über die Schönheit der Natur, Berlin 1770, S. 140.
20 Adolf Freiherr Knigge: Der Traum des Herrn Brick. Hrsg. von Hedwig Voegt, Berlin 1968, S. 105.
21 Carl Ignaz Geiger: Reise eines Erdbewohners in den Mars. Hrsg. von Jost Hermand, Stuttgart 1967, S. 59, S. 67, S. 75f.
22 Georg Friedrich Rebmann: Hans Kiekindiewelts Reisen in alle vier Weltteile und in den Mond, Hamburg 1795, S. 233ff.

Das 19. Jahrhundert

1 Henry Makowsky und Bernhard Buderath: Dem Menschen untertan. Ökologie im Spiegel der Landschaftsmalerei, München 1983, S. 193.
2 Zit. in Alfred Barthelmeß: Wald – Umwelt des Menschen, Freiburg 1977, S. 86.
3 Zit. in Makowsky/Buderath: Dem Menschen untertan, S. 126.
4 Alexander von Humboldt: Ansichten der Natur, Nördlingen 1986, S. 9, 193, 226.
5 Zit. in Hans Hardt: Im Zukunftsstaat, Berlin–Leipzig 1905, S. 76.
6 Vgl. Hans-Joachim Mähl: Die Idee des goldenen Zeitalters im Werk des Novalis, Heidelberg 1965, S. 355.
7 Gotthilf Heinrich Schubert: Ansichten von der Nachtseite der Naturwissenschaft, Dresden 1808, S. 4ff.
8 Zit. in Ludwig Klages: Mensch und Erde, 3. Aufl., Jena 1929, S. 19.
9 Der Wächter, 1815, S. 384ff.
10 Karl Immermann: Werke, Frankfurt a. M. 1971, II, S. 650.
11 Monatsheft für Bauwesen und Landesverschönerung, 1817, S. 705.

12 Jonathan Schuderoff: Für Landesverschönerung, Berlin 1825, S. 64.
13 Peter Lenné: Über Trift- und Feldpflanzungen, Berlin 1826, II, S. 304.
14 Vgl. Makowsky/Buderath: Dem Menschen untertan, S. 181.
15 Arthur Schopenhauer: Großherzog Wilhelm Ernst Ausgabe, III, S. 637f. und V, S. 403ff.
16 Vgl. Helmut Gold: Unverhofftes Wiedersehen. Eine literarische Besichtigung der Bergwerke zu Falun. Sendung im HR II vom 13. Dezember 1989.
17 Zit. in ebd.
18 Ludwig Tieck: Gesammelte Novellen, Berlin 1853, VIII, S. 236.
19 Rolf Peter Sieferle: Fortschrittsfeinde? Opposition gegen Technik und Industrie von der Romantik bis zur Gegenwart, München 1989, S. 64.
20 Goethe: Sophienausgabe, I; 5, S. 284 und Schriften zur Naturwissenschaft V, Weimar 1958, S. 45.
21 Sophienausgabe, I, 5, S. 231.
22 Hamburger Ausgabe, XIII, 4. Aufl., S. 42, S. 125f.
23 Sophienausgabe, II, 11, S. 97 und I, 3, S. 103 und Brief an Josef Carl Stieler vom 26. Januar 1829.
24 Hamburger Ausgabe, XIII, S. 328.
25 Ebd., XIV, S. 223 und XIII, S. 42, S. 126.
26 Schriften zur Naturwissenschaft VI, Weimar 1957, S. 276.
27 Brief an Zelter vom 22. Juni 1808 und Hamburger Ausgabe, XIII, S. 529.
28 Denis Diderot: Über die Natur. Hrsg. von Jochen Köhler, Frankfurt a. M. 1989, S. 12.
29 Brief an Zelter vom 22. Juni 1808.
30 Sophienausgabe, II, 11, S. 58f.
31 Hamburger Ausgabe, XIII, S. 28, S. 30.
32 Sophienausgabe, I, 7, S. 19, S. 21.
33 Goethe: Die Reisen, Zürich 1978, S. 711.
34 Sophienausgabe, I, 25, S. 249.
35 Hamburger Ausgabe, III, S. 431ff.
36 Rüdiger Scholz: Die beschädigte Seele des großen Mannes. Goethes »Faust« und die bürgerliche Gesellschaft, Rheinfelden 1982, S. 41ff.
37 Hans-Christoph Binswanger: Die moderne Wirtschaft als alchemistischer Prozeß. Eine ökonomische Deutung von Goethes »Faust«. In: Neue Rundschau, 93, 1982, H. 2, S. 70–102.
38 Emil Wolf: Die naturgesetzlichen Grundlagen des Ackerbaus, Leipzig 1854, I, S. 4.
39 Sieferle: Fortschrittsfeinde, S. 250f.
40 Makowsky/Buderath: Dem Menschen untertan, S. 129.
41 Ebd., S. 80.
42 Ludwig Büchner: Das goldene Zeitalter oder Das Leben vor der Geschichte, Berlin 1891, S. 3f., 335.
43 Zit. in Rüdiger Scholz: Goethes »Faust« in der wissenschaftlichen Interpretation von Schelling und Hegel bis heute, Rheinfelden 1983, S. 31.
44 Ernst Bloch: Freiheit und Ordnung. Abriß der Sozialutopien, New York 1946, S. 176.
45 Vgl. Die Welt in hundert Jahren. Hrsg. von Arthur Brehmer, Berlin 1910, S. 5.
46 Kurd Laßwitz: Seifenblasen. Moderne Märchen, Hamburg 1980, S. 50.

47 Ders.: Auf zwei Planeten, Frankfurt a.M. 1979, I, S. 228f.
48 Theodor Hertzka: Freiland, Leipzig 1890, S. 93f. – Wie eine ins Sozialdemokratische gewendete Hertzka-Utopie wirkt der Roman »Mene tekel! Eine Entdeckungsreise nach Europa« (1895) von Arnold von der Passer, in dem das Deutsche Reich – aufgrund der rücksichtslosen Überindustrialisierung und Unterdrückung der SPD – verkommt, jedoch der afrikanische »Freiland«-Staat immer blühender und gesünder wird.
49 Theodor Hertzka: Entrückt in die Zukunft, Berlin 1895, S. 35, S. 41. – Ebenso anthropozentrisch äußerte sich Theodor Herzl in seinem »Judenstaat« (1896). Er schlug vor, das zu kolonisierende Land von allen »wilden Tieren« zu »säubern«, indem man diese »Bestien« an bestimmten Stellen zusammentreibt und dann »Melanitbomben unter sie wirft« (S. 27).
50 Alfred Cless: Ein Zukunftsbild der Menschheit, Zürich 1893, S. 10.
51 Friedrich Theodor Vischer: Auch Einer, Leipzig o. J., II, S. 145.
52 Theodor Fritsch: Die Stadt der Zukunft, 2. Aufl., Leipzig 1912, S. 7.
53 Vgl. Julius Posener: Berlin auf dem Wege zu einer neuen Architektur, München 1979, S. 6.
54 Gustav Theodor Fechner: Nanna oder Über das Seelenleben der Pflanzen, 2. Aufl., Hamburg 1899, S. X, S. XV.
55 Ders.: Professor Schleiden und der Mond, Leipzig 1856, S. 129.
56 Vgl. Mason: Geschichte der Naturwissenschaft, S. 496.
57 Ernst Haeckel: Generelle Morphologie der Organismen, Berlin 1866, S. 282.
58 Zit. in Barthelmeß: Landschaft, S. 12.
59 Zit. in Mason: Geschichte der Naturwissenschaft, S. 504.
60 Haeckel: Natürliche Schöpfungsgeschichte, 10. Aufl., Berlin 1910, S. X.
61 Ebd., S. XVI.
62 Ders.: Die Welträtsel, Leipzig 1918, S. 204, S. 216.
63 Zit. in Richard Hamann und Jost Hermand: Impressionismus, Berlin 1960, S. 309.
64 Bruno Wille: Offenbarungen des Wacholderbaums, 4. Aufl., Jena 1915, II, S. 121, S. 122, S. 125, S. 126.
65 James Steakley: Vom Urschleim zum Übermenschen. Wandlungen des monistischen Weltbildes. In: Natur und Natürlichkeit. Hrsg. von Reinhold Grimm und Jost Hermand, Königstein 1981, S. 49.
66 Wilhelm Bölsche: Das Liebesleben in der Natur, Jena 1899, I, S. 9.
67 Karl Marx: Das Kapital, Hamburg 1867, S. 494f.
68 Karl Marx und Friedrich Engels: Werke, Berlin 1960ff., XX, S. 452.
69 Neue Zeit, 1889, S. 268–276.
70 William Morris: Kunst und Schönheit. Hrsg. von Jan Pätzold, Berlin 1986, S. 27, S. 42, S. 114, S. 117.
71 Reichstagsprotokolle, 9. Mai 1883, MCXIX, 2415.
72 August Bebel: Die Frau und der Sozialismus, Stuttgart 1913, S. 367, S. 386, S. 388, S. 390.
73 Ebd., S. 390f.
74 Ebd., S. 397, S. 417, S. 435.
75 Ebd., S. 439, S. 469.
76 Vgl. Hans Peter Schmitz: Naturschutz – Landschaftsschutz – Umweltschutz. Der Touristenverein »Die Naturfreunde« als ökologisches Frühwarnsystem

der Arbeiterbewegung. In: Mit uns zieht die neue Zeit. Hrsg. von Jochen Zimmer, Köln 1984, S. 184ff.

77 Vgl. Eduard Bernstein: Das soziale Leben in 100 Jahren. In: Die Welt in hundert Jahren, S. 198ff.

78 Vgl. Jost Hermand: Die Metapher »heile Welt«. Zu Adornos Antiutopismus. In: Ders.: Orte. Irgendwo, Frankfurt a. M. 1981, S. 104–117.

79 Wilhelm Heinrich Riehl: Die bürgerliche Gesellschaft, 3. Aufl., Stuttgart 1856, S. 263.

80 Ders.: Land und Leute, 4. Aufl., Stuttgart 1857, S. 56.

81 Vgl. Richard Hamann und Jost Hermand: Stilkunst um 1900, Berlin 1967, S. 364f.

82 Zit. in Kurt Marti: Tagebuch mit Bäumen, Darmstadt 1989, S. 99.

83 Ernst Rudorff: Heimatschutz, 2. Aufl., Leipzig 1901, S. 12, S. 16, S. 24, S. 31, S. 51, S. 80, S. 87.

84 Ebd., S. 15, S. 44.

85 Paul Schultze-Naumburg: Die Gestaltung der Landschaft durch den Menschen, 2. Aufl., Leipzig 1901, S. 14f.

86 Ders.: Die Entstellung unseres Landes, Halle 1905, S. 78.

87 Mitteilungen des Bundes Heimatschutz, 1904–05, S. 1.

88 Zit. in Sieferle: Fortschrittsfeinde, S. 255.

89 Vgl. Heimatschutz 7, 1911, S. 110.

90 Carl Jentsch: Volkswirtschaftslehre, Leipzig 1913, S. 337.

91 Michael Georg Conrad: Erinnerungen zur Geschichte der Moderne, Leipzig 1902, S. 8.

92 Ders.: In purpurner Finsternis, Leipzig 1895, S. 10, S. 24, S. 26, S. 48, S. 85, S. 153f., S. 175, S. 182, S. 205, S. 255, S. 291, S. 333, S. 358.

93 Adolf Bartels: Der Bauer in der deutschen Vergangenheit, Leipzig 1900, S. 142.

94 Ders.: Zur Heimatkunst. In: Deutsche Heimat 6, 1, 1902–03, S. 194.

95 Zit. in Walther Schoenichen: Naturschutz – Heimatschutz, Stuttgart 1954, S. 179.

96 Zit. in Janos Frecot, Johann Friedrich Geist und Diethart Kerbs: Fidus, München 1972, S. 37.

97 Zit. in Ulrich Linse: Die Kommune der deutschen Jugendbewegung, München 1973, S. 35.

98 Eduard Baltzer: Ideen zur sozialen Reform, Nordhausen 1873, S. 14, S. 19f., S. 68, S. 84.

99 F. E. Bilz: Wie schafft man bessere Zeiten?, Leipzig 1882, S. 160ff.

100 Ders.: Der Zukunftsstaat, Leipzig 1904, S. 868.

101 C. von Mereschkowsky: Das irdische Paradies, Berlin 1903, S. 109, S. 155, S. 299, S. 351.

102 Leopold Heller: Selbsthilfe. Ein Roman der Sparsamkeit und Lebenskunst, Leipzig 1894, S. 151.

103 Martin Atlas: Die Befreiung, Berlin 1904, S. 868.

104 Ludwig Klages: Mensch und Erde, 3. Aufl., Jena 1929, S. 20f.

Von der Jahrhundertwende bis zum Ende der »Wirtschaftswunder«-Ära

1 Kunst und Künstler 12, 1914, S. 312.
2 Kurt Hiller: Der Aufbruch ins Paradies, 2. Aufl., München 1952, S. 91.
3 Theodor Heinrich Meyer: Von Menschen und Maschinen, Leipzig 1915, S. 245.
4 Georg Kaiser: Gesammelte Werke. Die Gas-Trilogie, Potsdam 1928, S. 321. – Noch stärker engagierte sich Georg Kaiser in seinem Libretto »Der Silbersee« (1932) für die außerhalb der städtischen Industriezivilisation lebenden »Mooshüttenbewohner«, die der Staat in »Konzentrationslagern« einsperren will.
5 Max Picard: Der letzte Mensch, Leipzig 1921, S. 88.
6 Der Jüngste Tag, Leipzig 1913ff., XXV, S. 45.
7 Menschheitsdämmerung. Hrsg. von Kurt Pinthus, Reinbek 1959, S. 159.
8 Ebd., S. 154.
9 Friedrich Wolf: Gesammelte Werke, Berlin 1960ff., I, S. 130ff.
10 Werner Illing: Utopolis, Berlin 1930, S. 31, S. 56, S. 60. – Der gleiche technologische Optimismus liegt dem Roman »Das Automatenzeitalter« (1931) von Ri Tokko [d. i. Ludwig Dexheimer] zugrunde, in dem es bereits Zweihundertmillionenstädte gibt, jedoch die gesamte Energie aus der Sonnenkraft gewonnen wird.
11 Vgl. Ulrich Linse: Ökopax und Anarchie, München 1986, S. 76ff.
12 Leberecht Migge: Das grüne Manifest. In: Die Tat 10, 1919, S. 912–919.
13 Vgl. Linse: Ökopax, S. 101f.
14 Paul Robien: Sozialphysik. In: Der freie Arbeiter 17, 1924, S. 2f.
15 Vgl. Linse: Ökopax, S. 108.
16 Heinrich Ströbel: Die erste Milliarde der zweiten Billion. Die Gesellschaft der Zukunft, Berlin 1919, S. 186, S. 195, S. 232, S. 236.
17 Julius Langbehn: Rembrandt als Erzieher, Leipzig 1890, S. 133.
18 Willibald Hentschel: Varuna, Leipzig 1901, S. 339.
19 Zit. in Linse: Ökopax, S. 28.
20 Ebd., S. 32.
21 Mundus: Die Sonnenstadt. Ein Bekenntnis und ein Weg. Roman aus der Zukunft für die Gegenwart, 5. Aufl., Zürich 1925, S. 30.
22 Bruno Wille: Der Maschinenmensch und seine Erlösung, Pfullingen 1930, S. 62ff., S. 296.
23 Friedrich P. Reck-Malleczewen: Des Tieres Fall. Das Schicksal einer Maschinerie, München 1931, S. VIII.
24 Zit. in Sieferle: Fortschrittsfeinde, S. 283.
25 Walther Schoenichen: Naturschutz im Dritten Reich, Berlin 1934, S. 78.
26 Ders.: Naturschutz als völkische und internationale Aufgabe, Jena 1942, S. 45.
27 Werner Lindner: Bauen. In: Denkmalpflege und Heimatschutz im Wiederaufbau der Nation, Berlin 1934, S. 52.
28 Ders.: Heimatschutz im neuen Reich, Leipzig 1934, S. 68f.
29 Vgl. Anna Bramwell: Ecology in the 20th Century, New Haven 1989, S. 200f.
30 Dietrich Kärrner: Verschollen im Weltall, Berlin 1938, S. 289, S. 291.
31 Hans Fuschlberger: Der Flug in die Zukunft, Leipzig 1937, S. 46.

34 Geist der Zeit 19, 1941, S. 261, S. 270ff.
35 Louis Emrich: Europa nach dem Krieg, Basel 1943, S. 227.
36 Hans Sedlmayr: Verlust der Mitte, Salzburg 1948, S. 251.
37 Anton Böhm: Epoche des Teufels, Stuttgart 1955, S. 82f., S. 134.
38 Alois Guggenberger: Die Utopie vom Paradies, Stuttgart 1957, S. 65.
39 Karl Jaspers: Unsere Zukunft und Goethe, Bremen 1949, S. 16, S. 28.
40 Werner Heisenberg: Schritte über die Grenze. Gesammelte Reden und Aufsätze, München 1971, S. 118, S. 185, S. 257.
41 Zit. in Armin Mohler: Der Traum vom Naturparadies, Berlin/München 1978, S. 16.
42 A. Metternich: Die Wüste wächst. Die gefährdete Nahrungsgrundlage der menschlichen Gesellschaft, Bremen 1947, S. 21, S. 42, S. 245, S. 256, S. 258.
43 Vgl. Ökologie-Lesebuch. Hrsg. von Engelbert Schramm, Frankfurt a.M. 1984, S. 231ff.
44 Ernst Hornsmann: ... sonst Untergang, Rheinhausen 1951, S. 9, S. 355ff.
45 Ernst Hass: Des Menschen Thron wankt, München 1955, S. 76, S. 191.
46 Peter Härlin: Bericht für morgen, Stuttgart 1956, S. 62f., S. 101f.
47 Ernst Wilhelm Schmidt: In Utöpchen, Berlin 1947, S. 59, S. 68f.
48 Frank Sino: Arche 2000, Rüsselsheim 1977, S. 22.
49 H. L. Fahlberg: Erde ohne Nacht, Berlin 1958, S. 317.
50 Hans Albrecht Moser: Vineta, Zürich 1955, S. 887, S. 914, S. 935, S. 1024f.
51 Günther Schwab: Der Tanz mit dem Teufel. Ein abenteuerliches Interview, 14. Aufl., Hameln 1988, S. 21, S. 186, S. 221, S. 437.
52 Ebd., S. 192, S. 194, S. 213, S. 244, S. 408, S. 454, S. 467.
53 Vgl. Jost Hermand: Kultur im Wiederaufbau. 1945–1965, München 1986, S. 251ff.
54 Zit. in Barthelmeß: Landschaft, S. 239.
55 Zit. in Konrad Buchwald: Die Zukunft des Menschen in der industriellen Gesellschaft und Landschaft, Braunschweig 1965, S. 5.
56 Ebd., S. 6.
57 Georg Picht: Mut zur Utopie. Die großen Zukunftsaufgaben, München 1970, S. 54.
58 Christian Schütze: Schon möglich, daß die Erde sterben muß. Anfänge öffentlicher Meinung zum Thema Umweltschutz. In: Merkur, 1971, S. 470–485.
59 Zit. in Ökologie-Lesebuch, S. 270ff.
60 Barry Commoner: Wachstumswahn und Umweltkrise, München 1971, S. 21, S. 38, S. 185, S. 269.

Nach dem Doomsday-Schock von 1972

1 Carl Amery: Das Ende der Vorsehung, Reinbek 1972, S. 10, S. 199, S. 18.
2 Theodor Beltle: Die menschenwürdige Gesellschaft, Frankfurt a.M. 1985, S. 115.
3 Zit. in Mohler: Naturparadies, S. 25.
4 Frederic Vester: Das Überlebensprogramm, München 1972, S. 209.
5 Ders.: Neuland des Denkens, Stuttgart 1980, S. 453.

6 Carl Friedrich von Weizsäcker: Wege in der Gefahr, München 1976, S. 15, S. 252.
7 Hans Jonas: Das Prinzip Verantwortung, Frankfurt a. M. 1987, S. 390.
8 Carl Amery: Natur als Politik, Reinbek 1976, S. 184f.
9 Herbert Gruhl: Ein Planet wird geplündert, Frankfurt a. M. 1975, S. 218, S. 204, S. 210.
10 Ebd., S. 225.
11 Joachim Steffen: Strukturelle Revolution, Reinbek 1974, S. 342, S. 94f.
12 Erhard Eppler: Alternative für eine humane Gesellschaft. In: Die Zukunft des Wachstums. Hrsg. von Henrich von Nußbaum, Düsseldorf 1973, S. 231.
13 Ders.: Ende oder Wende, Stuttgart 1975, S. 30, S. 40f., S. 53.
14 Hans Peter Schmitz: Naturschutz – Landschaftsschutz – Umweltschutz. In: Mit uns zieht die neue Zeit. Hrsg. von Jochen Zimmer, Köln 1984, S. 190.
15 Vgl. Linse: Ökopax, S. 58.
16 Ernst Bloch: Freiheit und Ordnung. Abriß der Sozialutopien, New York 1946, S. 190.
17 Vgl. Bertolt Brecht: Über die bildenden Künste. Hrsg. von Jost Hermand, Frankfurt a. M. 1983, S. 26ff.
18 Interview mit Wolfgang Harich. In: Konkret, Juli 1979, S. 40.
19 Günter Maschke: Harich. Ein ökologischer Stalinist. In: Frankfurter Allgemeine, 1979, Nr. 127, S. 23.
20 Robert Havemann: Morgen. Die Industriegesellschaft am Scheidewege, München 1980, S. 28ff., S. 67.
21 Rudolf Bahro: Die Alternative, Köln 1977, S. 20, S. 485, S. 513f., S. 543.
22 Globale Probleme der Zivilisation. Hrsg. von Iwan Timofejewitsch Frolow, Düsseldorf 1988, S. 405, S. 446. – Vgl. auch das vorher erschienene Buch von E. K. Fjodorow: Die Wechselwirkung zwischen Natur und Gesellschaft, Leningrad 1972, dt. Berlin 1974.
23 Alfred Klosing: Sozialismus und Umwelt, Berlin 1988, S. 17.
24 Hans Magnus Enzensberger: Zur Kritik der politischen Ökologie. In: Kursbuch 33, 1973, S. 2, S. 19, S. 23, S. 41. – Daß es damals auch linke Doomsday-Propheten gab, belegt das Buch von Hellmuth Schehl: Vor uns die Sintflut? Ökologie, Marxismus und die herrschende Zukunftsgläubigkeit, Berlin 1977.
25 Gerhard Kade: Wirtschaftswachstum und Umweltschutz im Kapitalismus. In: Die Zukunft des Wachstums, S. 138.
26 Kursbuch 33, 1973, S. 158.
27 Jan Pätzold: Ökologische Krise und gesellschaftliche Alternative. In: Texte zur Kollektivbewegung. Hrsg. von Jan Peters, Berlin 1980, S. 231.
28 Wilfried Heidt: Brüderlichkeit. Kommunikation. Sozialismus. In: Abschied vom Wachstumswahn. Ökologischer Humanismus als Alternative zur Plünderung des Planeten, Langsau 1980, S. 73.
29 Ossip K. Flechtheim: Der Ökosozialismus und die Hoffnung auf den neuen Menschen. In: Ebd., S. 141.
30 Vgl. Jost Hermand: Pop International. Eine kritische Analyse, Frankfurt a. M. 1971, S. 65ff.
31 Henry David Thoreau: Walden oder Leben in den Wäldern, Zürich 1979, S. 99.
32 Herbert Marcuse: Eros and Civilization, New York 1962, S. 136.

33 Vgl. Peter Fryer: A Map of the Underground. In: Encounter 29, Oktober 1969, S. 6.
34 Prokol-Gruppe: Der sanfte Weg. Technik in einer neuen Gesellschaft, Berlin 1976, S. 5, S. 8, S. 13f., S. 17, S. 31f.
35 Gudrun Pausewang: Rosinkawiese. Alternatives Leben in den zwanziger Jahren, München 1983.
36 Fred Viebahn: Die Schwarzen Tauben, Hamburg 1969, S. 46.
37 Uwe Wolff: Papa Faust, Berlin 1982, S. 94, S. 112, S. 114, S. 127.
38 Walter Hollstein: Ego-Trip oder soziale Veränderung? Zur Zeitgeschichte der gegenkulturellen Bewegung. In: Ästhetik und Kommunikation 34, 1978, S. 18.
39 Texte zur Kollektiv-Bewegung, S. 360.
40 Ebd., S. 360.
41 Vgl. Richard Stöss: Vom Nationalismus zum Umweltschutz. Die Deutsche Gemeinschaft/Aktionsgemeinschaft unabhängiger Deutscher im Parteiensystem der Bundesrepublik, Opladen 1980, S. 252ff.
42 Rudolf Bahro: Elemente einer neuen Politik, Berlin 1980, S. 61, S. 68.
43 Petra K. Kelly: Um Hoffnung kämpfen, Bornheim 1983, S. 35, S. 136, S. 139f., S. 170.
44 Manon Maren-Grisebach: Philosophie der Grünen, München 1982, S. 11, S. 21, S. 51, S. 110.
45 Tina Stein: Sind die Grünen postmodern? In: Kommune, 1988, S. 2, S. 12.
46 Fritjof Capra: Krise und Wandel in Wissenschaft und Gesellschaft. In: Bewußtseins(R)evolution. Öko-Log-Buch. Hrsg. von Rüdiger Lutz, Weinheim 1983, S. 35. – Vgl. in diesem Zusammenhang auch Rüdiger Lutz: Die sanfte Wende. Aufbruch ins ökologische Zeitalter, München 1984.
47 Vgl. Die Grünen und die Religion. Hrsg. von Günter Gesse und Hans-Hermann Wiebe, Frankfurt a. M. 1988, S. 103ff.
48 Anton-Andreas Guha: Ende. Tagebuch aus dem Dritten Weltkrieg, Frankfurt a. M. 1985, S. 153.
49 Gudrun Pausewang: Die Wolke, Ravensburg 1987, S. 156.
50 Matthias Horx: Glückliche Reise, Berlin 1983, S. 35.
51 Otto F. Walter: Wie wird Beton zu Gras, Reinbek 1979, S. 105.
52 Ernst Därendinger: Der Engerling, Zürich 1983, S. 255.
53 Ernest Callenbach: Ökotopia, Berlin 1979, S. 26, S. 30f., S. 104.
54 Hoimar von Ditfurth: So laßt uns denn ein Apfelbäumchen pflanzen. Es ist soweit, Frankfurt a. M. 1988, S. 130, S. 133, S. 147, S. 159, S. 226, S. 229.
55 DER SPIEGEL, 1989, Nr. 29, S. 118.
56 Die Herausforderung des Wachstums, Bern–München 1990, S. 14, S. 80.
57 Tschingis Aitmatow und Günter Grass: Alptraum und Hoffnung. Zwei Reden vor dem Club of Rome, Göttingen 1989, S. 61.
58 Christian Graf von Krockow: Politik und menschliche Natur. Dämme gegen die Selbstzerstörung, München 1989, S. 44f., S. 77, S. 134, S. 126.
59 Klaus Michael Meyer-Abich: Wissenschaft für die Zukunft, München 1988, S. 92, S. 99.
60 Carl Friedrich von Weizsäcker: Demokratische Askese. In: stern, 1988, Nr. 33, S. 50f.

61 Für wirksamen Umweltschutz. Vorschläge der DKP, Düsseldorf 1984, S. 13, S. 46.
62 Iring Fetscher: Ökodiktatur oder Alternativzivilisation? In: Ökologie und Sozialismus. Perspektiven einer umweltfreundlichen Politik. Hrsg. von Norbert W. Kunz, Köln 1986, S. 175.
63 Ökomedia '88, Freiburg 1988, S. 34.
64 Neokonservative und »Neue Rechte«. Hrsg. von Iring Fetscher, München 1983, S. 20ff.
65 Erhard Eppler: Konservativismus und Ökologie in der Bundesrepublik. In: Konservativismus. Eine Gefahr für die Freiheit. Hrsg. von Eike Henning und Richard Saage, München 1983, S. 256.
66 Carl Amery: Das Schicksal des deutschen Konservativismus und die neuen sozialen Bewegungen. In: Merkur, 1983, S. 640.
67 Eugen Drewermann: Der tödliche Fortschritt. Von der Zerstörung der Erde und des Menschen im Erbe des Christentums, Regensburg 1982, S. 46.
68 Martin Rock: Theologie der Natur. In: Ökologie und Ethik. Hrsg. von Dieter Birnbacher, Stuttgart 1980, S. 98ff.
69 Jürgen Moltmann: Hat die moderne Gesellschaft eine Chance? In: Concilium. Internationale Zeitschrift für Theologie 26, 1990, S. 37, S. 39.
70 Ders.: Menschenrechte, Rechte der Menschheit und Rechte der Natur. In: Concilium 26, 1990, S. 165f., S. 170f.
71 Günter Wallraff: Und macht euch die Erde untertan. Eine Widerrede, Göttingen 1987, S. 16f., S. 25, S. 65, S. 119, S. 123.
72 Karl Friedrich Wentzel: Hat der Wald noch eine Zukunft? In: Waldungen. Die Deutschen und ihr Wald. Hrsg. von Bernd Weyergraf, Berlin 1987, S. 103.
73 Peter Finke: Landschaftserfahrung und Landschaftserhaltung. In: Landschaft. Hrsg. von Manfred Smuda, Frankfurt a. M. 1986, S. 266, S. 280, S. 286.
74 Jochen Kölsch und Barbara Veit: Die sanfte Revolution. Von der Notwendigkeit anders zu leben, München 1982, S. 226.
75 Hans Heinze: Mensch und Erde. Geisteswissenschaftliche Leitbilder zur Landwirtschaft, Dornach 1983, S. 22.
76 Joseph Beuys: Aktive Neutralität. Die Überwindung des Kapitalismus und Kommunismus, Wangen 1987, S. 21.
77 Christine Brückner: Die letzte Strophe, Frankfurt a.M. 1989, S. 69, S. 88, S. 161, S. 170, S. 238, S. 315.
78 Johannes Mario Simmel: Im Frühling singt zum letztenmal die Lerche, München 1990, S. 581. – Vgl. auch die Rezension dieses Romans von Joschka Fischer in: DER SPIEGEL, 1990, Nr. 30, S. 143–146.
79 Jochen Bölsche: Natur ohne Schutz, Hamburg 1982, S. 19.
80 Lutz Wicke und Jochen Hucke: Der Ökologische Marshallplan, Berlin 1989, S. 7.
81 Ebd., S. 37.
82 Christian Leipert: Die heimlichen Kosten des Fortschritts. Wie Umweltzerstörung das Wirtschaftswachstum fördert, Frankfurt a. M. 1989.
83 Otto Ulrich: Der harte und der sanfte Weg mit der Sonne. In: Universitas, 1989, S. 962.
84 Vgl. Ulrich Dolate: Gib Gas, ich will Spaß. Verkehrskollaps und Umweltvergiftung. In: Blätter für deutsche und internationale Politik, 1990, S. 207–217.

85 Friedrich Cramer: Fortschritt durch Verzicht. In: Tintenfisch 12, 1977, S. 104ff.

86 Vgl. meinen Aufsatz: Vom schonenden Umgang mit schönen Dingen. In: Brecht Yearbook 15, 1990, S. 45–54.

87 Vgl. Bertolt Brecht: Über die bildenden Künste. Hrsg. von Jost Hermand, Frankfurt a. M. 1983, S. 22ff.

88 Vgl. meinen Aufsatz: Jenseits von Job und Freizeit. Zur Utopie der »Freien Assoziation der Freien Produzenten«, In: Ders.: Orte. Irgendwo, Königstein 1981, S. 157–180.

89 Zit. in: DER SPIEGEL, 1980, Nr. 13, S. 102.

90 Zit. in Fritjof Capra und Charlene Spretnak: Green Politics, New York 1984, S. 15.

Literaturhinweise

Andritzky, Michael und Thomas Rautenberg (Hrsg.): Wir sind nackt und nennen uns Du. Eine Geschichte der Freikörperkultur, Gießen 1989.

Barthelmeß, Alfred: Wald – Umwelt des Menschen. Dokumente zu einer Problemgeschichte von Naturschutz, Landschaftspflege und Humanökologie, Freiburg 1972.

Ders.: Vögel – Lebendige Umwelt. Probleme von Vogelschutz und Humanökologie, Freiburg 1981.

Ders.: Landschaft – Lebensraum des Menschen, Freiburg 1988.

Berghahn, Klaus und Hans Ulrich Seeber (Hrsg.): Literarische Utopien von Morus bis zur Gegenwart, Königstein 1983.

Bergmann, Klaus: Agrarromantik und Großstadtfeindschaft, Meisenheim 1970.

Bersier, Gabrielle: Wunschbild und Wirklichkeit. Deutsche Utopien im 18. Jahrhundert, Heidelberg 1981.

Biesterfeld, Wolfgang: Die literarische Utopie, Stuttgart 1974.

Birkert, Emil (Hrsg.): Von der Idee zur Tat. Aus der Geschichte der Naturfreundebewegung, Stuttgart 1970.

Bloch, Ernst: Freiheit und Ordnung. Abriß der Sozialutopien, New York 1946.

Blüchel, Kurt: Der Untergang der Tiere. Ein alarmierender Bericht, Reinbek 1979.

Boyens, Wilhelm Friedrich: Die Geschichte der ländlichen Siedlung, Berlin–Bonn 1959.

Bramwell, Anna: Ecology in the 20th Century. A History, New Haven 1989.

Brand, Karl-Werner, Detlef Büsser und Dieter Rucht: Aufbruch in eine andere Gesellschaft. Neue soziale Bewegungen in der Bundesrepublik, Frankfurt a. M. 1983.

Brand, Karl-Werner (Hrsg.): Neue soziale Bewegungen in Westeuropa und in den USA, Frankfurt a. M. 1985.

Brockhaus, Wilhelm: Das Recht der Tiere in der Zivilisation, München 1975.

Brüggemeier, Franz-Josef und Thomas Rommelspacher (Hrsg.): Besiegte Natur. Geschichte der Umwelt im 19. und 20. Jahrhundert, München 1989.

Brun, Rudolf (Hrsg.): Der grüne Protest. Herausforderung durch die Umweltparteien, Frankfurt a. M. 1981.

Capra, Fritjof: Die Ökologie- und Alternativbewegung in Deutschland. In: Ders.: Wendezeit. Bausteine für ein neues Weltbild, München 1988, S. 475–485.

Fetscher, Iring: Karl Marx und das Umweltproblem. In: Ders.: Überlebensbedingungen der Menschheit, München 1980, S. 110–172.

Fleiner, Elisabeth: Genossenschaftliche Siedlungsversuche in der Nachkriegszeit, Heidelberg 1931.

Frecot, Janos, Friedrich Geist und Diethart Kerbs: Fidus. 1868–1948. Zur ästhetischen Praxis bürgerlicher Fluchtbewegungen, München 1972.

Frecot, Janos: Die Lebensreformbewegung. In: Das wilhelminische Bildungsbürgertum. Hrsg. von Klaus Vondung, Göttingen 1976, S. 138–152.

Gerndt, Siegmar: Idealisierte Natur. Die literarische Kontroverse um den Landschaftsgarten des 18. und frühen 19. Jahrhunderts in Deutschland, Stuttgart 1981.
Gnüg, Hiltrud (Hrsg.): Literarische Utopieentwürfe, Frankfurt a. M. 1982.
Dies.: Der utopische Roman. Eine Einführung, München 1983.
Grimm, Gunter E., Werner Faulstich und Peter Kuon (Hrsg.): Apokalypse. Weltuntergangsvisionen in der Literatur des 20. Jahrhunderts, Frankfurt a. M. 1986.
Grimm, Reinhold und Jost Hermand (Hrsg.): Natur und Natürlichkeit. Stationen des Grünen in der deutschen Literatur, Königstein 1981.
Grimm, Reinhold und Jost Hermand (Hrsg.): From the Greeks to the Greens. Images of the Simple Life, Madison 1989.
Gröning, Gert und Joachim Wolschke: Naturschutz und Ökologie im Nationalsozialismus. In: Die alte Stadt 10, 1983, S. 1–17.
Hallensleben, Anna: Wie alles anfing... Zur Vorgeschichte der Partei Die Grünen. In: Thomas Kluge (Hrsg.): Grüne Politik, Frankfurt a.M. 1984, S. 154–165.
Hamann, Richard und Jost Hermand: Stilkunst um 1900, Berlin 1967.
Harten, Hans-Christian und Elke: Die Versöhnung mit der Natur. Gärten, Freiheitsbäume, republikanische Wälder, heilige Berge und Tugendparks in der Französischen Revolution, Reinbek 1989.
Hartmann, Kristina: Deutsche Gartenstadtbewegung. Kulturpolitik und Gesellschaftsreform, München 1976.
Heineke, Gustav: Frühe Kommunen in Deutschland, Herford 1978.
Hemleben, Johannes: Das haben wir nicht gewollt. Sinn und Tragik der Naturwissenschaft, Frankfurt a. M. 1981.
Herles, Wolfgang: Der Beziehungswandel zwischen Mensch und Natur im Spiegel der deutschen Literatur seit 1945, Stuttgart 1982.
Hermand, Jost: Orte. Irgendwo. Formen utopischen Denkens, Frankfurt a. M. 1981.
Ders.: Der alte Traum vom neuen Reich. Völkische Utopien und Nationalsozialismus, Frankfurt a. M. 1988.
Ders. Die Kultur der Bundesrepublik Deutschland. 1965–1985, München 1988.
Hermand, Jost und Hubert Müller (Hrsg.): Öko-Kunst? Zur Ästhetik der Grünen, Berlin 1989.
Hermann, Bernd (Hrsg.): Umwelt in der Geschichte. Beiträge zur Umweltgeschichte, Göttingen 1989.
Herrmann, Georg: 100 Jahre deutsche Vegetarierbewegung, Obersontheim 1967.
Holler, Eckard: Ästhetik des Widerstands und politisches Engagement in der bündischen Jugend. In: Peter Ulrich Hein (Hrsg.): Künstliche Paradiese der Jugend, Münster 1984, S. 73–99.
Kellenbenz, Daniel (Hrsg.): Wirtschaftsentwicklung und Umweltbeeinflussung. 14.–20. Jahrhundert, Wiesbaden 1982.
Kelly, Alfred: The Descent of Darwin. The Popularization of Darwinism in Germany. 1860–1914, Chapel Hill 1981.
Kluge, Thomas: Grüne Politik, Frankfurt a. M. 1984.
Knabe, Hubertus: Zweifel an der Industriegesellschaft. Ökologische Kritik in der erzählenden DDR-Literatur. In: Umweltprobleme und Umweltbewußtsein in der DDR. Hrsg. von der Redaktion Deutschland Archiv, Bielefeld 1985, S. 201–250.

Kunz, Norbert (Hrsg.): Ökologie und Sozialismus. Perspektiven einer umweltfreundlichen Politik, Köln 1986.
Küppers-Sonnenberg, Gustav Adolf: Deutsche Siedlung. Idee und Wirklichkeit, Berlin 1933.
Leineweber, Bernd: Über Politik und Alltag in den Landkommunen und anderen Alternativen, Frankfurt a. M. 1981.
Linse, Ulrich: Die Kommune der deutschen Jugendbewegung, München 1973.
Ders.: Barfüßige Propheten. Erlöser der zwanziger Jahre, Berlin 1983.
Ders. (Hrsg.): Zurück, o Mensch, zur Mutter Erde. Landkommunen in Deutschland. 1890–1933, München 1983.
Ders.: Ökopax und Anarchie. Eine Geschichte der ökologischen Bewegungen in Deutschland, München 1986.
Makowsky, Henry und Bernhard Buderath: Die Natur dem Menschen untertan. Ökologie im Spiegel der Landschaftsmalerei, München 1983.
Mason, Stephen F.: Geschichte der Naturwissenschaft, Stuttgart 1961.
Mayer-Tasch, Peter Cornelius: Umweltbewußtsein und Jugendbewegung. In: Ders.: Ökologie und Grundgesetz, Frankfurt a. M. 1980, S. 41–68.
Ders.: Im Gewitter der Geraden. Deutsche Ökolyrik. 1950–1980, München 1981.
Ders.: Ökologie und Utopie. In: Natur, 1984, H. 1, S. 74–77.
Ders.: Aus dem Wörterbuch der Politischen Ökologie, München 1985.
McCormick, John: Reclaiming Paradise. The Global Environmental Movement, Bloomington 1989.
Mieck, Ilja: Industrialisierung und Umwelt, Berlin 1985.
Moosmann, Elisabeth (Hrsg.): Heimat – Sehnsucht nach Identität, Berlin 1980.
Morris-Keitel, Peter: Naturkonzepte in der Literatur der frühen Jugendbewegung. 1900–1918, Diss. Wisconsin, 1991.
Mosse, George L.: Ein Volk – ein Reich – ein Führer, Königstein 1979.
Mrass, Walter: Die Organisation des staatlichen Naturschutzes und der Landschaftspflege im Deutschen Reich und in der Bundesrepublik Deutschland seit 1935, Stuttgart 1970.
Mumford, Lewis: Mythos der Maschine, Wien 1974.
Pankau, Johannes G.: Wege zurück. Zur Entwicklungsgeschichte restaurativen Denkens im Kaiserreich, Bern–Frankfurt a. M. 1983.
Peters, Jan (Hrsg.): Die Geschichte alternativer Projekte von 1800 bis 1975, Berlin 1980.
Piechotta, Joachim (Hrsg.): Reise und Utopie, Frankfurt a. M. 1976.
Rossbacher, Karlheinz: Heimatkunstbewegung und Heimatroman. Zu einer Literatursoziologie der Jahrhundertwende, Stuttgart 1975.
Saage, Richard: Politische Utopien der Neuzeit, Darmstadt 1991.
Schäfer, Wolf: Die unvertraute Moderne. Historische Umrisse einer anderen Natur- und Sozialgeschichte, Frankfurt a. M. 1985.
Schmidt, Alfred: Der Begriff der Natur in der Lehre von Marx, Frankfurt a. M. 1962.
Ders.: Goethes herrlich leuchtende Natur. Philosophische Studien zur deutschen Spätaufklärung, München 1984.
Schoenichen, Walther: Naturschutz – Heimatschutz. Ihre Begründung durch Ernst Rudorff, Hugo Cowentz und ihre Vorläufer, Stuttgart 1954.
Schramm, Engelbert (Hrsg.): Ökologie-Lesebuch. Ausgewählte Texte von der

Entwicklung ökologischen Denkens vom Beginn der Neuzeit bis zum Club of Rome, Frankfurt a.M. 1984.
Schua, Leopold und Roma: Wasser – Lebenselement und Umwelt, Freiburg 1981.
Sibley, Milford Q.: Technology and Utopian Thought, Minneapolis 1971.
Siebenhaar, Klaus: Klänge aus Utopia. Zeitkritik, Handlung und Utopie im expressionistischen Drama, Berlin 1982.
Sieferle, Rolf Peter: Fortschrittsfeinde? Opposition gegen Technik und Industrie von der Romantik bis zur Gegenwart, München 1989.
Smuda, Manfred (Hrsg.): Landschaft, Frankfurt a.M. 1989.
Stahl, Dietrich: Wild – Lebendige Umwelt. Probleme von Jagd. Tierschutz und Ökologie geschichtlich dargestellt und dokumentiert, Freiburg 1979.
Stapleton, Amy: Bewußtseinswandel. Theory and Practice of Critical Awareness and the Utopian Function of Contemporary German Sience Fiction, Diss. Wisconsin 1991.
Szeemann, Harald (Hrsg.): Monte Verità, Mailand 1978.
Tallert, Harry: Eine grüne Gegenrevolution. Aspekte der ökologischen Bewegung, Frankfurt a.M.–Berlin 1980.
Trepl, Ludwig: Geschichte der Ökologie vom 17. Jahrhundert bis zur Gegenwart, Frankfurt a.M. 1987.
Tümmers, Horst-Johs.: Rheinromantik, Köln 1968.
Villgradter, Rudolf und Friedrich Krey (Hrsg.): Der utopische Roman, Darmstadt 1973.
Voßkamp, Wilhelm (Hrsg.): Utopieforschung. Interdisziplinäre Studien zur neuzeitlichen Utopie, Frankfurt a.M. 1982.
Wagner, Birgit: Gärten und Utopien. Natur und Glücksvorstellungen in der französischen Spätaufklärung, Wien 1985.
Wey, K. G.: Umweltpolitik in Deutschland. Kurze Geschichte des Umweltschutzes in Deutschland, Opladen 1982.
Weyergraf, Bernd (Hrsg.): Waldungen. Die Deutschen und ihr Wald, Berlin 1987.
Zimmer, Jochen (Hrsg.): Mit uns zieht die neue Zeit. Die Naturfreunde. Zur Geschichte eines alternativen Verbandes in der Arbeiterbewegung, Köln 1984.
Zimmermann, Peter: Der Bauernroman. Antifeudalismus – Konservativismus – Faschismus, Stuttgart 1975.

Namenregister

1091/1